KENJI MIYAZAWA
COLLECTION

宮沢賢治コレクション I

銀河鉄道の夜

童話 I・少年小説ほか

筑摩書房

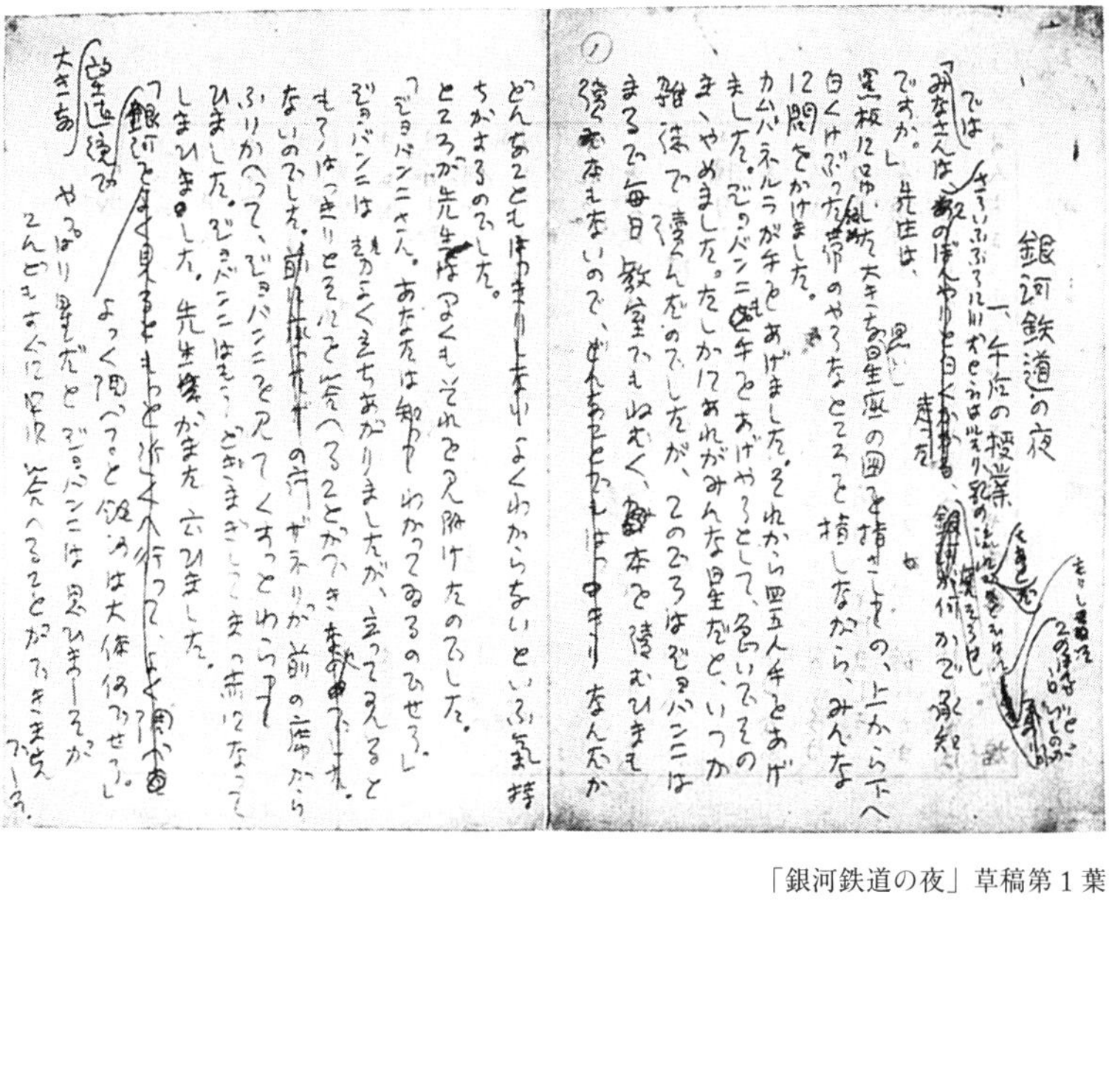

銀河鉄道の夜

一、午后の授業

「ではみなさんは、さういふふうに川だと云はれたり、乳の流れたあとだと云はれたりしてゐたこのぼんやりと白いものがほんたうは何かご承知ですか。」先生は、黒板に吊した大きな黒い星座の図の、上から下へ白くけぶった銀河帯のやうなところを指しながら、みんなに問をかけました。

カムパネルラが手をあげました。それから四五人手をあげました。ジョバンニも手をあげやうとして、急いでそのまゝやめました。たしかにあれがみんな星だと、いつか雑誌で読んだのでしたが、このごろはジョバンニはまるで毎日教室でもねむく、本を読むひまも読む本もないので、なんだかどんなこともよくわからないといふ気持ちがするのでした。

ところが先生は早くもそれを見附けたのでした。

「ジョバンニさん。あなたはわかってゐるのでせう。」

ジョバンニは勢よく立ちあがりましたが、立って見るともうはっきりとそれを答へることができないのでした。ザネリが前の席からふりかへって、ジョバンニを見てくすっとわらひました。ジョバンニはもうどぎまぎしてまっ赤になってしまひました。先生がまた云ひました。

「大きな望遠鏡で銀河をよっく調べると銀河は大体何でせう。」

やっぱり星だとジョバンニは思ひましたがこんどもすぐに答へることができませんでした。

「銀河鉄道の夜」草稿第１葉

監修　天沢退二郎
入沢康夫
編集委員　栗原　敦
杉浦　静
編集協力　宮沢家
装画・挿画　千海博美
装丁　アルビレオ
口絵写真　「銀河鉄道の夜」草稿第一葉（宮沢賢治記念館蔵）

目次

宮沢賢治コレクション1

銀河鉄道の夜

童話I・少年小説ほか

ポラーノの広場

ぽらーののひろば

前十七等官　レオーノキュースト　誌
宮沢賢治　訳述

そのころわたくしはモリーオ市の博物局に勤めて居《お》りました。

十八等官でしたから役所のなかでもずうっと下の方でしたし、俸給《ほうきゅう》もほんのわずかでしたが、受持ちが標本の採集や整理で、生れ付き、好きなことでしたから、わたくしは毎日ずいぶん愉快《ゆかい》にはたらきました。殊《こと》にそのころ、モリーオ市では競馬場を植物園に拵《こしら》え直すというので、その景色のいいまわりにアカシヤを植え込《こ》んだ広い地面が、切符《きっぷ》売場や信号所の建物のついたままわたくしどもの役所の方へまわって来たものですから、わたくしはすぐ宿直という名前で月賦《げっぷ》で買った小さな蓄音器と二十枚ばかりのレコードをもってその番小屋にひとり住むことになりました。わたくしはそこの馬を置く場所に板で小さなしきいをつけて一疋《ぴき》の山羊《やぎ》を飼いました。毎朝その乳をしぼってつめたいパンをひたしてたべ、それから黒い革のかばんへすこしの書類や雑誌を入れ、靴もきれいにみがき、並木のポプラの影法師《かげぼうし》を大股《おおまた》にわたって市の役所へ出て行くのでした。

あのイーハトーヴォのすきとおった風、夏でも底に冷たさをもつ青いそら、うつくしい森で飾ら

れたモリーオ市、郊外《こうがい》のぎらぎらひかる草の波、
またそのなかでいっしょになったたくさんのひとたち、ファゼーロとロザーロ、羊飼《ひつじかい》のミーロや顔の赤いこどもたち、地主のテーモ、山猫博士のボーガント・デストゥパーゴなど、いまこの暗い巨《おお》きな石の建物のなかで考えているとみんななつかしい青いむかし風の幻燈《げんとう》のように思われます。
では、わたくしはいくつかの小さなみだしをつけながらしずかにあの年のイーハトーヴォの五月から十月までを書きつけましょう。

一、遁《に》げた山羊

五月のしまいの日曜でした。わたくしは賑《にぎ》やかな市の教会の鐘《かね》の音で眼《め》をさましました。もう日はよほど登って、まわりはみんなきらきらしていました。時計を見るとちょうど六時でした。わたくしはすぐチョッキだけ着て山羊《やぎ》を見に行きました。すると小屋のなかはしんとして藁《わら》が凹《へこ》んでいるだけであのみじかい角も白い髪も見えませんでした。

「あんまりいい天気なもんだから大将ひとりででかけたな。」

わたくしは半分わらうように半分つぶやくようにしながら、向こうの信号所から、いつも放して遊ばせる輪道の内側の野原、ポプラの中から顔をだしている市はずれの白い教会の塔までぐるっと見まわしました。けれどもどこにもあの白い頭もせなかも見えていませんでした。うまやを

一まわりしてみましたがやっぱりどこにも居ませんでした。

「いったい山羊は馬だの犬のように前居たところや来る道をおぼえていて、そこへ戻《もど》っているということがあるのかなあ。」わたくしはひとりで考えました。さあ、そう思うと早くそれを知りたくてたまらなくなりました。けれども役所のなかとちがって競馬場には物知りの年とった書記も居なければそんなことを書いた辞書もそこらにありませんでしたから、わたくしは何ということなしに輪道を半分通ってそれからこの前山羊が村の人に連れられて来た路《みち》をそのまま野原の方へあるきだしました。

そこらの畑では燕麦《えんばく》もライ麦ももう芽をだしていましたしこれから何か蒔《ま》くところらしく掘り起されているところもありました。

そしていつかわたくしは町から西南の方の村へ行くみちへはいってしまっていました。向こうからは黒い着物に白いきれをかぶった百姓のおかみさんたちが、たくさん歩いてくるようすなのです。わたくしは気がついてもう戻ってしまおうと思いました。全くの起きたままチョッキだけ着て顔もあらわず帽子もかむらず山羊が居るかどうかもわからない広い畑のまんなかへ飛びだして来ているのです。けれどもそのときはもう戻るのも工合《ぐあい》が悪くなってしまっていました。向こうの人たちがじき顔の見えるところまで来ているのです。わたくしは思い切って勢いよく歩いて行っておじぎをして尋《たず》ねました。

「こっちへ山羊が迷って来ていませんでしたでしょうか。」

女の人たちはみんな立ちどまってしまいました。教会へ行くところらしくバイブルも持っていたのです。

「こっちへ山羊《やぎ》が一疋迷って来たんですが、ご覧になりませんでしたでしょうか。」

みんなは顔を見合わせました。それから一人が答えました。

「さあ、わたくしどもはまっすぐに来ただけですから。」

そうだ、山羊が迷って出たときに人のようにみちを歩くのではないのだな。わたくしはおじぎしました。

「いや、ありがとうございました。」

女たちは行ってしまいました。もう戻ろう、けれどもいま戻るとあの女の人たちを通り越して行かなければならない、まあ散歩のつもりでもすこし行こう、けれどもさっぱりたよりのない散歩だなあ、わたくしはひとりでにがわらいしました。そのときまた向こうから二十五六になる若ものと十七ばかりのこどもとスコープをかついでやって来ました。もう仕方ない、みかけだけにたずねて見よう、わたくしはまたおじぎしました。

「山羊を一疋迷ってこっちへ来たのですがごらんになりませんでしたでしょうか。」

「山羊ですって。いいえ。連れてあるいて遁《に》げたのですか。」

「いいえ、小屋から遁げたんです。いや、ありがとうございました。」わたくしはおじぎをしてまたあるきだしました。

するとそのこどもがうしろで云《い》いました。

「ああ、向こうから誰《たれ》か来るなあ。あれそうでないかなあ。」

わたくしはふりかえって指ざされた私の行くほうを見ました。

「ファゼーロだな、けれども山羊かなあ。」

「山羊だよ。ああきっとあれだ。ファゼーロがいまごろ山羊なんぞ連れてあるく筈《はず》ないんだから。」

たしかにそれは山羊でした。けれどもそれは別ので売りに町へ行くのかもしれない、まああの指導標のところまで行って見よう、わたくしはそっちへ近づいて行きました。一人の頬《ほお》の赤い、チョッキだけ着た十七ばかりの子どもが何だかわたくしのらしい雌の山羊の首に帯皮をつけてはじを持ってわらいながらわたくしに近よって来ました。どうもわたくしのらしいけれども何と云おうと思いながらわたくしは立ちどまりました。すると子どもも立ちどまってわたくしにおじぎしました。

「この山羊はおまえんだろう。」

「そうらしいねえ。」

「ぼく出てきたらたった一疋で迷っていたんだ。」

「山羊もやっぱり犬のように一ぺんあるいた道をおぼえているのかねえ。」

「おぼえてるとも。じゃ。やるよ。」

「ああ、ほんとうにありがとう。わたしはねえ、顔も洗わないで探しに来たんだ。」

「そんなに遠くから来たの。」

「ああわたしは競馬場に居るからねえ。」

「あすこから?」子どもは山羊《やぎ》の首から帯皮をとりながら畑の向こうでかげろうにぎらぎらゆれているやっと青みがかったアカシヤの列を見ました。

「ずいぶん遠くまで来たもんだねえ。」

「ああ、じゃ、僕《ぼく》こっちへ行くんだから。さよなら。」

「あ、ちょっと待って。ぼくなにかあげたいんだけれどもなんにもなくてねえ。」

「いいや、ぼくなんにもいらないんだ。山羊を連れてくるのは面白《おもしろ》かった。」

「だけどねぇ、それではわたしが気が済まないんだよ。そうだ、あなたは鎖はいらないの。」わたくしは時計の鎖ならなくても済むと思いながら銀の鎖をはずしました。

「いいや。」

「磁石もついてるよ。」

するとと子どもは顔をぱっと熱《ほて》らせましたがまたあたりまえになって
「だめだ、磁石じゃ探せないから。」とぼんやり云いました。

「磁石で探せないって?」私はびっくりしてたずねました。

「ああ。」子どもは何か心もちのなかにかくしていたことを見られたというように少しあわてました。

「何を探すっていうの?」

子どもはしばらくちゅうちょしていましたがとうとう思い切ったらしく云いました。

「ポラーノの広場。」

「ポラーノの広場？　はてな、聞いたことがあるようだなあ。何だったろうねえ、ポラーノの広場。」

「昔ばなしなんだけれどもこのごろまたあるんだ。」

「ああそうだ、わたしも小さいとき何べんも聞いた。野はらのまんなかの祭のあるところだろう。あのつめくさの花の番号を数えて行くというのだろう。」

「ああ、それは昔ばなしなんだ。けれども、どうもこの頃《ごろ》もあるらしいんだよ。」

「どうして。」

「だってぼくたちが夜野原へ出ているとどこかでそんな音がするんだもの。」

「音のする方へ行ったらいいんでないか。」

「みんなで何べんも行ったけれどもわからなくなるんだよ。」

「だって、聞えるくらいならそんなに遠い筈《はず》はないねえ。」

「いいや、イーハトーヴォの野原は広いんだよ。霧のある日ならミーロだって迷うよ。」

「そうさねえ、だけど地図もあるからねえ。」

「野原の地図ができてるの。」

「ああ、きっと四枚ぐらいにまたがってるねえ。」

「その地図で見ると路《みち》でも林でもみんなわかるの。」

「いくらか変っているかもしれないがまあ大体はわかるだろう。じゃ、お礼にその地図を買って送ってあげようか。」

「うん、」子どもは顔を赤くして云《い》いました。

「きみはファゼーロって云うんだね。宛名《あてな》をどう書いたらいいかねえ。」

「ぼく、ひまを見付けておまえんうちへ行くよ。」

「ひまって今日でもいいよ。」

「ぼく仕事があるんだ。」

「今日は日曜じゃないか。」

「いいえ、ぼくには日曜はないんだ。」

「どうして。」

「だって仕事をしなきゃ、」

「仕事ってきみのかい。」

「旦那《だんな》んさ。みんなもう行って畦《あぜ》へはいってるんだ。小麦の草をとっているよ。」

「じゃきみは主人のとこに雇われているんだね。」

「ああ、」

「お父さんたちは。」

「ない。」

「兄さんか誰《たれ》かは」

「姉さんがいる。」

「どこに、」

「やっぱり旦那んとこに。」

「そうかねえ、」

「だけど姉さんは山猫博士のとこへ行くかも知れないよ。」

「何だい。その山猫博士というのは。」

「あだ名なんだ。ほんとうはデストゥパーゴって云うんだ。」

「デストゥパーゴ？　ボー、ガント、デストゥパーゴかい。県の議員の」

「ええ。」

「あいつは悪いやつだぜ。あいつのうちがこっちの方にあるのかい。」

「ああぼくの旦那のうちから見え……」

「おい、ここら何をぐずぐずしてるんだ。」うしろで大きな声がしました。見ると一人の赤い帽子をかぶった年老《としよ》りの頑丈《がんじょう》そうな百姓が革むちをもって怒って立っていました。

「もう一くぎりも働いたかと思って来て見るとまだこんなとこに立ってしゃべくってやがる。早く仕事へ行け。」

「はい、じゃさよなら。」

「ああさよなら。ぼくは役所からいつでも五時半には帰っているからね。」

「ええ、」ファゼーロは水壺《みずつぼ》とホーをもって急いで向こうの路《みち》へはいって行きました。百姓はこんどはわたくしに云いました。

「あなたはどこのお方だか知らないが、これからわしの仕事にいらないお世話をして貰《もら》いたくないもんですな。」

「いや、わたしはね、山羊《やぎ》に遁《に》げられてそれをたずねて来たらあの子どもさんが連れて来ていたもんだからお礼を云《い》っていたんです。」

「いや、結構ですよ。山羊というやつはどうも足があって歩くんでね。やいファゼーロ、かけて行け、馬鹿《ばか》かけて行けったら。」百姓は顔をまっ赤にして手をあげて革むちをパチッと鳴らしました。

「人を使うのに革むちを鳴らすなんて乱暴じゃないですか。」

百姓はわざと顔を前につき出して云いました。

「このむちですかい。あなたはこの鞭《むち》のことを仰《おつしや》ったんですか。この鞭はねえ、人を使う鞭ではありませんよ。馬を追う鞭ですよ。あっちへ馬が四疋も行ってますからねえ。そらねこんなふうに。」百姓はわたくしの顔の前でパチッパチッとはげしく鞭を鳴らしました。わたくしはさぁっと血が頭にのぼるのを感じました。けれどもまたいま争うときでないと考えて山羊の方を見ました。山羊はあちこち草をたべながら向こうに行っていました。百姓はファゼーロの行った方へ行きわたくしも山羊の方へ歩きだしました。山羊に追いついてから、ふりかえって見ますと畑いちめん紺いろの地平線までにぎらぎらのかげろうで百姓の赤い頭巾《ずきん》もみんなごちゃごちゃにゆれていました。その向こうの一そう烈《はげ》しいかげろうの中でピカッと白くひかる農具と黒い影法師のようにあるいている馬とファゼーロかそれともほかのこどもかしきりに手をふって馬をうごかしているのをわたくしは見ました。

二、つめくさのあかり

それからちょうど十日ばかりたって、夕方、わたくしが役所から帰って両手でカフスをはずしていましたら、いきなりあのファゼーロが戸口から顔を出しました。そしてわたくしがまだびっくりしているうちに

「とうとう来たよ、今晩は」と云いました。

「ああ、先頃《せんころ》はありがとう。地図はちゃんと仕度しておいたよ。この前の音は今でもするの。」

「するとも、昨夜《ゆうべ》なんかとてもひどいんだ。今夜はもうぼくどうしても探そうとおもって羊飼《ひつじかい》の

ミーロと二人で出て来たんだ。」

「うちの方は大丈夫かい。」

「うん、」ファゼーロは何だか少しあいまいに返事しました。

「きみの旦那《だんな》はなかなか恐《こわ》い人だねえ、何て云うんだ。」

「テーモだよ。」

「テーモ、やっぱし何だか聞いたような名だなあ。」

「聞いたかも知れない。あちこち役所へ果物だの野菜だの納めているんだから。」

「そうかねえ。とにかく地図はこれだよ。」わたくしは戸口に買って置いた地図をひろげました。

「ミーロも呼んでもいいかい。」

「誰《たれ》か来てるのか。いいとも。」

「ミーロ、おいで。地図を見よう。」

　すると山羊小屋の中からファゼーロよりも三つばかり年上のちゃんときゃはんをはいてぼろぼろになった青い皮の上着を着た顔いろのいいわか者が出てきてわたくしにおじぎしました。

「おや、ぼくは地図をよくわからないなあ、どっちが西だろう。」

「上の方が北だよ。そう置いてごらん。」

　ファゼーロはおもての景色と合わせて地図を床に置きました。

「そら、こっちが東でこっちが西さ。いまぼくらのいるのはここだよ。この円くなった競馬場のここのとこさ。」

「乾溜《かんりゅう》工場はどれだろう。」ミーロが云《い》いました。

「乾溜工場って、この地図にはないね、こっちかしら。」わたくしは別のをひろげました。

「ないなあ。いつころからあるんだい。」

「去年からだよ。」

「それじゃないんだ。この地図はもっと前に測量したんだから。その工場はどんなとこにあるの。」

「ムラードの森のはずれだよ。」

「ああ、これかしら、何の木だい、楢《なら》か樺《かば》だろう。唐檜《とうひ》やサイプレスではないね。」

「楢と樺だよ。ああこれか。ぼくはねえ、どうも昨夜《ゆうべ》の音はここから聞こえたと思うんだ。」

「行こう行こう、行って見よう。」ファゼーロはもう地図をもってはねあがりました。

「わたしも行っていいかい。」

「いいとも、ぼくそう云いたくていたんだ。」

「じゃわたしも行こう。ちょっと待って。」わたくしは大急ぎで仕度をしました。どうせ月は出るけれども地図が見えないといけないと思ってガラス函《ばこ》のちょうちんも持ちました。

「さあ行こう。」わたくしはばたんと戸をしめてファゼーロとミーロのあとに立ちました。

日はもう落ちて空は青く古い池のようになっていました。

そこらの草もアカシヤの木も一日のなかでいちばん青く見えるときでした。

「ポラーノの広場へ行けば何があるって云うの？」

ミーロについて行きながらわたくしはファゼーロにたずねました。

「オーケストラでもお酒でも何でもあるって。ぼくお酒なんか呑《の》みたくはないけれどみんなを連れて行きたいんだよ。」

「そうだって云ったねえ、わたしも小さいときそんなこと聞いたよ。」

「それに第一にね、そこへ行くと誰《たれ》でも上手に歌えるようになるって。」

「そうそう云った。だけどそんなことがいまでもほんとうにあるかねえ。」

「だって聞こえるんだもの。ぼくは何もいらないけれども上手にうたいたいんだよ。ねえ。ミーロだってそうだろう。」

「うん。」ミーロもうなずきました。元来ミーロなんかよほど歌がうまいのだろうとわたくしは思いました。

　わたくしどもはもう競馬場のまん中を横截《よこぎ》ってしまってまっすぐに野原へ行く小さなみちへかかっていました。ふりかえってみるとわたくしの家がかなり小さく黄いろにひかっていました。

「ぼくは小さいときはいつでもいまごろ、野原へ遊びに出た。」ファゼーロが云《い》いました。

「そうかねえ、」

「するとお母さんが行っておいで、ふくろうにだまされないようにおしって云うんだ。」

「何て云うって。」

「お母さんがね、行っておいで、ふくろうにだまされないようにおしって云うんだよ。」

「ふくろうに？」

「うん、ふくろうにさ。それはね、僕もっと小さいとき、それはもうこんなに小さいときなんだ、野原に出たろう。すると遠くで、誰《たれ》だか食べた、誰だか食べた、というものがあったんだ。それがふくろうだったのよ。僕ばかな小さいときだから、ずんずん行ったんだ。そして林の中へはいってみちがわからなくなって泣いた。それからいつでもお母さんそう云ったんだ。」

「お母さんはいまどこにいるの。」わたくしはこの前のことを思いだしながらそっとたずねました。

「居ない。」ファゼーロはかなしそうに云いました。

「この前きみは姉さんがデストゥパーゴのとこへ行くかもしれないって云ったねえ。」

「うん、姉さんは行きたくないんだよ。だけど旦那《だんな》が行けって云うんだ。」

「テーモがかい。」

「うん、旦那は山猫《やまねこ》博士がこわいんだからねえ。」

「なぜ山猫博士って云うんだ。」

「ぼくよくわからない。ミーロは知ってるの？」

「うん、」ミーロはこっちをふりむいて云いました。

「あいつは山猫を釣ってあるいて外国へ売る商売なんだって。」

「山猫を？　じゃ動物園の商売かい。」

「動物園じゃないなあ。」ミーロもわからないというふうにだまってしまいました。そのときはもう、あたりはとっぷりくらくなって西の地平線の上が古い池の水あかりのように青くひかるきり、そこらの草も青黝《あおぐろ》くかわっていました。

「おや、つめくさのあかりがついたよ。」ファゼーロが叫びました。

なるほど向こうの黒い草むらのなかに小さな円いぼんぼりのような白いつめくさの花があっちにもこっちにもならび、そこらはむっとした蜂蜜《はちみつ》のかおりでいっぱいでした。

「あのあかりはねえ、そばでよく見るとまるで小さな蛾《が》の形の青じろいあかりの集まりだよ。」

「そうかねえ、わたしはたった一つのあかしだと思っていた。」

「そら、ね、ごらん、そうだろう、それに番号がついてるんだよ。」

わたしたちはしゃがんで花を見ました。なるほど一つ一つの花にはそう思えばそうというような小さな茶いろの算用数字みたいなものが書いてありました。

「ミーロ、いくらだい。」

「一千二百五十六かな、いや一万七千五十八かなあ。」

「ぼくのは三千四百二十……六だよ。」

「そんなにはっきり書いてあるかねえ。」わたくしにはどうしてもそんなにはっきりは読むことができませんでした。けれども花のあかりはあっちにもこっちにももうそこらいっぱいでした。

「三千八百六十六、五千まで数えればいいんだからポラーノの広場はもうじきそこらな筈《はず》なんだけれども。」

「だってさっぱりきみらの云《い》うようないい音はしないいんじゃないか。」

「いまに聞こえるよ。こいつは二千五百五十六だ。」

「その数字を数えるというのはきっとだめだよ。」

とうとうわたくしは云いました。

「どうして?」ファゼーロもミーロもまっすぐに立ってわたくしを見ています。

「なぜって第一わたしは花にそんな数字が書いてあるのでなくてそれはこっちの目のまちがいだろうと思うんだ。もしほんとうにいまにその音が聞こえてきたらまっすぐにそっちに行くのがいちばんいいだろうと思うんだ。とにかくもっとさきへ行ってみようじゃないか。ここらならわたしだって度々《たびたび》来ているんだから。ここらはまだあの岐《わか》れみちのまっ北ぐらいにしかなってないんだ。ムラードの森なんか、まだよっぽどあるだろう。ねえ、ミーロ君。」

「よっぽどあるとも。」

「じゃ、行こう、まあもっと行って花の番号を見てごらん。やっぱり二千とか三千とかだから。」

ミーロはうなずいてあるきだしました。ファゼーロもだまってついて行きました。わたくしどもはじつにいっぱいに青じろいあかりをつけて向こうの方はまるで不思議な縞物《しまもの》のように縷条《いとすじ》にも縞になった野原をだまってどんどんあるきました。その野原のはずれのまっ黒な地平線の上では、そらがだんだんにぶい鋼のいろに変っていくつかの小さな星もうかんできましたしそこらの空気もいよいよ甘くなりました。そのうち何だかわたくしどもの影が前の方へ落ちているようなのでうしろを振り向いて見ますと、おお、はるかなモリーオの市のぼぉっとにごった灯照《ほで》りのなかから十六日の青い月が奇体《きたい》に平べったくなって半分のぞいているのです。わたくしどもは思わず声をあげました。ファゼーロはそっちへ挨拶《あいさつ》するように両手をあげてはねあがりました。

にわかにぼんやり青白い野原の向こうで何かセロかバスのような顫《ふる》いがしずかに起りました。

「そら、ね、そら。」ファゼーロがわたくしの手を叩《たた》きました。わたくしもまっすぐに立って耳をすましました。音はしずかにしずかに呟《つぶ》やくようにふるえています。けれどもいったいどっちの方か、わたくしは呆《あき》れてつっ立ってしまいました。もう南でも西でも北でもわたくしどもの来た方でもそう思って聞くと地面の中でも高くなったり低くなったりたのしそうにたのしそうにその音が鳴っているのです。

それはまた一つや二つではないようでした。消えたりもつれたり一所になったり何とも云われないのです。

「まるで昔からのはなしの通りだねえ。わたしはもうわからなくなってしまった。」

「番号はここらもやっぱり二千三百ぐらいだよ。」ファゼーロが、月が出て一そう明るくなったつめくさの灯をしらべて云《い》いました。

「番号なんかあてにならないよ。」わたくしも屈《かが》みました。そのときわたくしは一つの花のあかしからも一つの花へ移って行く黒い小さな蜂《はち》を見ました。

「ああ、蜂が、ごらん、さっきからぶんぶんふるえているのは、月が出たので蜂が働きだしたのだよ。ごらん、もう野原いっぱい蜂がいるんだ。」これでわかったろうとわたくしは思いましたがミーロもファゼーロもだまってしまってなかなか承知しませんでした。

「ねえ蜂だろう。だからあんなに野原中どこから来るか知れなかったんだよ。」

ミーロがやっと云いました。

「そうでないよ。蜂ならぼくはずっと前から知っているんだ。けれども昨夜《ゆうべ》はもっとはっきり人の笑い声などまで聞えたんだ。」

「人の笑い声、太い声でかい。」

「いいや。」

「そうかねえ。」わたくしはまたわからなくなって腕を組んで立ちあがってしまいました。

そのときでした。野原のずうっと西北の方でぼぉとたしかにトローンボーンかバスの音がきこえました。わたくしはきっとそっちを向きました。するとまた西の方でもきこえるのです。わたくしはおもわず身ぶるいしました。野原ぜんたいに誰《たれ》か魔術でもかけているかそうでなければ昔からの云い伝え通り、ひるには何もない野原のまんなかに不思議に楽しいポラーノの広場ができるのか、わたくしは却《かえ》ってひるの間役所で標本に札をつけたり書類を所長のところへ持って行ったりしていたことが別の世界のことのように思われてきました。

「やっぱり何かあるのかねえ。」

「あるよ。だってまだこれどこでないんだもの。」

「こんなに方角がわからないとすればやっぱり昔の伝説のようにあかしの番号を読んで行かなければならないんだが、ぜんたいいくらまで数えて行けばポラーノの広場に着くって？」

「五千だよ。」

「五千？　ここはいくらと云ったねえ。」

「三千ぐらいだよ。」

「じゃ、北へ行けば数がふえるか西へ行けばふえるかしらべて見ようか。」

その時でした。

「ハッハハッハッ。お前たちもポラーノの広場へ行きてえのか。」うしろで大きな声で笑うものがいました。

「何だい、山猫の馬車別当め。」ミーロが云いました。

「三人で這《は》いまわってあかりの数を数えてるんだな。はっはっはっ、」その足のまがった片眼《かため》の爺《じい》さんは上着のポケットに手を入れたまままた高くわらいました。

「数えてるさ、そんならじいさんは知ってるかい。いまでもポラーノの広場はあるかい。」ファゼーロが訊《き》きました。

「あるさ。あるにはあるけれどもお前らのたずねているような、這《は》いつくばって花の数を数えて行くようなそんなポラーノの広場はねえよ。」

「そんならどんなんがあるんだい。」

「もっといいのがあるよ。」

「どんなんだい。」

「まあお前たちには用がなかろうぜ。」じいさんはのどをくびっと鳴らしました。

「じいさんはしじゅう行くかい。」

「行かねえ訳でもねえよ、いいとこだからなあ。」

「じいさんは今夜は酔ってるねえ。」

「ああ上等の藁酒《わらざけ》をやったからな。」じいさんはまたのどをくびっと鳴らしました。

「ぼくたちは行けないだろうかねえ。」

「行けねえよ、あっいけねえ、とうとう悪魔にやられた。」じいさんは額《ひたい》を押えてよろよろしました。甲《かぶと》むしが飛んで来てぶっつかったようすでした。ミーロが云いました。

「じいさん、ポラーノの広場の方角を教えてくれたら、おいらぁ、じいさんと悪魔の歌をうたってきかせるぜ。」

「縁起でもねえ、まあもっと這いまわって見ねえ。」じいさんはぶりぶり怒ってぐんぐんつめくさの上をわたって南の方へ行ってしまいました。

「じいさん。お待ちよ。また馬を冷やしに連れてってやるからさ。」ファゼーロが叫びましたがじいさんはどんどん行ってしまいました。ミーロはしばらくだまっていましたがとうとうこらえきれないらしく「おいおれ歌うからな」と云《い》いだしました。

ファゼーロはそれどころではないようすでしたが、わたくしは前からミーロは歌がうまいだろうと思っていたので手を叩《たた》きました。ミーロは上着やシャツの上のぼたんをはずして息をすこし吸いました。

「いのししむしゃのかぶとむし
　つきのあかりもつめくさの
ともすあかりも眼に入らず
めくらめっぽに飛んで来て
山猫《やまねこ》馬丁につきあたり
あわてて　ひょろひょろ
落ちるをやっとふみとまり
いそいでかぶとをしめなおし
月のあかりもつめくさの
ともすあかりも目に入らず
飛んでもない方に飛んで行く。」

ところがそのじいさんの行った方から細い高い声で「ファゼーロ、ファゼーロ。」と呼んでいるようすです。

「ああ、姉さん、いま行くよ。」ファゼーロがそっちへ向いて高く叫びました。向こうの声はやみました。

「だめだなあ、きっと旦那《だんな》が呼んでるんだ。早く森まで行ってみればよかったねえ。」ミーロが俄《にわ》かに勢いがついて早口に云いました。

「大丈夫だよ。おれはね、どうもあの馬車別当だの町の乾物屋のおやじだのあやしいと思っていたんだ。このごろはいつでも酔っているんだ。きっとあいつらがポラーノの広場を知ってるぜ。それにおれは野原でおかしな風に枯草を積んだ荷馬車に何べんもあってるんだ。ファゼーロ、お前ね、なんにも知らないふりして今夜はうちへ帰って寝ろ。おれきっと五六日のうちにポラーノの広場をさがすから。」

「そうかい。ぼくにはよくわからないなあ。」

　そのときまた声がしました。

「ファゼーロ、おいで。お使いに町へ行くんだって。」

「ああいま行くよ。ぼくは旦那のとこへまっすぐに行くんだが、おまえはひとりで競馬場へ帰れるかい。」

「帰れるとも、ここらはひるならたびたび来るとこなんだ。じゃ、地図はあげるよ。」

「うん、ミーロへやってこう。ぼくひるは野原へ来るひまがないんだから。」

　そのとき向こうのつめくさの花と月のあかりのなかにうつくしい娘が立っていました。

　ファゼーロが云《い》いました。

「姉さん、この人だよ。ぼく地図をもらったよ。」

その娘はこっちへ出てこないでだまっておじぎをしました。わたくしもだまっておじぎをしました。

「じゃ、さよなら。早く行かなくちゃ」ファゼーロは走りだしました。

ロザーロはもいちどわたくしどもに挨拶《あいさつ》してそのあとから急いで行きました。ミーロはだまって北の方を向いて耳にたなごころをあてていました。わたくしはポラーノの広場というのはこういう場所をそのまま云うのだ、馬車別当だのミーロだのまだ夢からさめないんだと思いながら云いました。

「ミーロ、おまえの歌は上手だよ。わざわざポラーノの広場まで習いに行かなくてもいいや。じゃさよなら。」

ミーロはていねいにおじぎをしました。わたくしはそしてそのうつくしい野原を胸いっぱいに蜂蜜《はちみつ》のかおりを吸いながらわたくしの家の方へ帰ってきました。

三、ポラーノの広場

それからちょうど五日目の火曜日の夕方でした。その日はわたくしは役所で死んだ北極熊《ほっきょくぐま》を剝《はく》製《せい》にするかどうかについてひどく仲間と議論をして大へんむしゃくしゃしていましたから少し気を直すつもりで酒石酸《しゅせきさん》をつめたい水に入れて呑《の》んでいましたらずうっと遠くですきとおった口笛が聞えました。その調子はたしかにあのファゼーロの山羊《やぎ》をつれて来たり野原を急いで行ったりする気持そっくりなのでわたくしは思わず、とうとう来たな、とつぶやきました。

やっぱりファゼーロでした、まだわたくしがその酒石酸のコップを呑みほさないうちにもう顔をまっ赤にして戸口に立っていました。

「わかったよ、とうとう。僕ゆうべ行くみちへすっかり方角のしるしをつけて置いた。地図で見てもわかるんだ。今夜ならもう間違いなくポラーノの広場へ行ける。ミーロはひるのうちから行っていてぼくらを迎えに出る約束なんだ。ぼく行って見てほんとうだったらあしたはもうみんなつれて行くんだ。」

わたくしも釣り込まれて胸を躍《おど》らせました。

「そうかい。わたしも行こう。どんななりして行ったらいいかねえ。どんな人が来てるだろうねえ。」

「どんななりでもいいじゃないか。早く行こう。来てる人が誰《たれ》だかぼくもわからないんだ。」

わたくしは大急ぎでネクタイを結んで新らしい夏帽子を被って外へ出ました。わたくしどもがこの前別れたところへ来たころは丁度《ちょうど》夕方の青いあかりがつめくさにぼんやり注いでいて、その葉の爪の痕《あと》のような紋ももう見えなくなりかかったときでした。ファゼーロは爪立《つまだ》てをしてしばらくあちこち見まわしていましたが俄《にわ》かに向こうへ走って行きました。ファゼーロはしばらく経《た》ってぴたりと止まりました。

「あ、こいつだ、そらね、」見るとそこにはファゼーロが作ったらしく一本の棒を立ててその上にボール紙で矢の形を作って北西の方を指すようにしてありました。

「さあ、こっちへ行くんだ。向こうに小さな樺《かば》の木が二本あるだろう。あすこが次の目標なんだよ。暗くならないうちに早く行こう。」ファゼーロはどんどん走り出しました。

ほんとうにそこらではもうつめくさのあかりがつきはじめていました。わたくしもまたファゼーロのあとについて走りました。

「早く行こう、早く行こう、山猫の馬車別当なんかに見付かっちゃうるさいや。」

ファゼーロはふりかえってそんなことを云《い》いながら走りつづけました。けれどもさっき見た二本の樺の木まではなかなかすぐではありませんでした。

ファゼーロはよく走りました。

わたくしもずいぶん本気に走りました。

やっとそこに着いてファゼーロが立ちどまったときは、あたりはもうすっかり夜になっていて樺の木もまっ黒にそらにすかし出されていました。

つめくさの花はちょうどその反対に明るくまるで本統の石英ラムプでできているようでした。

そしてよく見ますとこの前の晩みんなで云ったように一一《いちいち》のあかしは小さな白い蛾《が》のかたちのあかしから出来てそれが実に立派にかがやいて居《お》りました。処々《ところどころ》にはせいの高い赤いあかりもりんと灯《とも》りその柄《え》の所には緑いろのしゃんとした葉もついていたのです。ファゼーロはすばやくその樺の木にのぼっていました。そしてしばらく野原の西の方をながめていましたがいきなりぶらさがってはねおりて来ました。

「次のしるしはもう見えないんだ。けれども広場はちょうどここからまっすぐ西になっている筈《はず》だからあの雲の少し明るいところを目あてにして歩いて行こう。もうそんなに遠くはないんだから。」

わたくしどもはまたあるきだしました。俄かにどこからか甲虫《かぶとむし》の鋼の翅《はね》がりいんりいんと空中に張るような音がたくさん聞えてきました。

その音にまじってたしかに別の楽器や人のがやがや云《い》う声が時々ちらっときこえてまたわからなくなりました。

しばらく行ってファゼーロがいきなり立ちどまってわたくしの腕をつかみながら西の野原のはてを指しました。わたくしもそっちをすかして見てよろよろして眼をこすりました。そこには何の木か七八本の木がじぶんのからだからひとりで光でも出すように青くかがやいてそこらの空もぼんやり明るくなっているのでした。

「ファゼーロかい。」いきなり向こうから声がしました。

「ああ、来たよ。やっているかい。」

「やってるよ。とてもにぎやかなんだ。山猫博士も来ているようだぜ。」

「山猫博士？」ファゼーロはぎくっとしたようすでした。

「けれどもいっしょに行こう。ポラーノの広場は誰《たれ》だって見附《みつ》けた人は行っていいんだから。」

「よし行こう。」ファゼーロははっきり云いました。わたくしどもはそのあかりをめあてにあるいて行きました。ミーロもファゼーロも何か大へん心配なようでした。さっぱり物も云わなくなってしまったのです。そうなるとこんどはわたくしが元気がついて来ました。一体昔ばなしの通りのことが本統にあるのだろうか、それとも何かほかのことだろうか山猫博士がここへ来て何をしているのだろうか。もうどうしても行って見たくてたまらなくなりました。殊《こと》にその日はわたくしはまだ俸給の残りを半分以上もっていましたし、もしお金を払わなければならないとしてもファゼーロとミーロにご馳走《ちそう》するぐらい大丈夫だと考えたのです。

「いいよ、こんどはね、わたしについて来るんだよ。山猫博士なんか少しもこわいことはないんだから。」

わたくしはもうまっさきに立ってどんどん急ぎました。甲虫《かぶとむし》の翅《はね》の音はいよいよ高くなり青い木はその一つの一つの枝まではっきり見えて来ました。木の下では白いシャツや黒い影やみんながちらちら行ったり来たりしています。誰かの片手をあげて何か云っているのも見えました。

いよいよ近くなってわたくしはこれこそはもうほんもののポラーノの広場だと思ってしまいました。さっきの青いのは可成《かなり》大きなはんの木でしたがその梢《こずえ》からはたくさんのモールが張られてその葉まできらきらひかりながらゆれていました。その上にはいろいろな蝶《ちょう》や蛾《が》が列になってぐるぐるぐるぐる輪をかいていたのです。

うつくしい夏のそらには銀河がいまわたくしどもの来た方からだんだんそっちへまわりかけて南のまっくろな地平線の上のあたりではぼんやり白く爆発したようになっていました。つめくさのかおりやら何かさまざまの果物のかおり、みんなの笑い声、そのうちにとうとうみんなは組になって踊りだしました。七八人のようではありましたがたしかにもうほんもののオーケストラが愉快そうなワルツをやりはじめました。一まわり踊りがすむとみんなはばらばらになってコップをとりました。そしてわあわあ叫びながら呑《の》みほしています。その叫びは気のせいかデストゥパーゴ万歳というようにもきこえました。

「あれが山猫博士だよ。」

ファゼーロが向こうの卓《テーブル》にひとり座ってがぶがぶ酒を呑んでいる黄いろの縞《しま》のシャツと赤皮の上着を着た肩はばのひろい男を指さしました。

誰《たれ》か六七人コンフェットウや紐《ひも》を投げましたのでそれは雪のように花のようにきらきら光りながらそこらに降りました。

わたくしどもはもう広場の前まで来て立ちどまりました。

ちょうどそのときデストゥパーゴがコップをもって立ちあがりました。

「おいおい給仕、なぜおれには酒を注《つ》がんか。」

すると白い服を着た給仕が周章《あわ》てて走り寄りました。

「はいはい相済《あいす》みません。座っておいでだったもんですからつい。」

「座っておいでになっても立っておいでになっても我輩《わがはい》は我輩じゃないか。おっと、よろしい。諸君は我輩のために乾杯しようというんだな。よしよし、ブ、ブ、ブロージット。」

そこでみんなは呑みほしました。

わたくしは臆《おく》せてしまってもう帰ろうかとも思いましたがさっきファゼーロたちにあんなことを云《い》ったものですから立っていることも遁《に》げることもできませんでした。どうなるかなるようになれと思い切って二人をつれて帽子をとりながらあかりの中へはいりました。するとみんなは一ぺんにさわぎをやめて怪《け》げんそうな顔つきでわたくしどもを見ました。それからデストゥパーゴの方を見ました。

するとデストゥパーゴはちょっと首をまげて考えました。どうもわたくしのことを見たことはあるが考え出せないという風でした。するとそばへ一人の夏フロックコートを着た男が行って何か耳うちしました。デストゥパーゴは不機嫌《ふきげん》そうな一べつをわたくしに与えてから仕方なそうにうなずきました。

するとやはりフロックを着てテーモが来ていました。そのテーモが柄のついたガラスの杯を三つもって来て、だまってわたくしからミーロ、ファゼーロと渡しました。ファゼーロに渡しながらだまってにらみつけました。ファゼーロはたじたじ後退《あとずさ》りしました。給仕がそばからレッテルのない大きな瓶《びん》からいままでみんなの呑んでいた酒を注ごうとしました。わたくしはそこで云いました。

「いや、わたしたちはね、酒は呑まないんだから炭酸水でもおくれ。」

「炭酸水はありません。」給仕が云いました。

「そんならただの水をおくれ。」わたくしは云いました。どういうわけかみんなしいんとして穴の明くほどわたくしどものことばかり見ています。わたくしも少し照れてしまいました。

「いや、デストゥパーゴさまは人に水をごちそうはなさいませんよ。」テーモが云いました。

「ごちそうになろうというんでないんです。野原のまんなかでつめくさのあかりを数えて来たポラーノの広場で、わたくしは渇いて水が呑みたいのです。」

もう行きがかりで仕方ないと私は思ってはっきり云《い》いました。

「つめくさのあかり、わっはっは。」テーモはわらいだしました。デストゥパーゴもわらいました。みんなもそのあとについてわらいました。

「ポラーノの広場もな、お気の毒だがデストゥパーゴさまのもんだよ。」テーモがしずかに云いました。そのとき山猫《やまねこ》博士が云いました。

「よし、よし、まあすきなら水をやっておけ。しかしどうも水を呑《の》むやつらが来るとポラーノの広場も少ししらっぱっくれるね。」

「はい。」テーモはおじぎをしてそれからそっとファゼーロに云いました。

「ファゼーロ、何だって出て来たんだ。早く失《う》せろ。帰ったら立てないくらい引っぱたくからそう思え。」

ファゼーロはまた後退《あとずさ》りしました。

「その子どもは何だ。」デストゥパーゴがききました。

「ロザーロの弟でございます。」テーモがおじぎをして答えました。するとデストゥパーゴは返事をしないで向こうを向いてしまいました。そのとき楽隊が何か民謡風のものをやりはじめました。みんなはまた輪になって踊りはじめようとしました。するとデストゥパーゴが
「おいおいそいつでなしにあの〔数文字分空白〕というやつをやってもらいたいね。」

すると楽隊のセロを持った人が

「あの曲はいま譜がありませんので。」

するとデストゥパーゴは、もうよほど酔っていましたが
「や、れ、やれ、やれと云ったらやらんか。」と云いました。

楽隊は仕方なくみんな同じ譜で〔数文字分空白〕をやりはじめました。

みんなも仕方なく踊りはじめました。するとデストゥパーゴも踊りだしました。それがみんなといっしょに踊るのでなくてわざとみんなの邪魔をするようにうごきまわるのです。

みんなは呆《あき》れてだんだんやめてぐるっとデストゥパーゴのまわりに立ってしまいました。するとデストゥパーゴはたった一人でふざけて踊りはじめました。しまいにはみんなの前を踏むようなかたちをして行ったりいきなり喧嘩《けんか》でも吹っかけるときのようにはねあがったりみんなはそのたんびにざわざわ遁《に》げるようになりました。さっきの夏フロックを着た紳士が心配そうにもみ手をしながら何か云おうとするのですがデストゥパーゴはそれさえおどして引っこませてしまいました。楽隊はしばらくしかたなくやっていましたがとうとう呆れてやめてしまいました。するとデストゥパーゴも労《つか》れたように椅子《いす》へ座って「おい、注《つ》げ。」と云いながらまたつづけざまに二杯ひっかけました。するとミーロの仲間らしいものが二人で出て来てミーロに云いました。

「おいミーロ、お前もせっかく来たんだから一つうたって聞かして呉《く》んな。」

「みんなさっきからうたったり踊ったりしてつかれてるんだから。」

ミーロは「だめだよ、」と云ってその手をふりはらいましたが実は、はじめから歌いたくて来たのですから、ことに楽隊の人たちが歌うなら伴奏しようというように身構《みがま》えしたので、ミーロ

は顔いろがすっかり薔薇《ばら》いろになってしまって眼もひかり息もせわしくなってしまいました。

わたくしも思わず、やれ、やれ、立派にやるんだと云いました。するとミーロはとうとう決心したようにいきなり咽喉《のど》掻《か》きはだけてはんの木の下の空箱《あきばこ》の上に立ってしまいました。

「何をやりましょう。」セロの人がわらってききました。

「フローゼントリーをやってください。」

「フローゼントリー、譜もないしなあ古い歌だなあ。」楽員たちはわらって顔を見合わせてしばらく相談していましたが
「そいじゃね、クラリネットの人しか知ってませんからクラリネットとね、それから鉦鼓《かね》で調子だけとりますから、それでよかったら二節目からついて歌ってください。」

みんなはパチパチ手を叩《たた》きました。テーモも首をまげて聞いてやろうというようにしました。

楽隊がやりました。ミーロは歌いだしました。

「けさの六時ころ　　ワルトラワーラの
峠をわたしが　　越えようとしたら
朝霧がそのときに　　ちょうど消えかけて
一本の栗《くり》の木は　　後光《ごこう》をだしていた
わたしはいただきの　　石にこしかけて
朝めし堅《かた》ぱんを　　かじりはじめたら
その栗の木がにわかに　　ゆすれだして

降りて来たのは　二疋《ひき》の電気栗鼠《りす》

わたしは急いで……」

「おいおい間違っちゃいかんよ。」山猫博士がいきなりどなりだしました。

「何だって、」ミーロはあっけにとられて云《い》いました。

「今朝ワルトラワラの峠に電気栗鼠など居た筈《はず》はない、それはいたちの間違いだろう。もっとよく考えてうたってもらいたいね。」

「そんなことどうだっていいんだい。」

ミーロは怒って壇を下《お》りました。すると山猫博士が立ちあがりました。

「今度は我輩《わがはい》がうたって見せよう。こら楽隊、In the good summer time をやれ、」

楽隊の人たちは何べんもこの節をやったと見えてすぐいっしょにはじめました。山猫博士は案外うまく歌いだしました。

「つめくさの花の　咲く晩に
ポランの広場の　夏まつり
ポランの広場の　夏まつり
酒を呑《の》まずに　水を呑む
そんなやつらが　でかけて来ると
ポランの広場も　朝になる
ポランの広場も　白ぱっくれる」

ファゼーロは泣きだしそうになってだまってきいていましたが、歌がすむとわたくしがつかまえるひまもなく壇にかけのぼってしまいました。

「ぼくもうたいます。いまのふしです。」

楽隊はまたはじめました。山猫博士は、

「いや、これはめずらしいことになったぞ。」と云《い》いながら又大きなコップで二つばかり引っかけました。ファゼーロは力いっぱいうたいだしました。

「つめくさの花の　　かおる夜は
ポランの広場の　　夏まつり
ポランの広場の　　夏まつり
酒くせのわるい　　山猫が
黄いろのシャツで　出かけていると
ポランの広場に　　雨がふる
ポランの広場に　　雨がふる」

デストゥパーゴがもう憤然として立ちあがりました。

「何だ失敬な決闘をしろ決闘を。」

わたくしも思わず立ってファゼーロをうしろにかばいました。

「馬鹿《ばか》を云え、貴さまがさきに悪口を言って置いて。こんな子供に決闘だなんてことがあるもんか。おれが相手になってやろう。」

「へん、貴さまの出る幕じゃない。引っ込んでいろ。こいつが我輩、名誉ある県会議員を侮辱した。だから我輩はこいつへ決闘を申し込んだのだ。」

「いや、貴さまがおれの悪口を言ったのだ、おれはきさまに決闘を申し込むのだ、全体きさまはさっきから見ているとさもきさま一人の野原のように威張《いば》り返っている。さあ、ピストルか刀かどっちかを撰《えら》べ。」

するとデストゥパーゴはいきなり酒をがぶっと呑《の》みました。ああファゼーロで大丈夫だ。こいつはよほど弱いんだ。わたくしは心のなかでそっとわらいました。

はたしてデストゥパーゴは空っぽな声でどなりだしました。

「黙れっ。きさまは決闘の法式も知らんな。」

「よし。酒を呑まなきゃ物を言えないような、そんな卑怯《ひきょう》なやつの相手は子どもでたくさんだ。おいファゼーロしっかりやれ。こんなやつは野原の松毛虫だ。おれがうしろで見ているからめちゃくちゃにぶん撲《なぐ》ってしまえ。」

「よし、おい、誰《たれ》かおれの介添人《かいぞえにん》になれ。」

そのときさっきの夏フロックが出てきました。

「まあ、まあ、あんな子供をあなたが相手になさることはありません。今夜は大切の場合なのですからどうか。」

すると山猫博士はいきなりその男を撲りつけました。

「やかましい。そんなことはわかっている。黙って居《お》れ。おい誰かおれの介添をしろ。テーセ。」

「はい。どうぞ、おゆるしを。あとでわたくしがよく仕置きいたします。」

「やかましい。おい、クローノ、きさまやれ。」

クローノと呼ばれた百姓らしい男が
「さあ、おいらじゃあね、」と云ってみんなのうしろへ引っ込んでしまいました。

「臆病者《おくびょうもの》、おいポーショ、きさまやれ。」

「おいらぁとてもだめだよ。」

デストゥパーゴはいよいよ怒ってしまいました。

「よし介添人などいらない。さあ仕度しろ。」

「きさまも早く仕度しろ。」わたくしはファゼーロに上着をぬがせながら云いました。

「剣でも大砲でもすきなものを持ってこいよ。」

「どっちでもきさまのすきな方にしろ。」どこにそんなものがあるんだい。と思いながらわたくしは云《い》いました。

「よし、おい給仕、剣を二本持ってこい。」

するとと給仕が待っていたように云いました。

「こんな野原で剣はございません。ナイフでいけませんか。」

するとデストゥパーゴは安心したようにしながら
「よし、持ってこい。」と声だけ高く云いました。

「承知しました。」給仕が食事につかうナイフを二本持って来てうやうやしくデストゥパーゴにわたしました。まるで芝居だとわたくしは思いました。ところがデストゥパーゴはていねいにその両方の刃をしらべているのです。それから

「さあどっちでもいい方をとれ。」といって二本ともファゼーロに渡しました。ファゼーロはすぐその一本をデストゥパーゴの足もとに投げて返しました。デストゥパーゴは拾いました。

そこでわたくしはまん中に出ました。

「いいか。決闘の法式に従うぞ。組打ちはならんぞ。一、二、三、よし。」

すると何のことはないデストゥパーゴはそのみじかいナイフを剣のように持って一生けんめいファゼーロの胸をつきながら後退《あとずさ》りしましたしファゼーロは短刀をもつように柄《え》をにぎってデストゥパーゴの手首をねらいましたので、三度ばかりぐるぐるまわってからデストゥパーゴはいきなりナイフを落して、左の手で右の手くびを押えてしまいました。

「おい、おい、やられたよ。誰《たれ》か沃度《ヨード》ホルムをもっていないか。過酸化水素はないか。やられた、やられた。」そしてべったり椅子《いす》へ座ってしまいました。

わたくしはわらいました。

「よくいろいろの薬の名前をご存知ですな。だれか水を持ってきてください。」

ところがその水をミーロがもってきました。そして如露《じょろ》でシャーとかけましたのでデストゥパーゴは膝《ひざ》から胸からずぶぬれになって立ちあがりました。そして工合《ぐあい》のわるいのをごまかすように、

「ええと、我輩はこれで失敬する。みんな充分やってくれ給《たま》え。」と勢いよく云いながらすばや

く野原のなかへ走りました。するとテーモも夏フロックもそのほか四五人急いであとを追いかけて行ってしまいました。行ってしまうとにわかにみんなが元気よくなりました。

「やい、ファゼーロ、うまいことをやったなあ。この旦那《だんな》はいったい誰《たれ》だい。」

「競馬場に居る人なんだよ。」

「いったい今夜はどういうんですか。」わたくしはやっとたずねました。

「いいや、山猫《やまねこ》の野郎来年の選挙の仕度なんですよ。ただで酒を呑《の》ませるポラーノの広場とはうまく考えたなあ。」

「この春からかわるがわるこうやってみんなを集めて呑ませたんです。」

「その酒もなあ。」

「そいつは云うな。さあ一杯やりませんか。」

「いいえわたくしどもは呑みません。」

「まあ、おやんなさい。」〔以下二行分空白〕

わたくしはもうたまらなくいやになりました。

「おい、ファゼーロ行こう。帰ろう。」

わたくしはいきなり野原へ走りだしました。ファゼーロがすぐついて来ました。みんなはあとでまだがやがやがやがや云《い》っていました。新らしく楽隊も鳴りました。誰かの演説する声もきこえました。わたくしたちは二人モリーオの市の方のぼんやり明るいのを目あてにつめくさのあかりのなかを急ぎました。そのとき青く二十日《はつか》の月が黒い横雲の上からしずかにのぼってきました。ふりかえってみるともうあのはんの木もあかりも小さくなって銀河はずうっと西へまわりさそり座の赤い星がすっかり南へ来ていました。

わたくしどもは間もなくこの前三人で別れたあたりへ着きました。

「きみはテーモのところへ帰るかい。」わたくしはふと気がついて云いました。

「帰るよ。姉さんが居るもの。」ファゼーロは大へんかなしそうなせまった声で云いました。

「うん。だけどいじめられるだろう。」わたくしは云いました。

「ぼくが行かなかったら姉さんがもっといじめられるよ。」ファゼーロはとうとう泣きだしました。

「わたしもいっしょに行こうか。」

「だめだよ。」ファゼーロはまだしばらく泣いていました。

「わたしのうちへ来るかい。」

「だめだよ。」

「そんならどうするの。」

ファゼーロはしばらくだまっていましたが俄《にわ》かに勢いよくなって云いました。

「いいよ。大丈夫だよ。テーモはぼくをそんなにいじめやしないから。」

わたくしは、それが役人をしているものなどの癖なのです、役所でのあしたの仕事などぼんやり考えながらファゼーロがそう云うならよかろうと思ってしまいました。

「そんならいいだろう。何かあったらしらせにおいでよ。」

「うん、ぼくね、ねえさんのことでたのみに行くかもしれない。」

「ああいいとも。」

「じゃさよなら。」

ファゼーロはつめくさのなかに黒い影を長く引いて南の方へ行きました。わたくしはふりかえりふりかえり帰って来ました。うちへはいってみると、机の上には夕方の酒石酸《しゅせきさん》のコップがそのまま置かれて電燈《でんとう》に光り枕時計《まくらどけい》の針は二時を指していました。

四、警察署

ところがその次の次の日のひるすぎでした。わたくしが役所の机で古い帳簿から写しものをしていますと給仕が来てわたくしの肩をつっついて
「所長さんがすぐ来いって。」と云いました。わたくしはすぐペンを置いてみんなの椅子《いす》の間を通り、間の扉《と》をあけて所長室にはいりました。
すると所長は一枚の紙きれを持って扉をあける前から恐《こわ》い顔つきをしてわたくしの方を見ていましたが、わたくしが前へ行って恭《うやうや》しく礼をすると、またじっとわたくしの様子を見てからだまってその紙切れを渡しました。見ると、

イ警第三二五六号　聴取の要有之《これあり》本日午后《ごご》三時　本警察署人事係まで出頭致《いた》され度《た》し
イーハトーボ警察署

一九二七年六月二十九日
第十八等官　レネーオ　キュースト殿

とあったのです。
ああ、あのデストゥパーゴのことだなこれはおもしろいと、わたくしは心のなかでわらいました。すると所長はまだわたくしの顔付きをだまってみていましたが
「心当りがあるか。」と云いました。
「はい、ございます。」わたくしはまっすぐに両手を下げて答えました。所長は安心したようにやっと顔つきをゆるめてちらっと時計を見上げましたが
「よし、すぐ行くように。」と云いました。わたくしはまたうやうやしく礼をして室《へや》を出ました。それから席へ戻って机の上をかたづけて、そっと役所を出かけました。巨《おお》きな桜の街路樹の下をあるいて行って警察の赤い煉瓦《れんが》造りの前に立ちましたらさすがにわたくしもすこしどきどきしました。けれども何も悪いことはないのだからとじぶんでじぶんをはげまして勢いよく玄関の正面の受付にたずねました。
「お呼びがありましたので参りましたが、レネーオ・キューストでございます。」
するとと受付の巡査はだまって帳面を五六枚繰っていましたが
「ああ失踪者《しっそうしゃ》の件だね、人事係のとこへ、その左の方の入口からはいって待っていたまえ。」と

云いました。失踪者の件というのは何のことだろう、決闘の件とでも云うならわかっているしその決闘なら刃の円くなった食卓ナイフでやったことなのだ、デストゥパーゴが血を出したかどうかもわからない、まあ何かの間違いだろうと思いながらわたくしは室《へや》へ入って行きました。そこはがらんとした窓の七つばかりある広い室でした—がその片隅にあの山猫《やまねこ》博士の馬車別当がからだを無暗《むやみ》にこわばらしてじつに青ざめた変な顔をしながら腰掛けて待って居りました。

「やあ、じいさん、今日は、あなたも呼ばれたんですか。」わたくしはそばへ行ってわらいながら挨拶《あいさつ》しました。するとじいさんはこんな悪者と話し合ってはどんな眼にあうかわからないというようにうろうろどこか遁《に》げ口でもさがすように立ちあがって、またべったり座りました。

「あなたのご主人はいらっしゃらないのですか。」わたくしはまたたずねました。

「いらっしゃらないともさ。」じいさんはやっと云いましたがそれからがたがたふるえました。

「いったいどうしたんですか。」わたくしはまだわらってききました。

「いま調べられてるんだよ。」

「誰《たれ》が。」わたくしはびっくりしてたずねました。

「ロザーロがさ。」

「ロザーロ、どうして?」もうわたくしはすっかり本気になってしまいました。

「ファゼーロが居なくなったからさ。」

「ファゼーロ?」思わずわたくしは高く叫びました。ああああの晩ファゼーロが帰る途中で何かあったのだな、……

「話しすることはならん」

いきなり奥の扉《と》ががたっとあきました。

「召喚人《しょうかんにん》はお互い話しすることはならん。おい、おまえはこっちへはいって居ろ。」じいさんは呼ばれてよろよろ立って次の室へ行きました。そう云われて見るとなるほど次の室ではロザーロか誰《たれ》か調べられているらしくさっきからしずかに何か繰り返し繰り返し云っているような気もしました。わたくしはまるで胸が迫ってしまいました。ファゼーロが居ない、ファゼーロが居ない、あの青い半分の月のあかりのなか、争って勝ったあとのあの何とも云われないさびしい気持をいだきながら、ファゼーロがつめくさのあおじろいあかりの上に影を長く長く引いて、しょんぼりと帰って行った、そこには麻の夏外套《なつがいとう》のえりを立てたデストゥパーゴが三四人の手下を連れて待ち伏せしている、ファゼーロがそれを見て立ちどまると向こうは笑いながらしずかにそばへ迫って来る、いきなり一人がファゼーロを撲《なぐ》りつける、みんなたかって来て、むだに手をふりまわすファゼーロをふんだりけったりする、ファゼーロは動かなくなる、デストゥパーゴがそれをまためちゃくちゃにふみつける、ええもう仕方ない持ってけ持ってけとデストゥパーゴが云う、みんなはそれを乾溜《かんりゅう》工場のかまの中に入れる。わたくしはひとりでかんがえてぞっとして眼《め》をひらきました。(あああのときなぜわたくしはそのままうちへ帰ってねむったろう、なぜそんなわたくしが立っても居てもいられないはずの時刻にわけもわからない眠りかたなどしていたろう。それにあのやさしいうつくしいロザーロがいま隣りの室でおどされたり鎌《かま》をかけられたりしているのだ。)わたくしはたまらなくなってその室のなかをぐるぐる何べんもあるきました。窓の外の桜の木の向こうをいろいろの人が行ったり来たりしました。わたくしはその一人一人がデストゥパーゴかファゼーロのような気がしてたまりませんでした。鳥打帽子を深くかぶった少年が通るとファゼーロが遁《に》げてここをそっと通るのかと思い、肥《ふと》った人を見るとデストゥパーゴが、わざとそんな形にばけて様子をさぐっているのだと思いました。突然わたくしは頭がしいんとなってしまいました。隣りの室でかすかなすすり泣きの声がしてそれからそれは何とかだっ、叫びながらおどすように足をどんとふみつけているのです。わたくしはあぶなく扉《と》をあけて飛び込もうとしました。するとまたしばらくしずかになっていましたが間もなく扉のとってが力なくがちっとまわってロザーロが眼を大きくあいてよろめくようにでてきました。

　わたくしは何といっていいかわからなくてどぎまぎしてしまいました。するとロザーロがだまってしずかにおじぎをして私の前を通り抜けて外へ出て行きました。気がついて見るとロザーロのあとからさっきの警部か巡査からしい人が扉から顔を出して出て行くのを見ていたのです。わたくしがそっちを見ますとその顔はひっこんで扉はしまってしまいました。中ではこんどは山猫博士の馬車別当が何か訊《き》かれているようす、たびたび、何か高声でどなりつけるたびに馬車別当のおろおろした声がきこえていました。わたくしはその間にすっかり考えをまとめようと思いましたが、何もかもごちゃごちゃになってどうしてもできませんでした。とにかくすっかり打ち明けて係りへ話すのがいちばんだと考えてもうじっとすわって落ち着いて居りました。すると間もなくさっきの扉ががじゃっとあいて馬車別当がまっ青になってよろよろしながら出てきました。
「第十八等官、レオーノ・キュースト氏はあなたですか。」さっきの人がまた顔を出して云いました。

「そうです。」

「では、こっちへ。」

わたくしははいって行きました。

そこにはもう一人正面の卓《テーブル》に書類を載せて鬚《ひげ》の立派な一人の警部らしい人がたったいまあくびをしたところだというふうに目をぱちぱちしながらこっちを見ていました。

「そこへお掛けなさい。」

わたくしは警部の前に会釈して座りました。

「君がレオーノ・キュースト君か。」警部は云いました。

「そうです。」

「職業、官吏、位階十八等官、年齢、本籍、現住、この通りかね。」警部はわたくしの名やいろいろ書いた書類を示しました。

「そうです。」

「では訊《たず》ねるが、君はテーモ氏の農夫ファゼーロをどこへかくしたか。」

「農夫のファゼーロ?」わたくしは首をひねりました。

「農夫だ。十六歳以上は子どもでも農夫だ。」警部は面倒くさそうに云いました。

「君はファゼーロをどこかへかくしているだろう。」

「いいえ、わたくしは一昨夜競馬場の西で別れたきりです。」

「偽《うそ》を云うとそれも罪に問うぞ。」

「いいえ。そのときは二十日の月も出ていましたし野原はつめくさのあかりでいっぱいでした。」

「そんなことが証拠になるか。そんなことまでおれたちは書いていられんのだ。」

「偽だとお考えになるならどこなりとお探しくだされればわかります。」

「さがすさがさんはこっちの考えだ。お前がかくしたろう。」

「知りません。」

「起訴するぞ。」

「どうでも。」

二人は顔を見合わせました。

「では訊《たず》ねるが君はどういうことでファゼーロと知り合いになったか。」

「ファゼーロがわたくしの遁《に》げた山羊《やぎ》をつかまえてくれましたので。」

「うん。それはいつどこでだ。」

「五月のしまいの日曜、二十七日でしたかな。」

「うん。二十七日。どこでだ。」

「あれは何という道路ですか、教会の横から、村へ出る道路を一キロばかり行った辺です。」

「うん。おまえは二十七日の晩ファゼーロと連れだって村の園遊会へちん入したなあ。」

「ちん入というわけではありませんでした。明るくていろいろな音がしますので行って見たのです。」

「それからどうした。」

「それからわたくしどもが酒を呑《の》まんと云いますとテーモが怒ったのです。」

「テーモとお前とはいつから知り合いか。」

「ファゼーロと知り合いになったときです。そのときテーモはファゼーロが仕事に行く時間をわたくしが邪魔したといって革むちをわたくしの顔の前で鳴らしました。」

「それだけか。」

「はい。」

「園遊会でそれからどういうことになったか。」

わたくしはそこであのポラーノの広場での出来事を全部話しました。一人はそれをどんどん書きとりました。警部が云いました。

「きみはファゼーロの居ないことをさっきまで知らなかったのか。」

「はい。」

「何か証拠を挙げられるか。」

「はい、ええ、昨日と今日役所での仕事をごらん下さればわかります。わたくしはあれですっかりかたが着いたと思ってせいせいして働いていたのであります。」

「それも証拠にはならん。おい、君、白っぱくれるのもいい加減にしたまえ。テーモ氏からそう索願が出ているのだ。いま君がありかを云えば内分で済むのだ。でなきゃ、きみの為《ため》にならんぜ。」

「どうも全く知らないのです。まあ、あなたがたもご商売でしょうが、わたくしの声や顔付きをよくごらんください。これでおわかりにならんのですか。」わたくしは少ししゃくにさわって一息に云いました。

するとニ人はまた顔を見合わせました。ええもうなるようになれとわたくしはまた云《い》いました。

「なぜわたくしより前にデストゥパーゴを呼び出してくださらんのです。誰《たれ》が考えてもファゼーロの居ないのはデストゥパーゴのしわざです。まさか殺しはしますまいが。」

「デストゥパーゴ氏は居らん。」

わたくしはどきっとしました。ああファゼーロは本気かあるいは間ちがって殺されたのかもしれない。警部が云いました。

「お前の申し立てはいろいろの点でテーモ氏の申し立てとちがっている。しかしわれわれはそれは当然だろうと考える。いま調書を読むから君の云ったところとちがった所がないかよくききたまえ。」二人は読みはじめました。

「ちがいはありません。」私はファゼーロのことを考えながら上の空で答えました。

「ここへ署名したまえ。」

わたくしは書類のはじへ書きました。もうどうしても心配で心配でたまらなくなったのです。

「では帰ってよろしい。明日また呼ぶから。」警部は云いました。わたくしはたまらなくなりました。

「ファゼーロはどうしたんです。なぜデストゥパーゴをつかまえんのです。」

「それを君が云うことは要《い》らん。」

「だってファゼーロはどうしたんです。」

「そんなら心配なら君もさがしたまえ。さあ帰り給《たま》え。」二人はもう疲れて早くやめたいという風でした。わたくしは、もうあかりのついていた警察署を夢中で飛びだしました。すると出口の桜の幹に、その青い夕方のもやのなかに、ロザーロがしょんぼりよりかかってかなしそうに遠いそらを見ていました。わたくしは思わずかけよりました。

「あなたはロザーロさんですね。わたくしはどこへさがしに行ったらいいでしょう。」

ロザーロが下を見ながら云いました。

「きっと遠くでございますわ。もし生きていれば。」

「わたくしがいけなかったんです。けれどもきっとさがしますから。」

「ええ、」

「デストゥパーゴはいないんですか。」

「いないんです。」

「馬車別当は?」

「見ませんでした。」

「あなたのご主人は知っていないんですか。」

「ええ。」

「捜索願をわざと出したのでしょう。」

「いいえ。警察からも人が来てしらべたのです。」

「あなたはこれから主人のとこへお帰りになるんですか。」

「ええ、」

「そこまでご一所いたしましょう。」

わたくしどもはあるきだしました。わたくしはいろいろ話しかけて見ましたが、ロザーロはどうしてもかなしそうで一言《ひとこと》か二言《ふたこと》しか返事しませんのでわたくしはどうしてももっと立ち入ってファゼーロと二人のことに立ち入ることができませんでした。そしてこの前山羊《やぎ》をつかまえた所まで来ますとロザーロは「もうじきですから」と云《い》ってじぶんからおじぎをして行ってしまいました。わたくしはさびしさや心配で胸がいっぱいでした。そしてその晩から毎晩毎晩野原にファゼーロをさがしに出ました。日曜にはひるも出ました。ことにこの前ファゼーロと分れた辺からテーモの家までの間に何か落ちてないかと思ってさがしたりつめくさの花にデストゥパーゴやファゼーロのあしあとがついていないかと思って見てまわったりデストゥパーゴの家から何か物音がきこえないかと思って幾晩も幾晩もそのまわりをあるいたりしました。

前の二本の樺《かば》の木のあたりからポラーノの広場へも何べんも行きました。もうそのうちにつめくさの花はだんだん枯れて茶いろになりポラーノの広場のはんのきにはちぎれて色のさめたモールが幾本かかかっているだけ、ミーロへも会いませんでした。警察からはあと呼び出しがありませんでしたのでこっちから出て行ってどうなったかきいたりしましたが警察ではファゼーロもデストゥパーゴも、まだ手がかりはないが心配もなかろうというようなことばかり云うのでした。

そしてわたくしも、どういうわけか、なれたのですかつかれたのですか、ファゼーロはファゼーロでちゃんとどこかにいるというような気がしてきたのです。

五、センダード市の毒蛾《どくが》

そしてだんだん暑くなってきました。役所では窓に黄いろな日覆《ひおおい》もできましたし隣りの所長の室《へや》には電気会社から寄贈になった直径七デシもある大きな扇風機も据えつけられました。あまり暑い日の午后《ごご》などは所長が自分で立って間の扉《と》をあけて

「さあ諸君少し風にあたりたまえ。」なんて云ったものです。すると大扇風機から風がどうどうやって来ました。尤《もっと》も私の席はその風の通り路《みち》からすこし外れていましたから格別涼しかったわけでもありませんでしたがそれでも向こうの書類やテーブルかけがぱたぱた云っているのを見るのは実際愉快なことでした。それでもそんな仕事のあいまにふっとファゼーロのことを思いだすと胸がどかっと熱くなってもうどうしたらいいかわからなくなるのでした。とにかくその七月いっぱいに私のした仕事は

一、北極熊剝製《ほつきよくぐまはくせい》方をテラキ標本製作所に照会の件

一、ヤークシャ山頂火山弾運搬費用見積《みつもり》の件

一、植物標本褪色《たいしょく》調査の件

一、新番号札二千三百枚調製の件

などでした。そして八月に入りました。その八月二日の午《ひる》すぎ、わたくしが支那《しな》漢時代の石に刻んだ画《え》の説明をうつらうつら写していましたら、給仕がうしろからいきなりわたくしの首すじを突っついて、

「所長さん来いって。」といいました。わたくしはすこしむっとしてふり返りましたら給仕はまた威張《いば》って云《い》いました。

「所長さんがすぐ来いって。」

わたくしは返事もしないでだまってみんなの椅子《いす》のうしろを通り例の扉《と》をあけて恭々《うやうや》しくはいって行きました。

所長は肥《ふと》った白い手首に顎《あご》をもたせて扇風機にあたりながら新聞を見ていましたが、わたくしが行くとだるそうにちょっと眼をあげてそれから机の上の紙挟《かみばさ》みから一枚の命令書をわたくしによこしました。それには

「海産鳥類の卵採集の為《ため》に八月三日より二十八日間イーハトーヴォ海岸地方に出張を命ず。」と書いてありました。わたくしはまるでほくほくしてしまいました。あのイーハトーヴォの岩礁《がんしょう》の多い奇麗な海岸へ行って今ごろありもしない卵をさがせというのはこれは慰労休暇のつもりなのだ。それほどわたくしが所長にもみんなにも働いていると思われていたのか、ありがたいありがたいと心の中で雀躍《こおどり》しました。すると所長は私の顔は少しも見ないでやっぱり新聞を見ながら、

「会計へまわって見積旅費を受けとるように。」と一言だけ云いました。わたくしは叮寧《ていねい》に礼をして室《へや》を出ました。それからその辞令をみんなへ一人ずつ見せて挨拶《あいさつ》してあるきおしまい会計に

行きましたら会計の老人はちょっと渋い顔付きはしていましたがだまってわたくしの印を受け取って大きな紙幣を八枚も渡してくれました。ほかに役所の大きな写真器械や双眼鏡も借りました。うちへ帰るとわたくしは持っていたレコードをみんな町の古時計屋へ売ってしまいました。そして大きなへりのついたパナマの帽子と卵いろのリンネルの服を買いました。

次の朝わたくしは番小屋にすっかりかぎをおろし一番の汽車でイーハトーヴォ海岸の一番北のサーモの町に立ちました。その六十里の海岸を町から町へ、岬《みさき》から岬へ、岩礁から岩礁へ、海藻《かいそう》を押葉《おしば》にしたり岩石の標本をとったり古い洞穴《ほらあな》や模型的な地形を写真やスケッチにとったりそしてそれを次々に荷造りして役所へ送りながら二十幾日の間にだんだん南へ移って行きました。海岸の人たちはわたくしのような下級の官吏でも大へん珍らしがってどこへ行っても歓迎してくれました。沖の岩礁へ渡ろうとするとみんなは船に赤や黄の旗を立てて十六人もかかって櫓《ろ》をそろえて漕《こ》いでくれました。夜にはわたくしの泊った宿の前でかがりをたいていろいろな踊りを見せたりしてくれました。たびたびわたくしはもうこれで死んでもいいと思いました。けれどもファゼーロ！　あの暑い野原のまんなかでいまも毎日はたらいているうつくしいローザーロ、そう考えて見るといまわたくしの眼のまえで一日一ぱいはたらいてつかれたからだを踊ったりうたったりしている娘たちや若ものたち、わたくしは何べんも強く頭をふって、さあ、われわれはやらなければならないぞ、しっかりやるんだぞ、みんなの〔数文字分空白〕とひとりでこころに誓いました。

そして八月三十日の午ごろわたくしは小さな汽船でとなりの県のシオーモの港に着きそこから

汽車でセンダードの市に行きました。三十一日わたくしはそこの理科大学の標本をも見せて貰《もら》うように途中から手紙をだしてあったのです。わたくしが写真器と背嚢《はいのう》をもってセンダードの停車場に下りたのはちょうど灯がやっとついた所でした。わたくしは大学のすぐ近くのホテルからの客を迎える自働車《じどうしゃ》へほかの五六人といっしょに乗りました。採って来たたくさんの標本をもってその巨《おお》きな建物の間を自働車で走るときわたくしはまるで凱旋《がいせん》の将軍のような気がしました。ところがホテルへ着いて見ると、この暑いのに窓がすっかり閉めてあるのです。室《へや》へ通されてみると仲々《なかなか》むし暑いのでわたくしは給仕に

「おい、どうしたんだ。窓をあけたらいいじゃないか。」と云《い》いました。すると給仕はてかてかの髪をちょっと撫《な》でて

「はい、誠《まこと》にお気の毒でございますが、当地方には、毒蛾《どくが》がひどく発生して居りまして、夕刻からは窓をあけられませんのでございます。只今《ただいま》、扇風機を運んで参ります。」と云ったのでした。

なるほど、そう云って出て行く給仕を見ますと、首にまるで石の環《わ》をはめたような厚い繃帯《ほうたい》をして、顔もだいぶはれていましたからきっと、その毒蛾に噛《か》まれたんだと、私は思いました。ところが、間もなく隣りの室で、給仕が客と何か云い争っているようでした。それが仲々長いし烈《はげ》しいのです。私は暑いやら疲れたやら、すっかりむしゃくしゃしてしまいましたので、今のうち一寸《ちょっと》床屋へでも行って来ようと思って室を出ました。そして隣りの室の前を通りかかりましたら、扉《と》が開け放してあって、さっきの給仕がひどく悄気《しょげ》て頭を垂れて立っていました。向こうには、髪もひげもまるで灰いろの、肥《ふと》ったふくろうのようなおじいさんが、安楽椅《あんらくい》子《す》にぐったり腰かけ

て、扇風機にぶうぶう吹かれながら、

「給仕をやっていながら、一通りのホテルの作法も知らんのか。」と頰《ほお》をふくらして給仕を叱《しか》りつけていました。私は、ははあ扇風機のことだなと思いながら、苦笑いをしてそこを通り過ぎようとしますと、給仕がちょっとこっちを向いて、いかにも申し訳《わ》けないというように眼をつぶって見せました。私はそれですっかり気分がよくなったのです。そして、どしどし階段を踏んで、通りに下《お》りました。

なるほど、毒蛾のことがわかって町をあるくと、さっき停車場からホテルへ来る途中、いろいろ変に見えたけしきも、すっかりもっともと思われたのです。人道にはたくさんたき火のあとがありましたしみんなは繃帯をしたり白いきれで顔を擦《こす》ったりしながら歩いていました。また並木のやなぎにはいちいち石油ラムプがぶらさがっていたのです。私は一軒の床屋に入りました。それは向側の鏡が、九枚も上手に継いであって、店が丁度《ちょうど》二倍の広さに見えるようになって居り、糸杉やこめ栂《つが》の植木鉢《うえきばち》がぞろっとならび、親方らしい隅《すみ》のところで指図をしている人のほかに職人がみなで六人もいたのです。すぐ上の壁に大きながくがかかってそこにそのうちの四人の名前が理髪アーティストとして立派にならび二人は助手として書かれていました。

「お髪《くし》はこの通りの型でよろしゅうございますか。」私が鏡の前の白いきれをかけた上等の椅子に座ったとき、そのうちの一人が私にたずねました。

「ええ。」私はもう明日は帰るイーハトーヴォの野原のことを考えながらぼんやり返事をしました。するとその人は向こうで手のあいているもう二人の人たちを指で招きながら云いました。

「どうだろう。お客さまはこの通りの型でいいと仰《お》っしゃるが、君たちの意見はどうだい。」

二人は私のうしろに来て、しばらくじっと鏡にうつる私の顔を見ていましたが、そのうち一人のアーティストが、白服の腕を胸に組んで答えました。

「さあ、どうかね、お客さまのお顎《あご》が白くて、それに円くて、大へん温和《おとな》しくいらっしゃるんだから、やはりオールバックよりはネオグリークの方がいいじゃないかなあ。」

「うん。僕もそう思うね。」も一人も同意しました。私の係りのアーティストがおれもそうおもっていたというようにうなずいて、私に云《い》いました。

「いかがでございます、ただいまのお髪《くし》の型よりは、ネオグリークの方がお顔と調和いたしますようでございますが。」

「そうですね、じゃそう願いましょうか。」私も叮寧《ていねい》に云いました。なぜならこの人たちはみんな立派な芸術家だとおもったからです。

さて、私の頭はずんずん奇麗になり、疲れも大へん直りました。これなら、今夜よく寝《やす》んで、あしたは大学のあの地下になった標本室で向こうの助手といちにち暮しても大丈夫だと思って、気もちよく青い植木鉢や、アーティストの白い指の動くのや、チャキチャキ鳴る鋏《はさみ》の影をながめて居《お》りました。

するとにわかに私の隣りの人が、

「あ、いけない、いけない、押えてくれたまえ。畜生畜生《ちくしょう》。」とひどく高い声で叫んだのです。

びっくりして私はそっちを見ました。アーティストたちもみな馳《は》せ集まったのです。それこそはひげを片っ方だけ剃《そ》ったままで大へん瘠《や》せては居りましたが、しかしたしかにそれはデストゥパーゴです。わたくしは占《し》めたとおもいました。デストゥパーゴはわたくしなぞ気がつかずにまだ怖《おそ》ろしそうに顔をゆがめていました。

「どこへさわりましたのですか。」さっきの親方のアーティストが麻のモーニングを着て、大きなフラスコを手にしてみんなを押し分けて立っていました。そのうちに二三人のアーティストたちは、押虫網でその小さな黄色な毒蛾《どくが》をつかまえてしまいました。

「ここだよ、ここだよ。早く。」と云いながら紳士は左の眼の下を指しました。親方のアーティストは、大急ぎで、フラスコの中の水を綿にしめしてその眼の下をこすりました。

「何だいこの薬は。」デストゥパーゴが叫びました。

「アムモニア二％液」と親方が落ち着いて答えました。

「アムモニアは利《き》かないって、今朝《けさ》の新聞にあったじゃないか。」デストゥパーゴは椅子《いす》から立ちあがりました。デストゥパーゴは桃いろのシャツを着ていました。

「どの新聞でご覧です。」親方は一層落ちついて答えました。

「センダード日日新聞だ。」

「それは間違いです。アムモニアの効くことは県の衛生課長も声明しています。」

「あてにならん。」

「そうですか。とにかく、だいぶ腫《は》れて参ったようです。」親方のアーティストは、少ししゃくにさわったと見えて、プイッとうしろを向いて、フラスコを持ったまま向こうへ行ってしまいました。デストゥパーゴはぷんぷん怒《おこ》りだしました。

「失敬じゃないか、あしたは僕は陸軍の獣医官たちと大事な交際があるんだぞ。こんなことになっちゃ、まるで向こうの感情を害するばかりだ。きさまの店を訴えるぞ。」と云《い》いながら、ずんずん赤くはれて行く頬《ほお》を鏡で見ていました。親方もむかっ腹を立てて云いました。

「なあに毒蛾なんか、市中到《いた》る処《ところ》に居るんだ。町をあるいてさわられたら市長でも訴えたらよかろうさ。」

デストゥパーゴは、渋々、又椅子に座って、

「おい、早くあとをやってしまって呉《く》れ早く。」と云いました。そして、しきりに変な形になって行く顔を気にしながら、残りの半分のひげを剃《そ》らせていました。

わたくしも急ぎました。けれどもたしかにわたくしの方が早く済むのです。それでも向こうがさきに済んだらこっちもすぐ立とうと思ってそっと財布をさぐって大きな銀貨を一枚もって握っていました。

ところがどういうわけか私より私のアーティストがもっと急いで居りました。そしてしきりに時計を見ました。

まるで私の顔などは、三十秒ぐらいで剃ってしまったのです。わたくしは恐《こわ》がりながらじつにうまいとおもっていました。

「さあお洗いいたしましょう。」

私は、デストゥパーゴに知れないように、手で顔をかくしながら大理石の洗面器の前に立ちま

した。

　アーティストは、つめたい水でシャアシャアと私の頭を洗い時々は指で顔も拭《ぬぐ》いました。それから、私は、自分で勝手に顔を洗いました。そして、も一度椅子にこしかけたのです。

　その時親方が、

「さあもう一分だぞ。電気のあるうちに大事なところは済ましちまえ。それからアセチレンの仕《し》度《たく》はいいか。」

「すっかり出来ています。」小さな白い服の子供が云いました。

「持って来い。持って来い。あかりが消えてからじゃ遅いや。」親方が云いました。

　そこでその子供の助手が、アセチレン燈《とう》を四つ運び出して、鏡の前にならべ、水を入れて火をつけました。烈《はげ》しく鳴って、アセチレンは燃えはじめたのです。その時です。あちこちの工場の笛は一斉《いっせい》に鳴り、子供らは叫び、教会やお寺の鐘まで鳴り出して、それから電燈がすっと消えたのです。電燈のかわりのアセチレンで、あたりがすっかり青く変りました。

　それから私は、鏡に映っている海の中のような、青い室《へや》の黒く透明なガラス戸の向こうで、赤い昔の印度《インド》を偲《しの》ばせるような火が燃されているのを見ました。一人のアーティストが、そこでしきりに薪《まき》を入れていたのです。

「今夜は、毒蛾《どくが》も全滅だな。」誰《たれ》か向こうで言いました。

「さあどうかねえ。」私のとこのアーティストは、私の頭に、金口の瓶《びん》から香水をかけながら答えました。それからアーティストは、私の顔をも一度よく拭って、それから戸口の方をふり向い

て、

「ちょっと見て呉《く》れ。」と云《い》いました。アーティストたちは、あるいは戸口に立ち、あるいはたき火のそばまで行って、外の景色をながめていましたが、この時一人が大急ぎでみんな私のうしろに集まりました。そして鏡の中の私の顔を、それはそれは真面目《まじめ》な風で検《しら》べてから

「いいようだね。」と言いました。私はそこで椅子から立ちました。しっかり握っていて温くなった銀貨を一枚払いました。そしてその大きなガラスの戸口を出て通りに立ちました。デストゥパーゴのあとをつけようとおもったのです。

そこへ立って、私は、全く変な気がして、胸の躍《おど》るのをやめることができませんでした。それはあのセンダードの市の大きな西洋造りの並んだ通りに、電気が一つもなくて、並木のやなぎには、黄いろの大きなラムプがつるされ、みちにはまっ赤な火がならび、そのけむりはやさしい深い夜の空にのぼって、カシオピイアもぐらぐらゆすれ、琴座も朧《おぼろ》にまたたいたのです。どうしてもこれは遥《はる》かの南国の夏の夜の景色のように思われたのです。私は、店のなにかのぞきながら待っていました。いろいろな羽虫が本統にその火の中に飛んで行くのも私は見ました。向こうでもこっちでも、繃帯《ほうたい》をしたり、きれを顔にあてたりしながら、まちの人たちが火をたいていました。

そのうちに、私は向こうの方から、高い鋭い、そして少し変な力のある声が、私の方にやって来るのを聞きました。だんだん近くなりますと、それは頑丈《がんじょう》そうな変に小さな腰の曲ったおじいさんで、一枚の板きれの上に四本の鯨油《げいゆ》蠟燭《ろうそく》をともしたのを両手に捧《ささ》げてしきりに斯《こ》う叫んで来るのでした。

「家の中の燈火《あかり》を消せい。電燈を消してもほかのあかりを点《つ》けちゃなんにもならん。家の中のあかりを消せい。」

あかりをつけている家があるとそのおじいさんはいちいちその戸口に立って叫ぶのでした。

「家の中のあかりを消せい。電燈を消してもほかのあかりをつけちゃなんにもならん。家の中のあかりを消せい。」その声はガランとした通りに何べんも反響してそれから闇《やみ》に消えました。

この人はよほどみんなに敬われているようでした。どの人もどの人もみんな叮寧《ていねい》におじぎをしました。おじいさんはいよいよ声をふりしぼって叫んで行くのでした。

「家の中のあかりを消せい。電燈を消してもほかのあかりをつけちゃなんにもならん。家の中のあかりを消せい。いや、今晩は。」叫びながら右左の人に挨拶《あいさつ》を返して行くのでした。

「あの人は何ですか。」私は火にあたっているアーティストにたずねました。

「撃剣《げきけん》の先生です。」

ところがその撃剣の先生はつかつかと歩いて来ました。

「うちのなかのあかりを消せい、電燈を消してもべつのあかりをつけちゃなんにもならん。はやく消せい。おや、今晩は。なるほど、こちらの商売では仕方ないかね。」

「ええ、先生、今晩は、ご苦労さまでございます。」親方がでてきて挨拶しました。

「いや今晩は。どうもひどい暑気ですね。」

「へい、全く、虫でしめっ切りですからやりきれませんや。」

「そうねえ、いや、さよなら。」撃剣の先生はまただんだん向こうへ叫んで行きました。その声がだんだん遠くなってどこかの町の角でもまがったらしいときその青い海の中のような床屋の店のなかからとうとうデストゥパーゴが出て来てしばらく往来を見まわしてからすたすた南の方へあるきだしました。わたくしは後向きになって火の中へ落ちる蛾《が》を見ているふりをしていましたがすぐあとをつけました。デストゥパーゴは毒蛾にさわられたためにたいへん落ち着かないようすでした。それにどこかよほどしょげていました。わたくしはあとをつけながらなんだかかあいそうなような気もちになりました。もちろんひとりもデストゥパーゴに挨拶するものもありませんでしたし、またデストゥパーゴはなるべくみんなに眼のつかないように車道との堺《さかい》の並木のしたの陰影になったところをあるいているのでした。

どうもデストゥパーゴが大びらに陸軍の獣医たちなどと交際するなんて偽《うそ》らしいとわたくしは思いました。とうとうデストゥパーゴは立ちどまってしばらくあちこち見まわしてから大通りから小さな小路《こうじ》にはいりました。わたくしは知らないふりしてぐんぐん歩いて行きました。その小路をはいるとまもなく、一つの前庭のついた小さな門をデストゥパーゴははいって行きました。わたくしはすっかり事情を探ってからデストゥパーゴに会おうか、警察へ行って、イーハトーヴォでさがしているデストゥパーゴだと云《い》って押えてしまってもらおうかとそのときまで考えていましたがいまデストゥパーゴの家のなかへはいるのを見るともう前後を忘れて走り寄りました。

「デストゥパーゴさん。しばらくでしたな。」

デストゥパーゴはぎくっとして棒立ちになりましたがわたくしを見ると遁《に》げもしないでしょんぼりそこへ立ってしまいました。

「ファゼーロをたずねてまいったのですがどうかお渡しをねがいます。」

デストゥパーゴははげしく両手をふりました。

「それは誤解です誤解です。あの子どもはわたくしは知りません。」

「いったいそんならあなたはなぜこんなところへかくれたのですか。」

デストゥパーゴはまっ青になりました。

「イーハトーヴォの警察ではファゼーロといっしょにあなたもさがしているのです。もうすっかり手配がついていています。今夜はどうなってもあなたは捕《つか》まります。ファゼーロはどこにいるのです。」わたくしは思わずうそをついてしまいました。デストゥパーゴは毒蛾《どくが》のためにふくれておかしな格好になった顔でななめにわたくしを見ながらぶるぶるふるえてまるで聞きとれないくらい早口に云いました。

「そんな筈《はず》はない、そんな筈はない。名誉にかけて、紳士の名誉にかけて。」

「なぜそんならあなたはこんなところへかくれたのです。」

デストゥパーゴはようやくふるえるのをやめてしばらく考えていましたがようやく少しゆっくり云いました。

「わたくしは警察からは召喚されただけでそれは旅行届を出して代人を出してある筈です。それに就《つい》ては署長に充分諒解《りょうかい》を得てあります。警察ではわたくしに何の嫌疑《けんぎ》もかけていない筈です。」

「そんならなぜ旅行届を出したりして遁《に》げたのです。」

デストゥパーゴはやっと落ち着きました。

「いや、おはいりください。詳しくお話しましょう。」デストゥパーゴはさきに立って小さな玄関の戸を押しました。するとさっきから内側で立って見ていたと見えて一人のおばあさんが出迎えました。

「お茶をあげてくれ。」デストゥパーゴはすぐ右側の室《へや》へはいって行きました。わたくしはもう多分大丈夫だけれども遁《に》げるといけないと思って戸口に立っていました。デストゥパーゴは何か瓶《びん》をかちかち鳴らしてから白いきれで顔を押えながら出て来ました。

「さあどうぞこちらへ。」

わたくしは応接室に通されました。デストゥパーゴはようやく落ち着きました。

「わたくしがここへ人を避けて来ているのは全くちがった事情です。じつはあなたもご承知でしょうがあの林の中でわたくしが社長になって木材乾溜《かんりゅう》の会社をたてたのです。ところがこの頃《ごろ》の薬品の価格の変動でだんだん欠損になってどうにもしかたなくなったのです。わたくしはいろいろやって見ましたがどうしてもいかなかったのです。もちろんあの事業にはわたくしの全財産も賭《と》してあります。すると重役会である重役がそれをあのまま醸造所にしようということを発議しました。そこでわたくしどもも賛成して試験的にごくわずか造って見たのですが、それを税務署へ届け出なかったのです。ところがそれをだしにしてわたくしのある部下のものがわたくしを脅迫《きょうはく》しました。あの晩はじつに六《むつ》ヶ《か》しい場合でした。あすこに来ていたのはみんな株主でした。わざとあすこをえらんだのです。ところが株主の反感は非常だったのです。わたくしももうやけくそになってああいう風に酔っていたのです。そこへあなたが出て来たのですからなあ。」

わたくしははじめてあの頃のことがはっきりして来ました。それといっしょに眼の前にいるデストゥパーゴがかあいそうにもなりました。

「いや、わかりました。けれどもああファゼーロはどうしたろうなあ。」

デストゥパーゴが云《い》いました。

「わたくしはあの子どもを憎んで居りません。わたくしに前のようないい条件があれば世話して学校にさえ入れたいのです。けれどもあの子どもはきっとどこかで何かしていますぞ。警察でもそう見ています。」

わたくしはいきなり立ってデストゥパーゴに別れを告げました。

「ではわたくしは帰ります。あなたはここをどうかお立ち退《の》きください。わたくしは帰ってこの事情を云わないわけにも参りませんから。」

デストゥパーゴがしょんぼりとして云いました。

「いまわたくしは全く収入のみちもないのです。どうか諒解《りょうかい》してください。」

わたくしは礼をしました。

「ロザーロは変りありませんか。」デストゥパーゴが大へん早口に云いました。

「ええ、働いているようです。」わたくしもなぜかふだんとちがった声で云いました。

六、風と草穂《くさぼ》

九月一日の朝わたくしは旅程表やいろいろな報告を持ってきまった時間に役所に出ました。わたくしはみんなにも挨拶《あいさつ》して廻《まわ》り、所長が出て来るや否《いな》やその扉《と》をノックしてはいって行きました。

「あ帰ったかね。どうだった。」所長は左手ではずれたカラーのぼたんをはめながら云《い》いました。

「はい、お蔭《かげ》で昨晩戻って参りました。これは報告でございます。集めた標本類は整理いたしましてから目録をつくって後ほど持って参ります。」

「うん、そう急がないでもよろしい。」所長はカラーをはめてしまってしゃんとなりました。わたくしは礼をして室《へや》を出ました。そしてその日は一日来ていた荷物をほどいたり机の上にたまっていた書類を整理したりしているうちにいつか夕方になってしまいました。わたくしもみんなのあとから役所を出て、いままでの通り公衆食堂で食事をして競馬場へ帰って来ました。するとやっぱりよほど疲れていたと見えてちょっと椅子《いす》へかけたと思ったらいつかもうとろとろ睡《ねむ》ってしまっていました。その甘ったるい夕方の夢のなかでわたくしはまだあの茶いろななめらかな昆布《こんぶ》の干されたイーハトーヴォの岩礁《がんしょう》の間を小舟に乗って漕《こ》ぎまわっていました。俄《にわ》かに舟がぐらぐらゆれ何でも恐ろしくむかし風の竜《りゅう》が出てきてわたくしははねとばされて岩に投げつけられたと思って眼《め》をさましました。誰《たれ》かわたくしをゆすぶっていたのです。

わたくしは何べんも瞳《ひとみ》を定めてその顔を見ました。それはファゼーロでした。

「あっ、どうしたんだきみはずうっと前から居たのかい。」わたくしはびっくりして云いました。

「ぼくはね、八月の十日に帰ってきたよ。おまえはいままで居なかったじゃないか。」

「居なかったさ。海岸へ出張していたんだ。」

「今夜ね、ぼくらの工場へ来ておくれ。」

「きみらの工場？　何がどうしたんだ。全体きみはどこへ行ってたんだ。」

「ぼくはねえ、センダードのまちの革を染める工場へはいっていたよ。」

「センダード。どうしてあんなとこまで行ったんだ。そして今夜またぼくにセンダードへ行けというのかい。」

「そうじゃないよ。」

「ではどうなんだ。第一どうしてあんなとこまで行ったんだ。」

「ぼくどうしてもうちへはいれなかったんだ。そしてうちを通り越してもっと歩いて行った。すると夜が明けた。ぼくが困って座っていると革を買う人が通ってその車にぼくをのせてたべものをくれた。それからぼくはだんだん仕事を手伝ってとうとうセンダードへ行ったんだ。」

「そうか。ほんとうにそれはよかったなあ。ぼくはまたきみがあの醋酸《さくさん》工場の釜《かま》の中へでも入れられて蒸《む》し焼きにされたかと思ったんだ。」

「ぼくはね、あっちで技師の助手をしたんだ。するとその人が何でも教えてくれた。薬もみんな教えてくれた。ぼくはもう革のことならなめすことでも色を着けることでもなんでもできるよ。」

「そしてどうして帰ってきた。」

「警察から探されたんだよ。けれどもそんなに叱《しか》られなかった。」

「きみの主人は何と云った。」

「もうどこへ行ってもいいから勝手にしろって。」

「そしてどうするの。」

「年よりたちがねえ、ムラードの森の工場に居てぼくに革の仕事をしろというんだ。」

「できるかい。」

「できるさ。それにミーロはハムを拵《こさ》えれるからな。みんなでやるんだよ。」

「姉さんは？」

「姉さんも工場へ来るよ。」

「そうかねえ。」

「さあ行こう今夜も誰《たれ》か来ているから。」

わたくしは俄《にわ》かに疲れを忘れて立ちあがりました。

「じゃ行こう。だけど遠いかい。」

「この前のポラーノの広場のちょっと向こうさ。」

「少し遠いねえ。けれど行こう。」わたくしはすばやく旅行のときのままのなりをしていっしょにうちを出ました。ファゼーロはまた走りだしました。

雲が黄ばんでけわしくひかりながら南から北へぐんぐん飛んで居りました。けれども野原はひっそりとして風もなくただいろいろの草が高い穂を出したり変にもつれたりしているばかり、夏のつめくさの花はみんな鳶《とび》いろに枯れてしまってその三つ葉さえ大へん小さく縮まってしまったように思われました。

そのときわたくしは二人の大きな鎌《かま》をもった百姓がわたくしどもの前を横ぎるように通って行くのを見ました。その二人もこっちをちらっと見たようでしたがそれから何かはなし合ってとまってわたくしどもの行くのを待っているようすです。わたくしどもも急いで行きました。

「やあお前さん帰って来さしゃったね。まずご無事で結構でした。」

一人がわたくしに挨拶《あいさつ》しました。この前ポラーノの広場でデストゥパーゴに介添《かいぞえ》をしろと云《い》われて遁《に》げた男のようでした。

「ええありがとう。ファゼーロももう帰って来てすっかりもとの通りですね。」

「山猫博士が居ませんや。」

「山猫博士？　デストゥパーゴ？　デストゥパーゴにわたしはセンダードで会いましたよ。大へんおちぶれて気の毒なくらいだった。」

「いいえ、デストゥパーゴが落ちぶれるもんですか。大将センダードのまちにたくさん土地を持っていますよ。」

「はてな、財産はみんなあの乾溜《かんりゆう》会社にかけてしまったと云っていたが。」

「どうして、どうして、あの山猫がそんなことをするもんですか。会社の株がただみたいになったから大将遁《に》げてしまったんです。」

「いや、何か重役の人が醸造の方へかかろうとして手続を欠いて責任を負ったとか云っていたが。」

「どうしてどうして。酒をつくることなんかみんな大将の考えなんですよ。」

「だって試験的にわずかつくっただけだそうじゃないですか。」

「あなたはよっぽどうまくだまされておいでですよ。あの工場からアセトンだと云《い》って樽詰《たるづ》めにして出したのはみんな立派な混成酒でさあ。悪いのには木精《もくせい》もまぜたんです。その密造なら二年もやっていたんです。」

「じゃポラーノの広場で使ったのもそれか。」

「そうですとも。いや何と云っても大将はずるいもんですよ。みんなにも弱味があるから、まあこのまま泣寝入《なきねいり》でさあ。ただまああの工場をこんどはみんなでいろいろに使ってできるだけお互《たが》いのいるものは拵《こさ》えようというんです。」

「そうかねえ。ファゼーロが何かするのかい。」

「ええ、まあ別に新らしい資本がかかるわけでもなし革をなめしたりハムを拵えたり、栗を蒸して乾かしたり、そんなことをいろいろやろうというんです。」

「さあもう行こう。」ファゼーロがわたくしをつっつきました。

「それじゃまた」

「お休みなさい。」

どうもデストゥパーゴの云ったのが本当かみんなの云うのが本当かこれはどうもよくわからな

いとわたくしはあるきだしながらおもいました。

　わたくしどもはどんどん走りつづけました。

「そらあすこに一つ、あかしがあるよ。」ファゼーロがちょっと立ちどまって右手の草の中を指さしました。そこの草穂《くさぼ》のかげに小さな小さなつめくさの花が青白くさびしそうにぽっと咲いていました。

　俄《にわ》かに風が向こうからどうっと吹いて来て、いちめんの暗い草穂は波だち、私のきもののすきまからはその冷たい風がからだ一杯に浸みこみました。

「ふう。秋になったねえ。」わたくしは大きく息をしました。ファゼーロがいつか上着は脱いでわきに持ちながら
「途中のあかりはみんな消えたけれども……」おしまい何と云ったか風がざぁっとやって来て声をもって行ってしまいました。

「まっすぐだよ、まっすぐだよ。わたくしはあれからもう何べんも来てわかっているから。」わたくしはファゼーロの近くへ行って風の中で聞えるように云いました。ファゼーロはかすかにうなずいてまた走りだしました。夕暗《ゆうやみ》のなかにその白いシャツばかりぼんやりゆれながら走りました。

　間もなくわたくしははるかな野原のはてに青じろい五つばかりのあかりとその上に青く傘《かさ》のようになってぼんやりひかっているこの前のはんのきを見ました。だんだん近づいて行くとその葉が風にもまれて次から次と湧《わ》いているよう、枝と枝とがぶっつかり合ってじぶんから青白い光を

出しているようなのもわかるようになり、またその下に五人ばかりの黒い影が魚をとったりするときつかうアセチレン燈《とう》をもって立っているのも見ました。今日は広場にはテーブルも椅子《いす》も箱もありませんでした。ただ一つのから箱があるきりでした。そのなかから見覚えのある大きな帽子円い肩、ミーロがこっちへ出て来ました。

「とうとう来たな。今晩は、いいお晩でございます。」

ミーロはわたくしに挨拶《あいさつ》しました。みんなも待っていたらしく口々に云《い》いました。わたくしどもはそのまま広場を通りこしてどんどん急ぎました。

のはらはだんだん草があらくなってあちこちには黒い藪《やぶ》も風に鳴りたびたび柏《かしわ》の木か樺《かば》の木かがまっ黒にそらに立ってざわざわざわざわゆれているのでした。そしていつか私どもは細いみちを一列にならんであるいていたのです。

「もうじきだよ。」ファゼーロが一番前で高く叫びました。

みちの両側はいつかすっかり林になっていたのです。そして三十分ばかりだまって歩くとなにかぷうんと木屑《きくず》のようなものの匂《にお》いがしてすぐ眼の前に灰いろの細長い屋根が見えました。

「誰《たれ》か来ているな。」ファゼーロが叫びました。その大きな黒い建物の窓にちらちらあかりが射しているのです。

「おおい。キュースト さんが来たぞ。」ミーロが高く叫びました。

「おおい。」中からも誰かが返事をしました。

私どもはその建物の中へ入って行きました。

そこに巨《おお》きな鉄の缶《かま》がスフィンクスのようにこっちに向いて置いてあって、土間には沢山《たくさん》の大きな素焼の壺《つぼ》が列《なら》んでいました。

「いや今晩は。」ひとりのはだしの年老《と》った人が土間で私に挨拶しました。

「これが乾燥缶だよ。」ファゼーロが云いました。

「ここで何人稼《かせ》いでいたって。」私はたずねました。

「そうねえ、盛んにもうかったときは三十人から居たろう。」ミーロが答えました。

「どうしてだめになったんだ。」

みんなが顔を見合わせました。さっきの年老った人が云いました。

「薬のねだんが下ったためです。」

「そうですかねえ。そんなに間に合わないのかなあ。」

「ところが、ねえおい。ファゼーロ、おれはこの釜《かま》でやっぱり醋酸《さくさん》をつくった方がいいと思う。あのときは会社だなんてあんまりみんなでやったから損になったんだけれどもおれたちだけでやるんなら、手間にはきっとなるからな。十瓶《びん》だって二十瓶だって引き受けると町の薬屋でも云ってくるからな。」

「そうだ。」ファゼーロが云いました。

「ここの下へたいた煙をとなりの酒をつくったむろに通して、あすこでハムをつくるといいな。」

「それはサートもそう云ってるよ。とにかくこの缶《かま》へ入れてやれば、木炭はそっくりとれるしさ、ハムもすぐには売れなくたって仲間へだけは頒《わ》けれるからな。」

「さあよしやろう。キュースト《》はたびたび来て見てくれるだろう。」

「ああぼくは畜産の方にも林産醸造の方にも友だちがあるからみんなさそって来てやるよ。ポラーノの広場のはなしをしてね。」

「そうだぼくらはみんなで一生けん命ポラーノの広場をさがしたんだ。けれどもやっとのことでそれをさがすとそれは選挙につかう酒盛りだった。けれどもむかしのほんとうのポラーノの広場はまだどこかにあるような気がしてぼくは仕方ない。」

「だからぼくらはぼくらの手でこれからそれを拵《こさ》えようでないか。」

「そうだあんな卑怯《ひきょう》な、みっともないわざとじぶんをごまかすようなそんなポラーノの広場でなく、そこへ夜行って歌えば、またそこで風を吸えばもう元気がついてあしたの仕事中からだいっぱい勢いがよくて面白いようなそういうポラーノの広場をぼくらはみんなでこさえよう。」

「ぼくはきっとできるとおもう。なぜならぼくらがそれをいまかんがえているのだから。」

「さあよしやるぞ。ぼくはもう皮を十一枚あすこへ漬《つ》けて置いたし、一かま分の木はもうそこにできている。こんやは新らしいポラーノの広場の開場式だ。」

「それでは酒《さあけ》を呑《のう》まずに水《みずう》を呑むぅとやるか。」その年よりが云《い》いました。

みんなはどっとわらいました。

「よしやろう。表へ出て。おいミーロ、おれが水を汲《く》んでくるから、きみは戸棚《とだな》からコップをだせ。」

ファゼーロはバケツをさげて外へ出て行きました。

みんなはアセチレン燈《とう》をもって工場の外の芝生に出ました。

みんなは草に円くなって座りました。

ミーロはみんなにコップをわたしました。

ファゼーロがバケツを重そうにさげて来て、

「さあコップを洗うんだぜ。」と云いながらみんなのコップにひしゃくで水をつぎました。私はその水のつめたいのにふるいあがるように思いました。みんなはこちこち指でコップをあらいました。

「さあまた洗うんだぜ。」ファゼーロが云ってまた水をつぎました。みんなは前の水を草にすてまた水でそそぎました。

「もう一ぺん洗うんだぜ。前の酒の匂《にお》いがついてるからな。」ファゼーロがまた水をつぎました。

「ファゼーロ、今夜一ばんコップを洗っているのかい。」

醋酸《さくさん》をつくっていたさっきの年老《と》った人が、云いました。みんなはまたどっと笑いました。

「こんどは呑《の》むんだ。冷たいぞ。」ファゼーロはまたみんなにつぎました。コップはつめたく白くひかり風に烈《はげ》しく波だちました。

「さあ呑むぞ。一二三、」みんなはぐっと呑みました。私も呑んでがたっとふるえました。

「では僕がうたうぞ。ポラーノの広場のうた。

　つめくさのはなの　終る夜は
　ポランの広場の　秋まつり

ポランの広場の　秋のまつり
水をのまずに酒を呑《の》む
そんなやつらが威張《いば》っていると
ポランの広場の　夜が明けぬ
ポランの広場も　朝にならぬ。」
みんなはパチパチ手を叩《たた》いてわらいました。その声もすぐ風がどうっと来てむかしのポラーノの広場の方へ持って行ってしまいました。
「おれもうたうぞ。」ミーロがたちました。
「つめくさの花のしぼむ夜は
ポランの広場の秋まつり
ポランの広場の秋のまつり
酒くせの悪い山猫《やまねこ》は
黄いろのシャツで遠くへ遁《に》げて
ポランの広場は　朝になる、
ポランの広場は　夜が明ける。」
「さあぼくも歌うぞ。〔以下原稿数行分空白〕

「さあ叫ぼう。あたらしいポラーノの広場のために。ばんざーい。」わたくしは帽子を高くふって叫びました。

「ばんざぁい。」

そして私たちはまっ黒な林を通りぬけてさっきの柏《かしわ》の疎林《そりん》を通り古いポラーノの広場につきました。そこにはいつものはんのきが風にもまれるたびに青くひかっていました。わたくしどもの影はアセチレンの灯《ひ》に黒く長くみだれる草の波のなかに落ちてまるでわたくしどもは一人ずつ巨《おお》きな川を行く汽船のような気がしました。

いつものところへ来てわたくしどもは別れました。そこにほんの小さなつめくさのあかりが一つまたともっていました。わたくしはそれを摘《つま》んでえりにはさみました。

「それではさよなら。また行きますよ。」ファゼーロは云《い》いながらみんなといっしょに帽子をふりました。みんなも何か叫んだようでしたがそれはもう風にもって行かれてきこえませんでした。そしてわたくしもあるきみんなも向こうへ行ってその青い風のなかのアセチレンの火と黒い影がだんだん小さくなったのです。

※

それからちょうど七年たったのです。ファゼーロたちの組合ははじめはなかなかうまく行かなかったのでしたが、それでもどうにか面白く続けることができたのでした。私はそれからも何べんも遊びに行ったり相談のあるたびに友だちにきいたりしてそれから三年の後にはとうとうファゼーロたちは立派な一つの産業組合をつくり、ハムと皮類と醋酸《さくさん》とオートミルはモリーオの市やセンダードの市はもちろん広くどこへも出るようになりました。そして私はその三年目仕事の都合でとうとうモリーオの市を去るようになり、わたくしはそれから大学の副手にもなりましたし農事試験場の技手もしました。そして昨日この友だちのないにぎやかなながら荒《す》さんだトキーオの市のはげしい輪転器の音のとなりの室《へや》でわたくしの受持ちになる五十行の欄になにかものめずらしい博物の出来事をうずめながら一通の郵便を受けとりました。

それは一つの厚い紙へ刷ってみんなで手に持って歌えるようにした楽譜でした。それには歌がついていました。

ポラーノの広場のうた

つめくさ灯《ひ》ともす　夜のひろば
むかしのラルゴを　うたいかわし
雲をもどよもし　夜風にわすれて
とりいれまぢかに　年ようれぬ

まさしきねがいに　いさかうとも
銀河のかなたに　ともにわらい
なべてのなやみを　たきぎともしつつ、

　はえある世界を　　ともにつくらん

わたくしはその譜はたしかにファゼーロがつくったのだとおもいました。なぜならそこにはいつもファゼーロが野原で口笛を吹いていたその調子がいっぱいにはいっていたからです。けれどもその歌をつくったのはミーロかロザーロかそれとも誰《たれ》かわたくしには見わけがつきませんでした。

銀河鉄道の夜

——ぎんがてつどうのよる——

一、午后《ごご》の授業

「ではみなさんは、そういうふうに川だと云《い》われたり、乳の流れたあとだと云われたりしていたこのぼんやりと白いものがほんとうは何かご承知ですか。」先生は、黒板に吊《つる》した大きな黒い星座の図の、上から下へ白くけぶった銀河帯のようなところを指しながら、みんなに問《とい》をかけました。

カムパネルラが手をあげました。それから四五人手をあげました。ジョバンニも手をあげようとして、急いでそのままやめました。たしかにあれがみんな星だと、いつか雑誌で読んだのでしたが、このごろはジョバンニはまるで毎日教室でもねむく、本を読むひまも読む本もないので、なんだかどんなこともよくわからないという気持ちがするのでした。

ところが先生は早くもそれを見附《みつ》けたのでした。

「ジョバンニさん。あなたはわかっているのでしょう。」

ジョバンニは勢いよく立ちあがりましたが、立って見るともうはっきりとそれを答えることができないのでした。ザネリが前の席からふりかえって、ジョバンニを見てくすっとわらいました。ジョバンニはもうどぎまぎしてまっ赤になってしまいました。先生がまた云《い》いました。

「大きな望遠鏡で銀河をよっく調べると銀河は大体何でしょう。」

やっぱり星だとジョバンニは思いましたがこんどもすぐに答えることができませんでした。

先生はしばらく困ったようすでしたが、眼《め》をカムパネルラの方へ向けて、

「ではカムパネルラさん。」と名指しました。するとあんなに元気に手をあげたカムパネルラが、やはりもじもじ立ち上ったままやはり答えができませんでした。

先生は意外なようにしばらくじっとカムパネルラを見ていましたが、急いで「では。よし。」と云いながら、自分で星図を指しました。

「このぼんやりと白い銀河を大きないい望遠鏡で見ますと、もうたくさんの小さな星に見えるのです。ジョバンニさんそうでしょう。」

ジョバンニはまっ赤になってうなずきました。けれどもいつかジョバンニの眼のなかには涙がいっぱいになりました。そうだ僕は知っていたのだ、勿論《もちろん》カムパネルラも知っている、それはいつかカムパネルラのお父さんの博士のうちでカムパネルラといっしょに読んだ雑誌のなかにあったのだ。それどこでなくカムパネルラは、その雑誌を読むと、すぐお父さんの書斎から巨《おお》きな本をもってきて、ぎんがというところをひろげ、まっ黒な頁《ページ》いっぱいに白い点々のある美しい写真を二人でいつまでも見たのでした。それをカムパネルラが忘れる筈《はず》もなかったのに、すぐに返

事をしなかったのは、このごろぼくが、朝にも午后にも仕事がつらく、学校に出てももうみんなともはきはき遊ばず、カムパネルラともあんまり物を云《い》わないようになったので、カムパネルラがそれを知って気の毒がってわざと返事をしなかったのだ、そう考えるとたまらないほど、じぶんもカムパネルラもあわれなような気がするのでした。

先生はまた云いました。

「ですからもしもこの天の川がほんとうに川だと考えるなら、その一つ一つの小さな星はみんなその川のそこの砂や砂利の粒にもあたるわけです。またこれを巨《おお》きな乳の流れと考えるならもっと天の川とよく似ています。つまりその星はみな、乳のなかにまるで細《こま》かにうかんでいる脂《し》油《ゆ》の球にもあたるのです。そんなら何がその川の水にあたるかと云いますと、それは真空という光をある速さで伝えるもので、太陽や地球もやっぱりそのなかに浮かんでいるのです。つまりは私どももも天の川の水のなかに棲《す》んでいるわけです。そしてその天の川の水のなかから四方を見ると、ちょうど水が深いほど青く見えるように、天の川の底の深く遠いところほど星がたくさん集まって見えしたがって白くぼんやり見えるのです。この模型をごらんなさい。」

先生は中にたくさん光る砂のつぶの入った大きな両面の凸《とつ》レンズを指しました。

「天の川の形はちょうどこんななのです。このいちいちの光るつぶがみんな私どもの太陽と同じようにじぶんで光っている星だと考えます。私どもの太陽がこのほぼ中ごろにあって地球がそのすぐ近くにあるとします。みなさんは夜にこのまん中に立ってこのレンズの中を見まわすとしてごらんなさい。こっちの方はレンズが薄いのでわずかの光る粒即《すなわ》ち星しか見えないのでしょう。

こっちやこっちの方はガラスが厚いので、光る粒即ち星がたくさん見えその遠いのはぼうっと白く見えるというこれがつまり今日《こんにち》の銀河の説なのです。そんならこのレンズの大きさがどれ位あるかまたその中のさまざまの星についてはもう時間ですからこの次の理科の時間にお話します。では今日はその銀河のお祭なのですからみなさんは外へでてよくそらをごらんなさい。ではここまでです。本やノートをおしまいなさい。」

そして教室中はしばらく机の蓋《ふた》をあけたりしめたり本を重ねたりする音がいっぱいでしたがまもなくみんなはきちんと立って礼をすると教室を出ました。

二、活版所

ジョバンニが学校の門を出るとき、同じ組の七八人は家へ帰らずカムパネルラをまん中にして校庭の隅《すみ》の桜の木のところに集まっていました。それはこんやの星祭に青いあかりをこしらえて川へ流す烏瓜《からすうり》を取りに行く相談らしかったのです。

けれどもジョバンニは手を大きく振ってどしどし学校の門を出て来ました。すると町の家々ではこんやの銀河の祭りにいちいの葉の玉をつるしたりひのきの枝にあかりをつけたりいろいろ仕《し》度《たく》をしているのでした。

家へは帰らずジョバンニが町を三つ曲ってある大きな活版処にはいってすぐ入口の計算台に居ただぶだぶの白いシャツを着た人におじぎをしてジョバンニは靴をぬいで上りますと、突き当りの大きな扉《と》をあけました。中にはまだ昼なのに電燈《でんとう》がついてたくさんの輪転器がばたりばたりとまわり、きれで頭をしばったりラムプシェードをかけたりした人たちが、何か歌うように読んだり数えたりしながらたくさん働いて居《お》りました。

ジョバンニはすぐ入口から三番目の高い卓子《テーブル》に座った人の所へ行っておじぎをしました。その人はしばらく棚《たな》をさがしてから、

「これだけ拾って行けるかね。」と云《い》いながら、一枚の紙切れを渡しました。ジョバンニはその人の卓子の足もとから一つの小さな平たい凾《はこ》をとりだして向こうの電燈のたくさんついた、たてかけてある壁の隅《すみ》の所へしゃがみ込むと小さなピンセットでまるで粟粒《あわつぶ》ぐらいの活字を次から次と拾いはじめました。青い胸あてをした人がジョバンニのうしろを通りながら、

「よう、虫めがね君、お早う。」と云いますと、近くの四五人の人たちが声もたてずこっちも向かずに冷たくわらいました。

ジョバンニは何べんも眼を拭《ぬぐ》いながら活字をだんだんひろいました。

六時がうってしばらくたったころ、ジョバンニは拾った活字をいっぱいに入れた平たい箱をもういちど手にもった紙きれと引き合わせてから、さっきの卓子の人へ持って来ました。その人は黙ってそれを受け取って微《かす》かにうなずきました。

ジョバンニはおじぎをすると扉をあけてさっきの計算台のところに来ました。するとさっきの白服を着た人がやっぱりだまって小さな銀貨を一つジョバンニに渡しました。ジョバンニは俄《にわ》かに顔いろがよくなって威勢よくおじぎをすると台の下に置いた鞄《かばん》をもっておもてへ飛びだしまし

た。それから元気よく口笛を吹きながらパン屋へ寄ってパンの塊を一つと角砂糖を一袋買いますと一目散《いちもくさん》に走りだしました。

三、家

ジョバンニが勢いよく帰って来たのは、ある裏町の小さな家でした。その三つならんだ入口の一番左側には空箱《あきばこ》に紫いろのケールやアスパラガスが植えてあって小さな二つの窓には日覆《ひおお》いが下りたままになっていました。

「お母さん。いま帰ったよ。工合《ぐあい》悪くなかったの。」ジョバンニは靴をぬぎながら云《い》いました。

「ああ、ジョバンニ、お仕事がひどかったろう。今日は涼しくてね。わたしはずうっと工合がいいよ。」

ジョバンニは玄関を上って行きますとジョバンニのお母さんがすぐ入口の室《へや》に白い巾《きれ》を被《かぶ》って寝《やす》んでいたのでした。ジョバンニは窓をあけました。

「お母さん。今日は角砂糖を買ってきたよ。牛乳に入れてあげようと思って。」

「ああ、お前さきにおあがり。あたしはまだほしくないんだから。」

「お母さん。姉さんはいつ帰ったの。」

「ああ三時ころ帰ったよ。みんなそこらをしてくれてね。」

「お母さんの牛乳は来ていないんだろうか。」

「来なかったろうかねえ。」

「ぼく行ってとって来よう。」

「ああたしはゆっくりでいいんだからお前さきにおあがり、姉さんがね、トマトで何かこしらえてそこへ置いて行ったよ。」

「ではぼくたべよう。」

ジョバンニは窓のところからトマトの皿をとってパンといっしょにしばらくむしゃむしゃたべました。

「ねえお母さん。ぼくお父さんはきっと間もなく帰ってくると思うよ。」

「あああたしもそう思う。けれどもおまえはどうしてそう思うの。」

「だって今朝の新聞に今年は北の方の漁は大へんよかったと書いてあったよ。」

「ああだけどねえ、お父さんは漁へ出ていないかもしれない。」

「きっと出ているよ。お父さんが監獄《かんごく》へ入るようなそんな悪いことをした筈《はず》がないんだ。この前お父さんが持ってきて学校へ寄贈した巨《おお》きな蟹《かに》の甲らだのとなかいの角《つの》だの今だってみんな標本室にあるんだ。六年生なんか授業のとき先生がかわるがわる教室へ持って行くよ。一昨年修学旅行で〔以下数文字分空白〕

「お父さんはこの次はおまえにラッコの上着をもってくるといったねえ。」

「みんながぼくにあうとそれを云《い》うよ。ひやかすように云うんだ。」

「おまえに悪口を云うの。」

「うん、けれどもカムパネルラなんか決して云わない。カムパネルラはみんながそんなことを云うときは気の毒そうにしているよ。」

「あの人のお父さんとうちのお父さんとは、ちょうどおまえたちのように小さいときからのお友達だったそうだよ。」

「ああだからお父さんはぼくをつれてカムパネルラのうちへもつれて行ったよ。あのころはよかったなあ。ぼくは学校から帰る途中たびたびカムパネルラのうちに寄った。カムパネルラのうちにはアルコールランプで走る汽車があったんだ。レールを七つ組み合わせると円《まる》くなってそれに電柱や信号標もついていて信号標のあかりは汽車が通るときだけ青くなるようになっていたんだ。いつかアルコールがなくなったとき石油をつかったら、缶《かま》がすっかり煤《すす》けたよ。」

「そうかねえ。」

「いまも毎朝新聞をまわしに行くよ。けれどもいつでも家中まだしぃんとしているからな。」

「早いからねえ。」

「ザウエルという犬がいるよ。しっぽがまるで箒《ほうき》のようだ。ぼくが行くと鼻を鳴らしてついてくるよ。ずうっと町の角までついてくる。もっとついてくることもあるよ。今夜はみんなで烏瓜《からすうり》のあかりを川へながしに行くんだって。きっと犬もついて行くよ。」

「そうだ。今晩は銀河のお祭だねえ。」

「うん。ぼく牛乳をとりながら見てくるよ。」

「ああ行っておいで。川へははいらないでね。」

「ああぼく岸から見るだけなんだ。一時間で行ってくるよ。」

「もっと遊んでおいで。カムパネルラさんと一緒なら心配はないから。」

「ああきっと一緒だよ。お母さん、窓をしめて置こうか。」

「ああ、どうか。もう涼しいからね」

ジョバンニは立って窓をしめお皿やパンの袋を片附《かたづ》けると勢いよく靴をはいて「では一時間半で帰ってくるよ。」と云《い》いながら暗い戸口を出ました。

四、ケンタウル祭の夜

ジョバンニは、口笛を吹いているようなさびしい口付きで、檜《ひのき》のまっ黒にならんだ町の坂を下りて来たのでした。

坂の下に大きな一つの街燈《がいとう》が、青白く立派に光って立っていました。ジョバンニが、どんどん電燈の方へ下りて行きますと、いままでばけもののように、長くぼんやり、うしろへ引いていたジョバンニの影ぼうしは、だんだん濃く黒くはっきりなって、足をあげたり手を振ったり、ジョバンニの横の方へまわって来るのでした。

(ぼくは立派な機関車だ。ここは勾配《こうばい》だから速いぞ。ぼくはいまその電燈を通り越す。そうら、こんどはぼくの影法師はコムパスだ。あんなにくるっとまわって、前の方へ来た。)

とジョバンニが思いながら、大股《おおまた》にその街燈の下を通り過ぎたとき、いきなりひるまのザネリが、新らしいえりの尖《とが》ったシャツを着て電燈の向こう側の暗い小路《こうじ》から出て来て、ひらっとジョバンニとすれちがいました。

「ザネリ、烏瓜《からすうり》ながしに行くの。」ジョバンニがまだそう云ってしまわないうちに、

「ジョバンニ、お父さんから、らっこの上着が来るよ。」その子が投げつけるようにうしろから叫びました。

ジョバンニは、ばっと胸がつめたくなり、そこら中《じゅう》きぃんと鳴るように思いました。

「何だい。ザネリ。」とジョバンニは高く叫び返しましたがもうザネリは向こうのひばの植わった家の中へはいっていました。

「ザネリはどうしてぼくがなんにもしないのにあんなことを云うのだろう。走るときはまるで鼠《ねずみ》のようなくせに。ぼくがなんにもしないのにあんなことを云うのはザネリがばかなからだ。」

ジョバンニは、せわしくいろいろのことを考えながら、さまざまの灯や木の枝で、すっかりきれいに飾られた街を通って行きました。時計屋の店には明るくネオン燈がついて、一秒ごとに石でこさえたふくろうの赤い眼が、くるっくるっとうごいたり、いろいろな宝石が海のような色をした厚い硝子《ガラス》の盤に載って星のようにゆっくり循《めぐ》ったり、また向こう側から、銅の人馬《じんば》がゆっくりこっちへまわって来たりするのでした。そのまん中に円《まる》い黒い星座早見が青いアスパラガスの葉で飾ってありました。

ジョバンニはわれを忘れて、その星座の図に見入りました。

それはひる学校で見たあの図よりはずうっと小さかったのですがその日と時間に合わせて盤を

まわすと、そのとき出ているそらがそのまま楕円形《だえんけい》のなかにめぐってあらわれるようになって居りやはりそのまん中には上から下へかけて銀河がぼうとけむったような帯になってその下の方ではかすかに爆発して湯気でもあげているように見えるのでした。またそのうしろには三本の脚《あし》のついた小さな望遠鏡が黄いろに光って立っていましたし、いちばんうしろの壁には、空じゅうの星座をふしぎな獣や蛇《へび》や魚や瓶《びん》の形に書いた大きな図がかかっていました。ほんとうにこんなような蝎《さそり》だの勇士だのそらにぎっしり居るだろうか、ああぼくはその中をどこまでも歩いて見たいと思ってたりしてしばらくぼんやり立って居ました。

それから俄《にわ》かにお母さんの牛乳のことを思いだしてジョバンニはその店をはなれました。そしてきゅうくつな上着の肩を気にしながらそれでもわざと胸を張って大きく手を振って町を通って行きました。

空気は澄みきって、まるで水のように通りや店の中を流れましたし、街燈はみなまっ青なもみや楢《なら》の枝で包まれ、電気会社の前の六本のプラタヌスの木などは、中に沢山《たくさん》の豆電燈がついて、ほんとうにそこらは人魚の都のように見えるのでした。子どもらは、みんな新らしい折のついた着物を着て、星めぐりの口笛を吹いたり、

「ケンタウルス、露をふらせ。」と叫んで走ったり、青いマグネシヤの花火を燃したりして、たのしそうに遊んでいるのでした。けれどもジョバンニは、いつかまた深く首を垂れて、そこらのにぎやかさとはまるでちがったことを考えながら、牛乳屋の方へ急ぐのでした。

ジョバンニは、いつか町はずれのポプラの木が幾本も幾本も、高く星ぞらに浮かんでいるとこ

ろに来ていました。その牛乳屋の黒い門を入り、牛の匂《におい》のするうすくらい台所の前に立って、ジョバンニは帽子をぬいで「今晩は、」と云《い》いましたら、家の中はしぃんとして誰《たれ》も居たようではありませんでした。

「今晩は、ごめんなさい。」ジョバンニはまっすぐに立ってまた叫びました。するとしばらくたってから、年老《と》った女の人が、どこか工合《ぐあい》が悪いようにそろそろと出て来て何か用かと口の中で云いました。

「あの、今日、牛乳が僕んとこへ来なかったので、貰《もら》いにあがったんです。」ジョバンニが一生けん命勢いよく云いました。

「いま誰もいないでわかりません。あしたにして下さい。」

その人は、赤い眼の下のとこを擦《こす》りながら、ジョバンニを見おろして云いました。

「おっかさんが病気なんですから今晩でないと困るんです。」

「ではもう少したってから来てください。」その人はもう行ってしまいそうでした。

「そうですか。ではありがとう。」ジョバンニは、お辞儀をして台所から出ました。

十字になった町のかどを、まがろうとしましたら、向こうの橋へ行く方の雑貨店の前で、黒い影やぼんやり白いシャツが入り乱れて、六七人の生徒らが、口笛を吹いたり笑ったりして、めいめい烏瓜《からすうり》の燈火《あかり》を持ってやって来るのを見ました。その笑い声も口笛も、みんな聞きおぼえのあるものでした。ジョバンニの同級の子供らだったのです。ジョバンニは思わずどきっとして戻ろうとしましたが、思い直して、一そう勢いよくそっちへ歩いて行きました。

「川へ行くの。」ジョバンニが云おうとして、少しのどがつまったように思ったとき、

「ジョバンニ、らっこの上着が来るよ。」さっきのザネリがまた叫びました。

「ジョバンニ、らっこの上着が来るよ。」すぐみんなが、続いて叫びました。ジョバンニはまっ赤になって、もう歩いているかもわからず、急いで行きすぎようとしましたら、そのなかにカムパネルラが居たのです。カムパネルラは気の毒そうに、だまって少しわらって、怒らないだろうかというようにジョバンニの方を見ていました。


ジョバンニは、遁《に》げるようにその眼を避け、そしてカムパネルラのせいの高いかたちが過ぎて行って間もなく、みんなはてんでに口笛を吹きました。町かどを曲るとき、ふりかえって見ましたら、ザネリがやはりふりかえって見ていました。そしてカムパネルラもまた、高く口笛を吹いて向こうにぼんやり見えている橋の方へ歩いて行ってしまったのでした。ジョバンニは、なんとも云《い》えずさびしくなって、いきなり走り出しました。すると耳に手をあてて、わああと云いながら片足でぴょんぴょん跳んでいた小さな子供らは、ジョバンニが面白くてかけるのだと思ってわあいと叫びました。まもなくジョバンニは黒い丘の方へ急ぎました。

五、天気輪の柱

牧場のうしろはゆるい丘になって、その黒い平らな頂上は、北の大熊星《おおぐまぼし》の下に、ぼんやりふだんよりも低く連なって見えました。

ジョバンニは、もう露の降りかかった小さな林のこみちを、どんどんのぼって行きました。まっくらな草や、いろいろな形に見えるやぶのしげみの間を、その小さなみちが、一すじ白く星あかりに照らしだされてあったのです。草の中には、ぴかぴか青びかりを出す小さな虫もいて、ある葉は青くすかし出され、ジョバンニは、さっきみんなの持って行った烏瓜《からすうり》のあかりのようだとも思いました。

そのまっ黒な、松や楢《なら》の林を越えると、俄《にわ》かにがらんと空がひらけて、天の川がしらしらと南から北へ亘《わた》っているのが見え、また頂《いただき》の、天気輪の柱も見わけられたのでした。つりがねそうか野ぎくかの花が、そこらいちめんに、夢の中からでも薫《かお》りだしたというように咲き、鳥が一疋《ひき》、丘の上を鳴き続けながら通って行きました。

ジョバンニは、頂の天気輪の柱の下に来て、どかどかするからだを、つめたい草に投げました。

町の灯は、暗《やみ》の中をまるで海の底のお宮のけしきのようにともり、子供らの歌う声や口笛、きれぎれの叫び声もかすかに聞こえて来るのでした。風が遠くで鳴り、丘の草もしずかにそよぎ、ジョバンニの汗でぬれたシャツもつめたく冷《ひ》やされました。ジョバンニは町のはずれから遠く黒くひろがった野原を見わたしました。

そこから汽車の音が聞こえてきました。その小さな列車の窓は一列小さく赤く見え、その中にはたくさんの旅人が、苹果《りんご》を剝《む》いたり、わらったり、いろいろな風にしていると考えますと、ジョバンニは、もう何とも云えずかなしくなって、また眼をそらに挙げました。

あああの白いそらの帯がみんな星だというぞ。

ところがいくら見ていても、そのそらはひる先生の云《い》ったような、がらんとした冷たいとこだとは思われませんでした。それどころでなく、見れば見るほど、そこは小さな林や牧場やらある野原のように考えられて仕方なかったのです。そしてジョバンニは青い琴の星が、三つにも四つにもなって、ちらちら瞬き、脚が何べんも出たり引っ込んだりして、とうとう蕈《きのこ》のように長く延びるのを見ました。またすぐ眼の下のまちまでがやっぱりぼんやりしたたくさんの星の集まりか一つの大きなけむりかのように見えるように思いました。

六、銀河ステーション

そしてジョバンニはすぐうしろの天気輪の柱がいつかぼんやりした三角標の形になって、しばらく蛍《ほたる》のように、ぺかぺか消えたりともったりしているのを見ました。それはだんだんはっきりして、とうとうりんとうごかないようになり、濃い鋼青のそらの野原にたちました。いま新らしく灼《や》いたばかりの青い鋼の板のような、そらの野原に、まっすぐにすきっと立ったのです。

するとどこかで、ふしぎな声が、銀河ステーション、銀河ステーションと云う声がしたと思うといきなり眼の前が、ぱっと明るくなって、まるで億万の蛍烏賊《ほたるいか》の火を一ぺんに化石させて、そら中に沈めたという工合《ぐあい》、またダイアモンド会社で、ねだんがやすくならないために、わざと穫《と》れないふりをして、かくして置いた金剛石を、誰《たれ》かがいきなりひっくりかえして、ばら撒《ま》いたという風に、眼の前がさあっと明るくなって、ジョバンニは、思わず何べんも眼を擦《こす》ってしまいました。

気がついてみると、さっきから、ごとごとごとごと、ジョバンニの乗っている小さな列車が走りつづけていたのでした。ほんとうにジョバンニは、夜の軽便《けいべん》鉄道の、小さな黄いろの電燈のならんだ車室に、窓から外を見ながら座っていたのです。車室の中は、青い天蚕絨《びろうど》を張った腰掛けが、まるでがら明きで、向こうの鼠《ねずみ》いろのワニスを塗った壁には、真鍮《しんちゅう》の大きなぼたんが二つ光っているのでした。

すぐ前の席に、ぬれたようにまっ黒な上着を着た、せいの高い子供が、窓から頭を出して外を見ているのに気が付きました。そしてそのこどもの肩のあたりが、どうも見たことのあるような気がして、そう思うと、もうどうしても誰だかわかりたくて、たまらなくなりました。いきなりこっちも窓から顔を出そうとしたとき、俄《にわ》かにその子供が頭を引っ込めて、こっちを見ました。

それはカムパネルラだったのです。

ジョバンニが、カムパネルラ、きみは前からここに居たのと云おうと思ったとき、カムパネルラが
「みんなはねずいぶん走ったけれども遅れてしまったよ。ザネリもね、ずいぶん走ったけれども追いつかなかった。」と云いました。

ジョバンニは、(そうだ、ぼくたちはいま、いっしょにさそって出掛けたのだ。)とおもいながら、

「どこかで待っていようか。」と云いました。するとカムパネルラは

「ザネリはもう帰ったよ。お父さんが迎いにきたんだ。」

カムパネルラは、なぜかそう云《い》いながら、少し顔いろが青ざめて、どこか苦しいというふうでした。するとジョバンニも、なんだかどこかに、何か忘れたものがあるというような、おかしな気持ちがしてだまってしまいました。

ところがカムパネルラは、窓から外をのぞきながら、もうすっかり元気が直って、勢いよく云いました。

「ああしまった。ぼく、水筒を忘れてきた。スケッチ帳も忘れてきた。けれど構《かま》わない。もうじき白鳥の停車場だから。ぼく、白鳥を見るなら、ほんとうにすきだ。川の遠くを飛んでいたって、ぼくはきっと見える。」そして、カムパネルラは、円《まる》い板のようになった地図を、しきりにぐるぐるまわして見ていました。まったくその中に、白くあらわされた天の川の左の岸に沿って一条の鉄道線路が、南へ南へとたどって行くのでした。そしてその地図の立派なことは、夜のようにまっ黒な盤の上に、一一《いちいち》の停車場や三角標、泉水や森が、青や橙《だいだい》や緑や、うつくしい光でちりばめられてありました。ジョバンニはなんだかその地図をどこかで見たようにおもいました。

「この地図はどこで買ったの。黒曜石でできてるねえ。」

ジョバンニが云いました。

「銀河ステーションで、もらったんだ。君もらわなかったの。」

「ああ、ぼく銀河ステーションを通ったろうか。いまぼくたちの居るとこ、ここだろう。」

ジョバンニは、白鳥と書いてある停車場のしるしの、すぐ北を指しました。

「そうだ。おや、あの河原は月夜だろうか。」

そっちを見ますと、青白く光る銀河の岸に、銀いろの空のすすきが、もうまるでいちめん、風にさらさらさらさら、ゆられてうごいて、波を立てているのでした。

「月夜でないよ。銀河だから光るんだよ。」ジョバンニは云いながら、まるではね上りたいくらい愉快になって、足をこつこつ鳴らし、窓から顔を出して、高く高く星めぐりの口笛を吹きながら一生けん命延びあがって、その天の川の水を、見きわめようとしましたが、はじめはどうしてもそれが、はっきりしませんでした。けれどもだんだん気をつけて見ると、そのきれいな水は、ガラスよりも水素よりもすきとおって、ときどき眼の加減か、ちらちら紫いろのこまかな波をたてたり、虹《にじ》のようにぎらっと光ったりしながら、声もなくどんどん流れて行き、野原にはあっちにもこっちにも、燐光《りんこう》の三角標が、うつくしく立っていたのです。遠いものは小さく、近いものは大きく、遠いものは橙や黄いろではっきりし、近いものは青白く少しかすんで、或《ある》いは三角形、或いは四辺形、あるいは電《いなずま》や鎖の形、さまざまにならんで、野原いっぱい光っているのでした。ジョバンニは、まるでどきどきして、頭をやけに振りました。するとほんとうに、そのきれいな野原中の青や橙や、いろいろかがやく三角標も、てんでに息をつくように、ちらちらゆれたり顫《ふる》えたりしました。

「ぼくはもう、すっかり天の野原に来た。」ジョバンニは云いました。

「それにこの汽車石炭をたいていないねえ。」ジョバンニが左手をつき出して窓から前の方を見ながら云いました。

「アルコールか電気だろう。」カムパネルラが云《い》いました。

ごとごとごとごと、その小さなきれいな汽車は、そらのすすきの風にひるがえる中を、天の川の水や、三角点の青じろい微光の中を、どこまでもどこまでもと、走って行くのでした。

「ああ、りんどうの花が咲いている。もうすっかり秋だねえ。」カムパネルラが、窓の外を指さして云いました。

線路のへりになったみじかい芝草の中に、月長石《げっちょうせき》ででも刻まれたような、すばらしい紫のりんどうの花が咲いていていました。

「ぼく、飛び下りて、あいつをとって、また飛び乗ってみせようか。」ジョバンニは胸を躍《おど》らせて云いました。

「もうだめだ。あんなにうしろへ行ってしまったから。」

カムパネルラが、そう云ってしまうかしまわないうち、次のりんどうの花が、いっぱいに光って過ぎて行きました。

と思ったら、もう次から次から、たくさんのきいろな底をもったりんどうの花のコップが、湧《わ》くように、雨のように、眼《め》の前を通り、三角標の列は、けむるように燃えるように、いよいよ光って立ったのです。

七、北十字とプリオシン海岸

「おっかさんは、ぼくをゆるして下さるだろうか。」いきなり、カムパネルラが、思い切ったというように、少しどもりながら、急《せ》きこんで云《い》いました。

ジョバンニは、

（ああ、そうだ、ぼくのおっかさんは、あの遠い一つのちりのように見える橙《だいだい》いろの三角標のあたりにいらっしゃって、いまぼくのことを考えているんだった。）と思いながら、ぼんやりしてだまっていました。

「ぼくはおっかさんが、ほんとうに幸《さいわい》になるなら、どんなことでもする。けれども、いったいどんなことが、おっかさんのいちばんの幸なんだろう。」カムパネルラは、なんだか、泣きだしたいのを、一生けん命こらえているようでした。

「きみのおっかさんは、なんにもひどいことないじゃないの。」ジョバンニはびっくりして叫びました。

「ぼくわからない。けれども、誰《たれ》だって、ほんとうにいいことをしたら、いちばん幸なんだねえ。だから、おっかさんは、ぼくをゆるして下さると思う。」カムパネルラは、なにかほんとうに決心しているように見えました。

俄《にわ》かに、車のなかが、ぱっと白く明るくなりました。見ると、もうじつに、金剛石や草の露やあらゆる立派さをあつめたような、きらびやかな銀河の河床《かわどこ》の上を水は声もなくかたちもなく流れ、その流れのまん中に、ぼうっと青白く後光の射《さ》した一つの島が見えるのでした。その島の平らないただきに、立派な眼もさめるような、白い十字架がたって、それはもう凍《こお》った北極の雲で鋳《い》たといったらいいか、すきっとした金いろの円光をいただいて、しずかに永久に立っているのでした。

「ハルレヤ、ハルレヤ。」前からもうしろからも声が起りました。ふりかえって見ると、車室の中の旅人たちは、みなまっすぐにきもののひだを垂れ、黒いバイブルを胸にあてたり、水晶の珠《じゅ》数《ず》をかけたり、どの人もつつましく指を組み合わせて、そっちに祈っているのでした。思わず二人もまっすぐに立ちあがりました。カムパネルラの頬《ほお》は、まるで熟した苹果《りんご》のあかしのようにうつくしくかがやいて見えました。

そして島と十字架とは、だんだんうしろの方へうつって行きました。

向こう岸も、青じろくぼうっと光ってけむり、時々、やっぱりすすきが風にひるがえるらしく、さっとその銀いろがけむって、息でもかけたように見え、また、たくさんのりんどうの花が、草をかくれたり出たりするのは、やさしい狐火《きつねび》のように思われました。

それもほんのちょっとの間、川と汽車との間は、すすきの列でさえぎられ、白鳥の島は、二度ばかり、うしろの方に見えましたが、じきもうずうっと遠く小さく、絵のようになってしまい、またすすきがざわざわ鳴って、とうとうすっかり見えなくなってしまいました。ジョバンニのうしろには、いつから乗っていたのか、せいの高い、黒いかつぎをしたカトリック風の尼さんが、まん円《まる》な緑の瞳《ひとみ》を、じっとまっすぐに落として、まだ何かことばか声かが、そっちから伝わって来るのを、虔《つつし》んで聞いているというように見えました。旅人たちはしずかに席に戻り、二人も胸いっぱいのかなしみに似た新らしい気持ちを、何気なくちがった語《ことば》で、そっと談《はな》し合ったのです。

「もうじき白鳥の停車場だねえ。」

「ああ、十一時かっきりには着くんだよ。」

早くも、シグナルの緑の燈《あかり》と、ぼんやり白い柱とが、ちらっと窓のそとを過ぎ、それから硫黄《いおう》のほのおのようなくらいぼんやりした転てつ機の前のあかりが窓の下を通り、汽車はだんだんゆるやかになって、間もなくプラットホームの一列の電燈が、うつくしく規則正しくあらわれ、それがだんだん大きくなってひろがって、二人は丁度《ちょうど》白鳥停車場の、大きな時計の前に来てとまりました。

さわやかな秋の時計の盤面《ダイアル》には、青く灼《や》かれたはがねの二本の針が、くっきり十一時を指しました。みんなは、一ぺんに下りて、車室の中はがらんとなってしまいました。

〔二十分停車〕と時計の下に書いてありました。

「ぼくたちも降りて見ようか。」ジョバンニが云《い》いました。

「降りよう。」

二人は一度にはねあがってドアを飛び出して改札口へかけて行きました。ところが改札口には、明るい紫がかった電燈が、一つ点《つ》いているばかり、誰《たれ》も居ませんでした。そこら中を見ても、駅長や赤帽らしい人の、影もなかったのです。

二人は、停車場の前の、水晶細工のように見える銀杏《いちょう》の木に囲まれた、小さな広場に出ました。そこから幅の広いみちが、まっすぐに銀河の青光の中へ通っていました。

さきに降りた人たちは、もうどこへ行ったか一人も見えませんでした。二人がその白い道を、肩をならべて行きますと、二人の影は、ちょうど四方に窓のある室《へや》の中の、二本の柱の影のように、また二つの車輪の輻《や》のように幾本も幾本も四方へ出るのでした。そして間もなく、あの汽車から見えたきれいな河原に来ました。

カムパネルラは、そのきれいな砂を一つまみ、掌《てのひら》にひろげ、指できしきしさせながら、夢のように云《い》っているのでした。

「この砂はみんな水晶だ。中で小さな火が燃えている。」

「そうだ。」どこでぼくは、そんなこと習ったろうと思いながら、ジョバンニもぼんやり答えていました。

河原の礫《こいし》は、みんなすきとおって、たしかに水晶や黄玉《トパース》や、またくしゃくしゃの皺曲《しゅうきょく》をあらわしたのや、また稜《かど》から霧のような青白い光を出す鋼玉やらでした。ジョバンニは、走ってその渚《なぎさ》に行って、水に手をひたしました。けれどもあやしいその銀河の水は、水素よりももっとすきとおっていたのです。それでもたしかに流れていたことは、二人の手首の、水にひたったとこが、少し水銀いろに浮いたように見え、その手首にぶっつかってできた波は、うつくしい燐光《りんこう》をあげて、ちらちらと燃えるように見えたのでもわかりました。

川上の方を見ると、すすきのいっぱいに生えている崖《がけ》の下に、白い岩が、まるで運動場のように平らに川に沿って出ているのでした。そこに小さな五六人の人かげが、何か掘り出すか埋めるかしているらしく、立ったり屈《かが》んだり、時々なにかの道具が、ピカッと光ったりしました。

「行ってみよう。」二人は、まるで一度に叫んで、そっちの方へ走りました。その白い岩になった処《ところ》の入口に、

〔プリオシン海岸〕という、瀬戸物のつるつるした標札が立って、向こうの渚には、ところどころ、細い鉄の欄干も植えられ、木製のきれいなベンチも置いてありました。

「おや、変なものがあるよ。」カムパネルラが、不思議そうに立ちどまって、岩から黒い細長いさきの尖《とが》ったくるみの実のようなものをひろいました。

「くるみの実だよ。そら、沢山ある。流れて来たんじゃない。岩の中に入ってるんだ。」

「大きいね、このくるみ、倍あるね。こいつはすこしもいたんでない。」

「早くあすこへ行って見よう。きっと何か掘ってるから。」

二人は、ぎざぎざの黒いくるみの実を持ちながら、またさっきの方へ近よって行きました。左手の渚には、波がやさしい稲妻のように燃えて寄せ、右手の崖には、いちめん銀や貝殻でこさえたようなすすきの穂がゆれたのです。

だんだん近付いて見ると、一人のせいの高い、ひどい近眼鏡をかけ、長靴《ながぐつ》をはいた学者らしい人が、手帳に何かせわしそうに書きつけながら、鶴嘴《つるはし》をふりあげたり、スコープをつかったりしている、三人の助手らしい人たちに夢中でいろいろ指図をしていました。

「そこのその突起を壊さないように。スコープを使いたまえ、スコープを。おっと、も少し遠くから掘って。いけない、いけない。なぜそんな乱暴をするんだ。」

見ると、その白い柔らかな岩の中から、大きな大きな青じろい獣《けもの》の骨が、横に倒れて潰《つぶ》れたと

いう風になって、半分以上掘り出されていました。そして気をつけて見ると、そこらには、蹄《ひづめ》の二つある足跡《あしあと》のついた岩が、四角に十ばかり、きれいに切り取られて番号がつけられてありました。

「君たちは参観かね。」その大学士らしい人が、眼鏡《めがね》をきらっとさせて、こっちを見て話しかけました。

「くるみが沢山《たくさん》あったろう。それはまあ、ざっと百二十万年ぐらい前のくるみだよ。ごく新らしい方さ。ここは百二十万年前、第三紀のあとのころは海岸でね、この下からは貝がらも出る。いま川の流れているとこに、そっくり塩水が寄せたり引いたりもしていたのだ。このけものかね、これはボスといってね、おいおい、そこつるはしはよしたまえ。ていねいに鑿《のみ》でやってくれたまえ。ボスといってね、いまの牛の先祖で、昔はたくさん居たさ。」

「標本にするんですか。」

「いや、証明するに要《い》るんだ。ぼくらからみると、ここは厚い立派な地層で、百二十万年ぐらい前にできたという証拠もいろいろあがるけれども、ぼくらとちがったやつからみてもやっぱりこんな地層に見えるかどうか、あるいは風か水やがらんとした空かに見えやしないかということなのだ。わかったかい。けれども、おいおい。そこもスコープではいけない。そのすぐ下に肋骨《ろっこつ》が埋もれてる筈《はず》じゃないか。」大学士はあわてて走って行きました。

「もう時間だよ。行こう。」カムパネルラが地図と腕時計とをくらべながら云《い》いました。

「ああ、ではわたくしどもは失礼いたします。」ジョバンニは、ていねいに大学士におじぎしました。

「そうですか。いや、さよなら。」大学士は、また忙がしそうに、あちこち歩きまわって監督をはじめました。

二人は、その白い岩の上を、一生けん命汽車におくれないように走りました。そしてほんとうに、風のように走れたのです。息も切れず膝《ひざ》もあつくなりませんでした。

こんなにしてかけるなら、もう世界中だってかけれると、ジョバンニは思いました。

そして二人は、前のあの河原を通り、改札口の電燈がだんだん大きくなって、間もなく二人は、もとの車室の席に座って、いま行って来た方を、窓から見ていました。

八、鳥を捕る人

「ここへかけてもようございますか。」

がさがさした、けれども親切そうな、大人の声が、二人のうしろで聞こえました。

それは、茶いろの少しぼろぼろの外套《がいとう》を着て、白い巾《きれ》でつつんだ荷物を、二つに分けて肩に掛けた、赤髯《あかひげ》のせなかのかがんだ人でした。

「ええ、いいんです。」ジョバンニは、少し肩をすぼめて挨拶《あいさつ》しました。その人は、ひげの中でかすかに微笑《わら》いながら、荷物をゆっくり網棚《あみだな》にのせました。ジョバンニは、なにか大へんさびしいようなかなしいような気がして、だまって正面の時計を見ていましたら、ずうっと前の方で、硝子《ガラス》の笛のようなものが鳴りました。汽車はもう、しずかにうごいていたのです。カムパネルラは、車室の天井を、あちこち見ていました。その一つのあかりに黒い甲虫《かぶとむし》がとまってその影が大きく天井にうつっていたのです。赤ひげの人は、なにかなつかしそうにわらいながら、ジョバンニやカムパネルラのようすを見ていました。汽車はもうだんだん早くなって、すすきと川と、かわるがわる窓の外から光りました。

赤ひげの人が、少しおずおずしながら、二人に訊《き》きました。

「あなた方は、どちらへいらっしゃるんですか。」

「どこまでも行くんです。」ジョバンニは、少しきまり悪そうに答えました。

「それはいいね。この汽車は、じっさい、どこまででも行きますぜ。」

「あなたはどこへ行くんです。」カムパネルラが、いきなり、喧嘩《けんか》のようにたずねましたので、ジョバンニは、思わずわらいました。すると、向こうの席に居た、尖《とが》った帽子をかぶり、大きな鍵《かぎ》を腰に下げた人も、ちらっとこっちを見てわらいましたので、カムパネルラも、つい顔を赤くして笑いだしてしまいました。ところがその人は別に怒ったでもなく、頰《ほお》をぴくぴくしながら返事しました。

「わっしはすぐそこで降ります。わっしは、鳥をつかまえる商売でね。」

「何鳥ですか。」

「鶴《つる》や雁《がん》です。さぎも白鳥もです。」

「鶴はたくさんいますか。」

「居ますとも、さっきから鳴いてまさあ。聞かなかったのですか。」

「いいえ。」

「いまでも聞こえるじゃありませんか。そら、耳をすまして聴《き》いてごらんなさい。」

二人は眼を挙げ、耳をすましました。ごとごと鳴る汽車のひびきと、すすきの風との間から、ころんころんと水の湧《わ》くような音が聞こえて来るのでした。

「鶴、どうしてとるんですか。」

「鶴ですか、それとも鷺《さぎ》ですか。」

「鷺です。」ジョバンニは、どっちでもいいと思いながら答えました。

「そいつはな、雑作《ぞうさ》ない。さぎというものは、みんな天の川の砂が凝《こご》って、ぼおっとできるもんですからね、そして始終川へ帰りますからね、川原で待っていて、鷺がみんな、脚《あし》をこういう風にして下りてくるとこを、そいつが地べたへつくかつかないうちに、ぴたっと押さえちまうんです。するともう鷺は、かたまって安心して死んじまいます。あとはもう、わかり切ってまさあ。押し葉にするだけです。」

「鷺を押し葉にするんですか。標本ですか。」

「標本じゃありません。みんなたべるじゃありませんか。」

「おかしいねえ。」カムパネルラが首をかしげました。

「おかしいも不審もありませんや。そら。」その男は立って、網棚《あみだな》から包みをおろして、手ばやくくるくると解きました。

「さあ、ごらんなさい。いまとって来たばかりです。」

「ほんとうに鷺だねえ。」二人は思わず叫びました。まっ白な、あのさっきの北の十字架のように光る鷺のからだが、十ばかり、少しひらべったくなって、黒い脚をちぢめて、浮彫《うきぼり》のようにならんでいたのです。

「眼をつぶってるね。」カムパネルラは、指でそっと、鷺《さぎ》の三日月がたの白い瞑《つぶ》った眼にさわりました。頭の上の槍《やり》のような白い毛もちゃんとついていました。

「ね、そうでしょう。」鳥捕りは風呂敷《ふろしき》を重ねて、またくるくると包んで紐《ひも》でくくりました。誰《たれ》がいったいここらで鷺なんぞ喰《た》べるだろうとジョバンニは思いながら訊《き》きました。

「鷺はおいしいんですか。」

「ええ、毎日注文があります。しかし雁《がん》の方が、もっと売れます。雁の方がずっと柄《がら》がいいし、第一手数がありませんからな。そら。」鳥捕りは、また別の方の包みを解きました。すると黄と青じろとまだらになって、なにかのあかりのようにひかる雁が、ちょうどさっきの鷺のように、くちばしを揃《そろ》えて、少し扁《ひら》べったくなって、ならんでいました。

「こっちはすぐ喰《た》べられます。どうです、少しおあがりなさい。」鳥捕りは、黄いろな雁の足を、軽くひっぱりました。するとそれは、チョコレートでもできているように、すっときれいにはなれました。

「どうです。すこしたべてごらんなさい。」鳥捕りは、それを二つにちぎってわたしました。ジョバンニは、ちょっと喰べてみて、(なんだ、やっぱりこいつはお菓子だ。チョコレートよりも、もっとおいしいけれども、こんな雁が飛んでいるもんか。この男は、どこかそこらの野原の菓子屋だ。けれどもぼくは、このひとをばかにしながら、この人のお菓子をたべているのは、大へん気の毒だ。）とおもいながら、やっぱりぽくぽくそれをたべていました。

「も少しおあがりなさい。」鳥捕りがまた包みを出しました。ジョバンニは、もっとたべたかったのですけれども、

「ええ、ありがとう。」と云《い》って遠慮しましたら、鳥捕りは、こんどは向こうの席の、鍵《かぎ》をもった人に出しました。

「いや、商売ものを貰《もら》っちゃすみませんな。」その人は、帽子をとりました。

「いいえ、どういたしまして。どうです、今年の渡り鳥の景気は。」

「いや、すてきなもんですよ。一昨日《おととい》の第二限ころなんか、なぜ燈台の灯を、規則以外に間〔一字分空白〕させるかって、あっちからもこっちからも、電話で故障が来ましたが、なあに、こっちがやるんじゃなくて、渡り鳥どもが、まっ黒にかたまって、あかしの前を通るのですから仕方ありませんや。わたしゃ、べらぼうめ、そんな苦情は、おれのとこへ持って来たって仕方がねえや、ばさばさのマントを着て脚と口との途方もなく細い大将へやれって、斯《こ》う云《い》ってやりましたがね、はっは。」

　すすきがなくなったために、向こうの野原から、ぱっとあかりが射《さ》して来ました。

「鷺の方はなぜ手数なんですか。」カムパネルラは、さっきから、訊《き》こうと思っていたのです。

「それはね、鷺を喰べるには、」鳥捕りは、こっちに向き直りました。「天の川の水あかりに、十

日もつるして置くかね、そうでなきゃ、砂に三四日うずめなきゃいけないんだ。そうすると、水銀がみんな蒸発して、喰べられるようになるよ。」

「こいつは鳥じゃない。ただのお菓子でしょう。」やっぱりおなじことを考えていたとみえて、カムパネルラが、思い切ったというように、尋《たず》ねました、鳥捕りは、何か大へんあわてた風で、

「そうそう、ここで降りなきゃ。」と云《い》いながら、立って荷物をとったと思うと、もう見えなくなっていました。

「どこへ行ったんだろう。」

二人は顔を見合わせましたら、燈台守は、にやにや笑って、少し伸びあがるようにしながら、二人の横の窓の外をのぞきました。二人もそっちを見ましたら、たったいまの鳥捕りが、黄いろと青じろの、うつくしい燐光《りんこう》を出す、いちめんのかわらははこぐさの上に立って、まじめな顔をして両手をひろげて、じっとそらを見ていたのです。

「あすこへ行ってる。ずいぶん奇体《きたい》だねえ。きっとまた鳥をつかまえるとこだねえ。汽車が走って行かないうちに、早く鳥がおりるといいな。」と云った途端、がらんとした桔梗《ききょう》いろの空から、さっき見たような鷺《さぎ》が、まるで雪の降るように、ぎゃあぎゃあ叫びながら、いっぱいに舞いおりて来ました。するとあの鳥捕りは、すっかり注文通りだというようにほくほくして、両足をかっきり六十度に開いて立って、鷺のちぢめて降りて来る黒い脚を両手で片っ端から押えて、布の袋の中に入れるのでした。すると鷺は、蛍《ほたる》のように、袋の中でしばらく、青くぺかぺか光ったり消えたりしていましたが、おしまいとうとう、みんなぼんやり白くなって、眼をつぶるのでした。

ところが、つかまえられる鳥よりは、つかまえられないで無事に天の川の砂の上に降りるものの方が多かったのです。それは見ているると、足が砂へつくや否や、まるで雪の融《と》けるように、縮まって扁《ひら》べったくなって、間もなく熔鉱炉から出た銅の汁のように、砂や砂利の上にひろがり、しばらくは鳥の形が、砂についているのでしたが、それも二三度明るくなったり暗くなったりしているうちに、もうすっかりまわりと同じいろになってしまうのでした。

鳥捕りは二十疋《ぴき》ばかり、袋に入れてしまうと、急に両手をあげて、兵隊が鉄砲弾《てっぽうだま》にあたって、死ぬときのような形をしました。と思ったら、もうそこに鳥捕りの形はなくなって、却《かえ》って、

「ああせいせいした。どうもからだに恰度《ちょうど》合うほど稼《かせ》いでいるくらい、いいことはありませんな。」というききおぼえのある声が、ジョバンニの隣りにしました。見ると鳥捕りは、もうそこでとって来た鷺を、きちんとそろえて、一つずつ重ね直しているのでした。

「どうしてあすこから、いっぺんにここへ来たんですか。」ジョバンニが、なんだかあたりまえのような、あたりまえでないような、おかしな気がして問いました。

「どうしてって、来ようとしたから来たんです。ぜんたいあなた方は、どちらからおいでですか。」

ジョバンニは、すぐ返事しようと思いましたけれども、さあ、ぜんたいどこから来たのか、もうどうしても考えつきませんでした。カムパネルラも、頬をまっ赤にして何か思い出そうとしているのでした。

「ああ、遠くからですね。」鳥捕りは、わかったというように雑作《ぞうさ》なくうなずきました。

九、ジョバンニの切符

「もうここらは白鳥区のおしまいです。ごらんなさい。あれが名高いアルビレオの観測所です。」

窓の外の、まるで花火でいっぱいのような、あまの川のまん中に、黒い大きな建物が四棟《むね》ばかり立って、その一つの平屋根の上に、眼《め》もさめるような、青宝玉《サファイア》と黄玉《トパース》の大きな二つのすきとおった球が、輪になってしずかにくるくるとまわっていました。黄いろのがだんだん向こうへまわって行って、青い小さいのがこっちへ進んで来、間もなく二つのはじは、重なり合って、きれいな緑いろの両面凸《とつ》レンズのかたちをつくり、それもだんだん、まん中がふくらみ出して、とうとう青いのは、すっかりトパースの正面に来ましたので、緑の中心と黄いろな明るい環《わ》とができました。それがまただんだん横へ外《そ》れて、前のレンズの形を逆に繰り返し、とうとうすっとはなれて、サファイアは向こうへめぐり、黄いろのはこっちへ進み、また丁度《ちょうど》さっきのような風になりました。銀河の、かたちもなく音もない水にかこまれて、ほんとうにその黒い測候所が、睡《ねむ》っているように、しずかによこたわったのです。

「あれは、水の速さをはかる器械です。水も……。」鳥捕りが云《い》いかけたとき、

「切符を拝見いたします。」三人の席の横に、赤い帽子をかぶったせいの高い車掌が、いつかまっすぐに立っていて云いました。鳥捕りは、だまってかくしから、小さな紙きれを出しました。車掌はちょっと見て、すぐ眼をそらして、（あなた方のは？）というように、指をうごかしなが

ら、手をジョバンニたちの方へ出しました。

「さあ、」ジョバンニは困って、もじもじしていましたら、カムパネルラは、わけもないという風で、小さな鼠《ねずみ》いろの切符を出しました。ジョバンニは、すっかりあわててしまって、もしか上着のポケットにでも、入っていたかとおもいながら、手を入れて見ましたら、何か大きな畳んだ紙きれにあたりました。こんなもの入っていたろうかと思って、急いで出してみましたら、それは四つに折ったはがきぐらいの大きさの緑いろの紙でした。車掌が手を出しているもんですから何でも構《かま》わない、やっちまえと思って渡しましたら、車掌はまっすぐに立ち直って叮寧《ていねい》にそれを開いて見ていました。そして読みながら上着のぼたんやなんかしきりに直したりしていましたし燈台看守も下からそれを熱心にのぞいていましたから、ジョバンニはたしかにあれは証明書か何かだったと考えて少し胸が熱くなるような気がしました。

「これは三次空間の方からお持ちになったのですか。」車掌がたずねました。

「何だかわかりません。」もう大丈夫だと安心しながらジョバンニはそっちを見あげてくつくつ笑いました。

「よろしうございます。南十字《サウザンクロス》へ着きますのは、次の第三時ころになります。」車掌は紙をジョバンニに渡して向こうへ行きました。

カムパネルラは、その紙切れが何だったか待ち兼ねたというように急いでのぞきこみました。ジョバンニも全く早く見たかったのです。ところがそれはいちめん黒い唐草《からくさ》のような模様の中に、おかしな十ばかりの字を印刷したものでだまって見ていると何だかその中へ吸い込まれてしまうような気がするのでした。すると鳥捕りが横からちらっとそれを見てあわてたように云いました。

「おや、こいつは大したもんですぜ。こいつはもう、ほんとうの天上へさえ行ける切符だ。天上どこじゃない、どこでも勝手にあるける通行券です。こいつをお持ちになりゃ、なるほど、こんな不完全な幻想第四次の銀河鉄道なんか、どこまででも行ける筈《はず》でさあ、あなた方大したもんですね。」

「何だかわかりません。」ジョバンニが赤くなって答えながらそれを又畳んでかくしに入れました。そしてきまりが悪いのでカムパネルラと二人、また窓の外をながめていましたが、その鳥捕りの時々大したもんだというようにちらちらこっちを見ているのがぼんやりわかりました。

「もうじき鷲《わし》の停車場だよ。」カムパネルラが向こう岸の、三つならんだ小さな青じろい三角標と地図とを見較《みくら》べて云《い》いました。

ジョバンニはなんだかわけもわからずににわかにとなりの鳥捕りが気の毒でたまらなくなりました。鷺《さぎ》をつかまえてせいせいしたとよろこんだり、白いきれでそれをくるくる包んだり、ひとの切符をびっくりしたように横目で見てあわててほめだしたり、そんなことを一一《いちいち》考えていると、もうその見ず知らずの鳥捕りのために、ジョバンニの持っているものでも食べるものでもなんでもやってしまいたい、もうこの人のほんとうの幸《さいわい》になるなら自分があの光る天の川の河原に立って百年つづけて立って鳥をとってやってもいいというような気がして、どうしてももう黙っていられなくなりました。ほんとうにあなたのほしいものは一体何ですか、と訊《き》こうとして、それではあんまり出し抜けだから、どうしようかと考えて振り返って見ましたら、そこにはもうあの鳥捕りが居ませんでした。網棚《あみだな》の上には白い荷物も見えなかったのです。また窓の外で足をふんばってそらを見上げて鷺を捕る支度《したく》をしているのかと思って、急いでそっちを見ましたが、外はいちめんのうつくしい砂子と白いすすきの波ばかり、あの鳥捕りの広いせなかも尖《とが》った帽子も見えませんでした。

「あの人どこへ行ったろう。」カムパネルラもぼんやりそう云っていました。

「どこへ行ったろう。一体どこでまたあうのだろう。僕はどうしても少しあの人に物を言わなかったろう。」

「ああ、僕もそう思っているよ。」

「僕はあの人が邪魔なような気がしたんだ。だから僕は大へんつらい。」ジョバンニはこんな変てこな気もちは、ほんとうにはじめてだし、こんなこと今まで云ったこともないと思いました。

「何だか苹果《りんご》の匂《にお》いがする。僕いま苹果のこと考えたためだろうか。」カムパネルラが不思議そうにあたりを見まわしました。

「ほんとうに苹果の匂いだよ。それから野茨《のいばら》の匂いもする。」ジョバンニもそこらを見ましたがやっぱりそれは窓からでも入って来るらしいのでした。いま秋だから野茨の花の匂いのする筈《はず》はないとジョバンニは思いました。

そしたら俄《にわ》かにそこに、つやつやした黒い髪の六つばかりの男の子が赤いジャケツのぼたんもかけずひどくびっくりしたような顔をしてがたがたふるえてはだしで立っていました。隣りには黒い洋服をきちんと着たせいの高い青年が一ぱいに風に吹かれているけやきの木のような姿勢で、男の子の手をしっかりひいて立っていました。

「あら、ここどこでしょう。まあ、きれいだわ。」青年のうしろにもひとり十二ばかりの眼の茶いろな可愛《かあい》らしい女の子が黒い外套《がいとう》を着て青年の腕にすがって不思議そうに窓の外を見ているのでした。

「ああ、ここはランカシャイヤだ。いや、コンネクテカット州だ。いや、ああ、ぼくたちはそらへ来たのだ。わたしたちは天へ行くのです。ごらんなさい。あのしるしは天上のしるしです。もうなんにもこわいことありません。わたくしたちは神さまに召されているのです。」黒服の青年はよろこびにかがやいてその女の子に云《い》いました。けれどもなぜかまた額《ひたい》に深く皺《しわ》を刻んで、それに大へんつかれているらしく、無理に笑いながら男の子をジョバンニのとなりに座らせました。

それから女の子にやさしくカムパネルラのとなりの席を指さしました。女の子はすなおにそこへ座って、きちんと両手を組み合わせました。

「ぼくおおねえさんのとこへ行くんだよう。」腰掛けたばかりの男の子は顔を変にして燈台看守の向こうの席に座ったばかりの青年に云いました。青年は何とも云えず悲しそうな顔をして、じっとその子の、ちぢれてぬれた頭を見ました。女の子は、いきなり両手を顔にあててしくしく泣いてしまいました。

「お父さんやきくよねえさんはまだいろいろお仕事があるのです。けれどももうすぐあとからいらっしゃいます。それよりも、おっかさんはどんなに永く待っていらっしゃったでしょう。わたしの大事なタダシはいまどんな歌をうたっているだろう、雪の降る朝にみんなと手をつないでぐるぐるにわとこのやぶをまわってあそんでいるだろうかと考えたりほんとうに待って心配していらっしゃるんですから、早く行っておっかさんにお目にかかりましょうね。」

「うん、だけど僕、船に乗らなきゃよかったなあ。」

「ええ、けれど、ごらんなさい、そら、どうです、あの立派な川、ね、あすこはあの夏中、ツインクル、ツインクル、リトル、スターをうたってやすむとき、いつも窓からぼんやり白く見えていたでしょう。あすこですよ。ね、きれいでしょう、あんなに光っています。」

泣いていた姉もハンケチで眼をふいて外を見ました。青年は教えるようにそっと姉弟にまた云いました。

「わたしたちはもうなんにもかなしいことないのです。わたしたちはこんないいとこを旅して、じき神さまのとこへ行きます。そこならもうほんとうに明るくて匂《にお》いがよくて立派な人たちでいっぱいです。そしてわたしたちの代わりにボートへ乗れた人たちは、きっとみんな助けられて、心配して待っているめいめいのお父さんやお母さんや自分のお家《うち》へやら行くのです。さあ、もうじきですから元気を出しておもしろくうたって行きましょう。」青年は男の子のぬれたような黒い髪をなで、みんなを慰めながら、自分もだんだん顔いろがかがやいて来ました。

「あなた方はどちらからいらっしゃったのですか。どうなすったのですか。」さっきの燈台看守がやっと少しわかったように青年にたずねました。青年はかすかにわらいました。

「いえ、氷山にぶっつかって船が沈みましてね、わたしたちはこちらのお父さんが急な用で二ヶ月前一足さきに本国へお帰りになったのであとから発《た》ったのです。私は大学へはいっていて、家庭教師にやとわれていたのです。ところがちょうど十二日目、今日か昨日のあたりです、船が氷山にぶっつかって一ぺんに傾きもう沈みかけました。月のあかりはどこかぼんやりありましたが、霧が非常に深かったのです。ところがボートは左舷《さげん》の方半分はもうだめになっていましたから、とてもみんなは乗り切らないのです。もうそのうちにも船は沈みますし、私は必死となって、どうか小さな人たちを乗せて下さいと叫びました。近くの人たちはすぐみちを開いてそして子供たちのために祈って呉《く》れました。けれどもそこからボートまでのところにはまだまだ小さな子どもたちや親たちやなんか居て、とても押しのける勇気がなかったのです。それでもわたくしはどうしてもこの方たちをお助けするのが私の義務だと思いましたから前にいる子供らを押しのけようとしました。けれどもまたそんなにして助けてあげるよりはこのまま神のお前にみんなで行く方がほんとうにこの方たちの幸福だとも思いました。それからまたその神にそむく罪はわたくしひとりでしょってぜひとも助けてあげようと思いました。けれどもどうして見ているとそれができないのでした。子どもらばかりボートの中へはなしてやってお母さんが狂気のようにキスを送りお父さんがかなしいのをじっとこらえてまっすぐに立っているなどとてももう腸《はらわた》もちぎれるようでした。そのうち船はもうずんずん沈みますから、私はもうすっかり覚悟してこの人たち二人を抱いて、浮かべるだけは浮かぼうとかたまって船の沈むのを待っていました。誰《たれ》が投げたかライフブイが一つ飛んで来ましたけれども滑《すべ》ってずうっと向こうへ行ってしまいました。私は一生けん命で甲板《かんぱん》の格子《こうし》になったところをはなして、三人それにしっかりとりつきました。どこからともなく〔約二字分空白〕番の声があがりました。たちまちみんなはいろいろな国語で一ぺんにそれをうたいました。そのとき俄《にわ》かに大きな音がして私たちは水に落ちました。もう渦《うず》に入ったと思いながらしっかりこの人たちをだいてそれからぼうっとしたと思ったらもうここへ来ていたのです。この方たちのお母さんは一昨年没《な》くなられました。ええボートはきっと助かったにちがいありません、何せよほど熟練な水夫たちが漕《こ》いですばやく船からはなれていましたから。」

そこらから小さな嘆息やいのりの声が聞えジョバンニもカムパネルラもいままで忘れていたいろいろのことをぼんやり思い出して眼《め》が熱くなりました。

（ああ、その大きな海はパシフィックというのではなかったろうか。その氷山の流れる北のはての海で、小さな船に乗って、風や凍りつく潮水や、烈《はげ》しい寒さとたたかって、たれかが一生けんめいはたらいている。ぼくはそのひとにほんとうに気の毒でそしてすまないような気がする。ぼくはそのひとのさいわいのためにいったいどうしたらいいのだろう。）ジョバンニは首を垂れて、すっかりふさぎ込んでしまいました。

「なにがしあわせかわからないです。ほんとうにどんなつらいことでもそれがただしいみちを進む中でのできごとなら峠の上りも下りもみんなほんとうの幸福に近づく一あしずつですから。」

燈台守がなぐさめていました。

「ああそうです。ただいちばんのさいわいに至るためにいろいろのかなしみもみんなおぼしめしです。」青年が祈るようにそう答えました。

そしてあの姉弟はもうつかれてめいめいぐったり席によりかかって睡《ねむ》っていました。さっきのあのはだしだった足にはいつか白い柔らかな靴をはいていたのです。

ごとごとごとごと汽車はきらびやかな燐光《りんこう》の川の岸を進みました。向こうの方の窓を見ると、野原はまるで幻燈《げんとう》のようでした。百も千もの大小さまざまの三角標、その大きなものの上には赤い点点をうった測量旗も見え、野原のはてはそれらがいちめん、たくさんたくさん集まってぼおっと青白い霧のよう、そこからかまたはもっと向こうからかときどきさまざまの形のぼんやりした狼煙《のろし》のようなものが、かわるがわるきれいな桔梗《ききょう》いろのそらにうちあげられるのでした。じつにそのすきとおった奇麗な風は、ばらの匂いでいっぱいでした。

「いかがですか。こういう苹果《りんご》はおはじめてでしょう。」向こうの席の燈台看守がいつか黄金《きん》と紅でうつくしくいろどられた大きな苹果を落とさないように両手で膝《ひざ》の上にかかえていました。

「おや、どっから来たのですか。立派ですねえ。ここらではこんな苹果ができるのですか。」青年はほんとうにびっくりしたらしく燈台看守の両手にかかえられた一もりの苹果を眼を細くしたり首をまげたりしながらわれを忘れてながめていました。

「いや、まあおとり下さい。どうか、まあおとり下さい。」

青年は一つとってジョバンニたちの方をちょっと見ました。

「さあ、向こうの坊《ぼっ》ちゃんがた。いかがですか。おとり下さい。」

ジョバンニは坊ちゃんといわれたのですこししゃくにさわってだまっていましたがカムパネルラは「ありがとう、」と云《い》いました。すると青年は自分でとって一つずつ二人に送ってよこしましたのでジョバンニも立ってありがとうと云いました。

燈台看守はやっと両腕があいたのでこんどは自分で一つずつ睡《ねむ》っている姉弟の膝にそっと置き

ました。

「どうもありがとう。どこでできるのですか。こんな立派な苹果は。」

青年はつくづく見ながら云いました。

「この辺ではもちろん農業はいたしますけれども大ていひとりでにいいものができるような約束になって居《お》ります。農業だってそんなに骨は折れはしません。たいてい自分の望む種子《たね》さえ播《ま》けばひとりでにどんどんできます。米だってパシフィック辺のように殻もないし十倍も大きくて匂いもいいのです。けれどもあなたがたのいらっしゃる方なら農業はもうありません。苹果だってお菓子だってかすが少しもありませんからみんなそのひとそのひとによってちがったわずかのいいかおりになって毛あなからちらけてしまうのです。」

にわかに男の子がぱっちり眼をあいて云いました。

「ああぼくいまお母さんの夢をみていたよ。お母さんがね立派な戸棚や本のあるとこに居てね、ぼくの方を見て手をだしてにこにこにこにこわらったよ。ぼくおっかさん。りんごをひろってきてあげましょうか云ったら眼がさめちゃった。ああここさっきの汽車のなかだねえ。」

「その苹果がそこにあります。このおじさんにいただいたのですよ。」青年が云いました。

「ありがとうおじさん。おや、かおるねえさんまだねてるねえ、ぼくおこしてやろう。ねえさん。ごらん、りんごをもらったよ。おきてごらん。」

姉はわらって眼《め》をさましまぶしそうに両手を眼にあててそれから苹果を見ました。男の子はまるでパイを喰《た》べるようにもうそれを喰《た》べていました、また折角剝《せっかくむ》いたそのきれいな皮も、くるくるコルク抜きのような形になって床へ落ちるまでの間にはすうっと、灰いろに光って蒸発してしまうのでした。

二人はりんごを大切にポケットにしまいました。

川下の向こう岸に青く茂った大きな林が見え、その枝には熟してまっ赤に光る円い実がいっぱい、その林のまん中に高い高い三角標が立って、森の中からはオーケストラベルやジロフォンにまじって何とも云えずきれいな音《ね》いろが、とけるように浸《し》みるように風につれて流れて来るのでした。

青年はぞくっとしてからだをふるうようにしました。

だまってその譜《ふ》を聞いていると、そこらにいちめん黄いろやうすい緑の明るい野原か敷物かがひろがり、またまっ白な蠟《ろう》のような露が太陽の面を擦《かす》めて行くように思われました。

「まあ、あの烏《からす》。」カムパネルラのとなりのかおると呼ばれた女の子が叫びました。

「からすでない。みんなかささぎだ。」カムパネルラがまた何気なく叱《しか》るように叫びましたので、ジョバンニはまた思わず笑い、女の子はきまり悪そうにしました。まったく河原の青じろいあかりの上に、黒い鳥がたくさんたくさんいっぱいに列になってとまってじっと川の微光を受けているのでした。

「かささぎですねえ、頭のうしろのとこに毛がぴんと延びてますから。」青年はとりなすように云《い》いました。

向こうの青い森の中の三角標はすっかり汽車の正面に来ました。そのとき汽車のずうっとうしろの方からあの聞きなれた〔約二字分空白〕番の讃美歌のふしが聞えてきました。よほどの人数で合唱しているらしいのでした。青年はさっと顔いろが青ざめ、たって一ぺんそっちへ行きそうにしましたが思いかえしてまた座りました。かおる子はハンケチを顔にあててしまいました。ジョバンニまで何だか鼻が変になりました。けれどもいつともなく誰《たれ》ともなくその歌は歌い出されだんだんはっきり強くなりました。思わずジョバンニもカムパネルラも一緒にうたい出したのです。

そして青い橄欖《かんらん》の森が見えない天の川の向こうにさめざめと光りながらだんだんうしろの方へ行ってしまいそこから流れて来るあやしい楽器の音ももう汽車のひびきや風の音にすり耗《へ》らされてずうっとかすかになりました。

「あ孔雀《くじやく》が居るよ。」

「ええたくさん居たわ。」女の子がこたえました。

ジョバンニはその小さく小さくなっていまはもう一つの緑いろの貝ぼたんのように見える森の上にさっさっと青じろく時々光ってその孔雀がはねをひろげたりとじたりする光の反射を見ました。

「そうだ、孔雀の声だってさっき聞こえた。」カムパネルラがかおる子に云いました。

「ええ、三十疋《びき》ぐらいはたしかに居たわ。ハープのように聞こえたのはみんな孔雀よ。」女の子が答えました。ジョバンニは俄《にわ》かに何とも云えずかなしい気がして思わず

「カムパネルラ、ここからはねおりて遊んで行こうよ。」とこわい顔をして云おうとしたくらいでした。

川は二つにわかれました。そのまっくらな島のまん中に高い高いやぐらが一つ組まれてその上に一人の寛《ゆる》い服を着て赤い帽子をかぶった男が立っていました。そして両手に赤と青の旗をもってそらを見上げて信号しているのでした。ジョバンニが見ている間その人はしきりに赤い旗をふっていましたが俄かに赤旗をおろしてうしろにかくすようにし青い旗を高く高くあげてまるでオーケストラの指揮者のように烈《はげ》しく振りました。すると空中にざあっと雨のような音がして何かまっくらなものがいくかたまりもいくかたまりも鉄砲丸《てっぽうだま》のように川の向こうの方へ飛んで行くのでした。ジョバンニは思わず窓からからだを半分出してそっちを見あげました。美しい美しい桔《きき》梗《よう》いろのがらんとした空の下を実に何万という小さな鳥どもが幾組も幾組もめいめいせわしくせわしく鳴いて通って行くのでした。

「鳥が飛んで行くな。」ジョバンニが窓の外で云《い》いました。

「どら、」カムパネルラもそらを見ました。そのときあのやぐらの上のゆるい服の男は俄《にわ》かに赤い旗をあげて狂気のようにふりうごかしました。するとぴたっと鳥の群は通らなくなりそれと同時にぴしゃぁんという潰《つぶ》れたような音が川下の方で起こってそれからしばらくしいんとしました。と思ったらあの赤帽の信号手がまた青い旗をふって叫んでいたのです。

「いまこそわたれわたり鳥、いまこそわたれわたり鳥。」その声もはっきり聞こえました。それといっしょにまた幾万という鳥の群がそらをまっすぐにかけたのです。二人の顔を出しているまん中の窓からあの女の子が顔を出して美しい頰《ほお》をかがやかせながらそらを仰ぎました。

「まあ、この鳥、たくさんですわねえ、あらまあそらのきれいなこと。」女の子はジョバンニにはなしかけましたけれどもジョバンニは生意気《なまいき》ないやだいと思いながらだまって口をむすんでそらを見あげていました。女の子は小さくほっと息をしてだまって席へ戻りました。カムパネルラが気の毒そうに窓から顔を引っ込めて地図を見ていました。

「あの人鳥へ教えてるんでしょうか。」女の子がそっとカムパネルラにたずねました。

「わたり鳥へ信号してるんです。きっとどこからかのろしがあがるためでしょう。」カムパネルラが少しおぼつかなそうに答えました。そして車の中はしぃんとなりました。ジョバンニはもう頭を引っ込めたかったのですけれども明るいとこへ顔を出すのがつらかったのでだまってこらえてそのまま立って口笛を吹いていました。

（どうして僕はこんなにかなしいのだろう。僕はもっとこころもちをきれいに大きくもたなければいけない。あすこの岸のずうっと向こうにまるでけむりのような小さな青い火が見える。あれはほんとうにしずかでつめたい。僕はあれをよく見てこころもちをしずめるんだ。）ジョバンニは熱《ほて》って痛いあたまを両手で押さえるようにしてそっちの方を見ました。（ああほんとうにどこまでもどこまでも僕といっしょに行くひとはないだろうか。カムパネルラだってあんな女の子とおもしろそうに談《はな》しているし僕はほんとうにつらいなあ。）ジョバンニの眼はまた泪《なみだ》でいっぱいになり天の川もまるで遠くへ行ったようにぼんやり白く見えるだけでした。

そのとき汽車はだんだん川からはなれて崖《がけ》の上を通るようになりました。向こう岸もまた黒いいろの崖が川の岸を下流に下るにしたがってだんだん高くなって行くのでした。そしてちらっと大きなとうもろこしの木を見ました。その葉はぐるぐるに縮れ、葉の下にはもう美しい緑いろの大きな苞《ほう》が赤い毛を吐いて真珠のような実もちらっと見えたのでした。それはだんだん数を増して来てもういまは列のように崖と線路との間にならび思わずジョバンニが窓から顔を引っ込めて向こう側の窓を見ましたときは美しいそらの野原の地平線のはてまでその大きなとうもろこしの木がほとんどいちめんに植えられてさやさや風にゆらぎその立派なちぢれた葉のさきからはまるでひるの間にいっぱい日光を吸った金剛石のように露がいっぱいについて赤や緑やきらきら燃えて光っているのでした。カムパネルラが「あれとうもろこしだねえ」とジョバンニに云いましたけれどもジョバンニはどうしても気持がなおりませんでしたからただぶっきり棒に野原を見たまま「そうだろう。」と答えました。そのとき汽車はだんだんしずかになっていくつかのシグナルとてんてつ器の灯を過ぎ小さな停車場にとまりました。

その正面の青じろい時計はかっきり第二時を示しその振子《ふりこ》は風もなくなり汽車もうごかずしずかなしずかな野原のなかにカチッカチッと正しく時を刻んで行くのでした。

そしてまったくその振子の音のたえまを遠くの遠くの野原のはてから、かすかなかすかな旋律が糸のように流れて来るのでした。

「新世界交響楽だわ。」姉がひとりごとのようにこっちを見ながらそっと云《い》いました。全くもう車の中ではあの黒服の丈《たけ》高い青年も誰《たれ》もみんなやさしい夢を見ているのでした。

（こんなしずかないいとこで僕はどうしてもっと愉快になれないだろう。どうしてこんなにひとりさびしいのだろう。けれどもカムパネルラなんかあんまりひどい、僕といっしょに汽車に乗っていながらまるであんな女の子とばかり談《はな》しているんだもの。僕はほんとうにつらい。）ジョバンニはまた両手で顔を半分かくすようにして向こうの窓のそとを見つめていました。すきとおった硝子《ガラス》のような笛が鳴って汽車はしずかに動き出しカムパネルラもさびしそうに星めぐりの口笛を吹きました。

「ええ、ええ、もうこの辺はひどい高原ですから。」うしろの方で誰かとしよりらしい人のいま眼《め》がさめたという風ではきはき談している声がしました。

「とうもろこしだって棒で二尺も孔《あな》をあけておいてそこへ播《ま》かないと生えないんです。」

「そうですか。川まではよほどありましょうかねえ、」

「ええええ河までは二千尺から六千尺あります。もうまるでひどい峡谷になっているんです。」

そうそうここはコロラドの高原じゃなかったろうか、ジョバンニは思わずそう思いました。カムパネルラはまださびしそうにひとり口笛を吹き、女の子はまるで絹で包んだ苹果《りんご》のような顔いろをしてジョバンニの見る方を見ているのでした。突然とうもろこしがなくなって巨《おお》きな黒い野原がいっぱいにひらけました。新世界交響楽はいよいよはっきり地平線のはてから湧《わ》きそのまっ黒な野原のなかを一人のインデアンが白い鳥の羽根を頭につけたくさんの石を腕と胸にかざり小さな弓に矢を番《つが》えて一目散に汽車を追って来るのでした。

「あら、インデアンですよ。インデアンですよ。おねえさまごらんなさい。」

黒服の青年も眼をさましました。ジョバンニもカムパネルラも立ちあがりました。

「走って来るわ、あら、走って来るわ。追いかけているんでしょう。」

「いいえ、汽車を追ってるんじゃないんですよ。猟をするか踊るかしてるんですよ。」青年はいまどこに居るか忘れたという風にポケットに手を入れて立ちながら云《い》いました。

まったくインデアンは半分は踊っているようでした。第一かけるにしても足のふみようがもっと経済もとれ本気にもなれそうでした。にわかにくっきり白いその羽根は前の方へ倒れるようになりインデアンはぴたっと立ちどまってすばやく弓を空にひきました。そこから一羽の鶴《つる》がふらふらと落ちて来てまた走り出したインデアンの大きくひろげた両手に落ちこみました。インデアンはうれしそうに立ってわらいました。そしてその鶴をもってこっちを見ている影ももうどんどん小さく遠くなり電しんばしらの碍子《がいし》がきらっきらっと続いて二つばかり光ってまたとうもろこしの林になってしまいました。こっち側の窓を見ますと汽車はほんとうに高い高い崖《がけ》の上を走っていてその谷の底には川がやっぱり幅ひろく明るく流れていたのです。

「ええ、もうこの辺から下りです。何せこんどは一ぺんにあの水面までおりて行くんですから容易じゃありません。この傾斜があるもんですから汽車は決して向こうからこっちへは来ないんです。そらもうだんだん早くなったでしょう。」さっきの老人らしい声が云いました。

どんどんどんどん汽車は降りて行きました。崖のはじに鉄道がかかるときは川が明るく下にのぞけたのです。ジョバンニはだんだんこころもちが明るくなって来ました。汽車が小さな小屋の前を通ってその前にしょんぼりひとりの子供が立ってこっちを見ているときなどは思わずほうと叫びました。

どんどんどんどん汽車は走って行きました。室中《へや》のひとたちは半分うしろの方へ倒れるようになりながら腰掛《こしかけ》にしっかりしがみついていました。ジョバンニは思わずカムパネルラとわらいました。もうそして天の川は汽車のすぐ横手をいままでよほど激しく流れて来たらしくときどきちらちら光ってながれているのでした。うすあかい河原なでしこの花があちこち咲いていました。汽車はようやく落ち着いたようにゆっくりと走っていました。

向こうとこっちの岸に星のかたちとつるはしを書いた旗がたっていました。

「あれ何の旗だろうね。」ジョバンニがやっとものを云いました。

「さあ、わからないねえ、地図にもないんだもの。鉄の舟がおいてあるねえ。」

「ああ。」

「橋を架《か》けるとこじゃないんでしょうか。」女の子が云いました。

「あああれ工兵の旗だねえ。架橋演習をしてるんだ。けれど兵隊のかたちが見えないねえ。」

その時向こう岸ちかくの少し下流の方で見えない天の川の水がぎらっと光って柱のように高くはねあがりどぉと烈《はげ》しい音がしました。

「発破《はっぱ》だよ、発破だよ。」カムパネルラはこおどりしました。

その柱のようになった水は見えなくなり大きな鮭《さけ》や鱒《ます》がきらっきらっと白く腹を光らせて空中に抛《ほう》り出されて円《まる》い輪を描いてまた水に落ちました。ジョバンニはもうはねあがりたいくらい気持が軽くなって云いました。

「空の工兵大隊だ。どうだ、鱒やなんかがまるでこんなになってはねあげられたねえ。僕こんな愉快な旅はしたことない。いいねえ。」

「あの鱒なら近くで見たらこれくらいあるねえ、たくさんさかな居るんだな、この水の中に。」

「小さなお魚もいるんでしょうか。」女の子が談《はなし》につり込まれて云いました。

「居るんでしょう。大きなのが居るんだから小さいのもいるんでしょう。けれど遠くだからいま小さいの見えなかったねえ。」ジョバンニはもうすっかり機嫌《きげん》が直って面白そうにわらって女の子に答えました。

「あれきっと双子《ふたご》のお星さまのお宮だよ。」男の子がいきなり窓の外をさして叫びました。

右手の低い丘の上に小さな水晶ででもこさえたような二つのお宮がならんで立っていました。

「双子のお星さまのお宮って何だい。」

「あたし前になんべんもお母さんから聴いたわ。ちゃんと小さな水晶のお宮で二つならんでいるからきっとそうだわ。」

「はなしてごらん。双子のお星さまが何したっての。」

「ぼくも知ってらい。双子のお星さまが野原へ遊びにでてからすと喧嘩《けんか》したんだろう。」

「そうじゃないわよ。あのね、天の川の岸にね、おっかさんお話しなすったわ、………」

「それから彗星《ほうきぼし》がギーギーフーギーギーフーて云《い》って来たねえ。」

「いやだわたあちゃんそうじゃないわよ。それはべつの方だわ。」

「するとあすこにいま笛を吹いて居るんだろうか。」

「いま海へ行ってらあ。」

「いけないわよ。もう海からあがっていらっしゃったのよ。」

「そうそう。ぼく知ってらあ、ぼくおはなししよう。」

川の向こう岸が俄《にわ》かに赤くなりました。楊《やなぎ》の木や何かもまっ黒にすかし出され見えない天の川の波もときどきちらちら針のように赤く光りました。まったく向こう岸の野原に大きなまっ赤な火が燃されその黒いけむりは高く桔梗《ききょう》いろのつめたそうな天をも焦《こ》がしそうでした。ルビーよりも赤くすきとおりリチウムよりもうつくしく酔ったようになってその火は燃えているのでした。

「あれは何の火だろう。あんな赤く光る火は何を燃やせばできるんだろう。」ジョバンニが云いました。

「蝎《さそり》の火だな。」カムパネルラが又地図と首っ引きして答えました。

「あら、蝎の火のことならあたし知ってるわ。」

「蝎の火って何だい。」ジョバンニがききました。

「蝎がやけて死んだのよ。その火がいまでも燃えてるってあたし何べんもお父さんから聴いたわ。」

「蝎って、虫だろう。」

「ええ、蝎は虫よ。だけどいい虫だわ。」

「蝎いい虫じゃないよ。僕博物館でアルコールにつけてあるの見た。尾にこんなかぎがあってそれで螫《さ》されると死ぬって先生が云ったよ。」

「そうよ。だけどいい虫だわ、お父さん斯《こ》う云ったのよ。むかしのバルドラの野原に一ぴきの蝎がいて小さな虫やなんか殺してたべて生きていたんですって。するとある日いたちに見附《みつ》かって食べられそうになったんですって。さそりは一生けん命遁《に》げて遁げたけどとうとういたちに押さえられそうになったわ、そのときいきなり前に井戸があってその中に落ちてしまったわ、もうどうしてもあがられないでさそりは溺《おぼ》れはじめたのよ。そのときさそりは斯《こ》う云《い》ってお祈りしたというの、

ああ、わたしはいままでいくつのものの命をとったかわからない、そしてその私がこんどいたちにとられようとしたときはあんなに一生けん命にげた。それでもとうとうこんなになってしまった。ああなんにもあてにならない。どうしてわたしはわたしのからだをだまっていたちに呉《く》れてやらなかったろう。そしたらいたちも一日生きのびたろうに。どうか神さま。私の心をごらん下さい。こんなにむなしく命をすてずどうかこの次にはまことのみんなの幸《さいわい》のために私のからだをおつかい下さい。って云ったというの。そしたらいつか蝎《さそり》はじぶんのからだがまっ赤なうつくしい火になって燃えてよるのやみを照らしているのを見たって。いまでも燃えてるってお父さん仰《おつしや》ったわ。ほんとうにあの火それだわ。」

「そうだ。見たまえ。そこらの三角標はちょうどさそりの形にならんでいるよ。」

ジョバンニはまったくその大きな火の向こうに三つの三角標がちょうどさそりの腕のように、こっちに五つの三角標がさそりの尾やかぎのようにならんでいるのを見ました。そしてほんとうにそのまっ赤なうつくしいさそりの火は音なくあかるくあかるく燃えたのです。

その火がだんだんうしろの方になるにつれてみんなは何とも云えずにぎやかなさまざまの楽の音や草花の匂いのようなもの口笛や人々のざわざわ云う声やらを聞きました。それはもうじきち

かくに町か何かがあってそこにお祭でもあるというような気がするのでした。

「ケンタウル露をふらせ。」いきなりいままで睡《ねむ》っていたジョバンニのとなりの男の子が向こうの窓を見ながら叫んでいました。

ああそこにはクリスマストリイのようにまっ青な唐檜《とうひ》かもみの木がたってその中にはたくさんのたくさんの豆電燈がまるで千の蛍《ほたる》でも集まったようについていました。

「ああ、そうだ、今夜ケンタウル祭だねえ。」

「ああ、ここはケンタウルの村だよ。」カムパネルラがすぐ云いました。〔以下原稿一枚?なし〕

「ボール投げなら僕決してはずさない。」

男の子が大威張《おおいば》りで云いました。

「もうじきサウザンクロスです。おりる支度《したく》をして下さい。」青年がみんなに云いました。

「僕も少し汽車へ乗ってるんだよ。」男の子が云いました。カムパネルラのとなりの女の子はそわそわ立って支度をはじめましたけれどもやっぱりジョバンニたちとわかれたくないようなようすでした。

「ここでおりなきゃいけないのです。」青年はきちっと口を結んで男の子を見おろしながら云いました。

「厭《いや》だい。僕もう少し汽車へ乗ってから行くんだい。」

ジョバンニがこらえ兼ねて云《い》いました。

「僕たちと一緒に乗って行こう。僕たちどこまでだって行ける切符持ってるんだ。」

「だけどあたしたちもうここで降りなきゃいけないのよ。ここ天上へ行くとこなんだから。」女の子がさびしそうに云いました。

「天上へなんか行かなくたっていいじゃないか。ぼくたちここで天上よりももっといいとこをこさえなきゃいけないって僕の先生が云ったよ。」

「だっておっ母《か》さんも行ってらっしゃるしそれに神さまが仰《お》っしゃるんだわ。」

「そんな神さまうその神さまだい。」

「あなたの神さまうその神さまよ。」

「そうじゃないよ。」

「あなたの神さまってどんな神さまですか。」青年は笑いながら云いました。

「ぼくほんとうはよく知りません、けれどもそんなんでなしにほんとうのたった一人の神さまです。」

「ほんとうの神さまはもちろんたった一人です。」

「ああ、そんなんでなしにたったひとりのほんとうのほんとうの神さまです。」

「だからそうじゃありませんか。わたくしはあなた方がいまにそのほんとうの神さまの前にわたくしたちとお会いになることを祈ります。」青年はつつましく両手を組みました。女の子もちょうどその通りにしました。みんなほんとうに別れが惜しそうでその顔いろも少し青ざめて見えました。ジョバンニはあぶなく声をあげて泣き出そうとしました。

「さあもう仕度はいいんですか。じきサウザンクロスですから。」

ああそのときでした。見えない天の川のずうっと川下に青や橙《だいだい》やもうあらゆる光でちりばめられた十字架がまるで一本の木という風に川の中から立ってかがやきその上には青じろい雲がまるい環《わ》になって後光《ごこう》のようにかかっているのでした。汽車の中がまるでざわざわしました。みんなあの北の十字のときのようにまっすぐに立ってお祈りをはじめました。あっちにもこっちにも子供が瓜《うり》に飛びついたときのようなよろこびの声や何とも云いようない深いつつましいためいきの音ばかりきこえました。そしてだんだん十字架は窓の正面になりあの苹果《りんご》の肉のような青じろい環の雲もゆるやかにゆるやかに続《めぐ》っているのが見えました。

「ハルレヤハルレヤ。」明るくたのしくみんなの声はひびきみんなはそのそらの遠くからつめたいそらの遠くからすきとおった何とも云えずさわやかなラッパの声をききました。そしてたくさんのシグナルや電燈の灯のなかを汽車はだんだんゆるやかになりとうとう十字架のちょうどま向かいに行ってすっかりとまりました。

「さあ、下りるんですよ。」青年は男の子の手をひきだんだん向こうの出口の方へ歩き出しました。

「じゃさよなら。」女の子がふりかえって二人に云いました。

「さよなら。」ジョバンニはまるで泣き出したいのをこらえて怒ったようにぶっきり棒に云いました。女の子はいかにもつらそうに眼を大きくしても一度こっちをふりかえってそれからあとはもうだまって出て行ってしまいました。汽車の中はもう半分以上も空いてしまい俄《にわ》かにがらんとしてさびしくなり風がいっぱいに吹き込みました。

そして見ているとみんなはつつましく列を組んであの十字架の前の天の川のなぎさにひざまずいていました。そしてその見えない天の川の水をわたってひとりの神々《こうごう》しい白いきものの人が手をのばしてこっちへ来るのを二人は見ました。けれどもそのときはもう硝子《ガラス》の呼子《よびこ》は鳴らされ汽車はうごき出しと思ううちに銀いろの霧が川下の方からすうっと流れて来てもうそっちは何も見えなくなりました。ただたくさんのくるみの木が葉をさんさんと光らしてその霧の中に立ち黄金《きん》の円光をもった電気栗鼠《りす》が可愛い顔をその中からちらちらのぞいているだけでした。

そのときすうっと霧がはれかかりました。どこかへ行く街道らしく小さな電燈の一列についた通りがありました。それはしばらく線路に沿って進んでいました。そして二人がそのあかしの前を通って行くときはその小さな豆いろの火はちょうど挨拶《あいさつ》でもするようにぽかっと消え二人が過ぎて行くときまた点《つ》くのでした。

ふりかえって見るとさっきの十字架はすっかり小さくなってしまいほんとうにもうそのまま胸にも吊《つる》されそうになり、さっきの女の子や青年たちがその前の白い渚《なぎさ》にまだひざまずいているのかそれともどこか方角もわからないその天上へ行ったのかぼんやりして見分けられませんでした。

ジョバンニはああと深く息しました。

「カムパネルラ、また僕たち二人きりになったねえ、どこまでもどこまでも一緒に行こう。僕はもうあのさそりのようにほんとうにみんなの幸《さいわい》のためならば僕のからだなんか百ぺん灼《や》いてもかまわない。」

「うん。僕だってそうだ。」カムパネルラの眼にはきれいな涙がうかんでいました。

「けれどもほんとうのさいわいは一体何だろう。」ジョバンニが云《い》いました。

「僕わからない。」カムパネルラがぼんやり云いました。

「僕たちしっかりやろうねえ。」ジョバンニが胸いっぱい新らしい力が湧《わ》くようにふうと息をしながら云いました。

「あ、あすこ石炭袋《せきたんぶくろ》だよ。そらの孔《あな》だよ。」カムパネルラが少しそっちを避けるようにしながら天の川のひととこを指さしました。ジョバンニはそっちを見てまるでぎくっとしてしまいました。天の川の一とこに大きなまっくらな孔がどおんとあいているのです。その底がどれほど深いかその奥に何があるかいくら眼をこすってのぞいてもなんにも見えず、ただ眼がしんしんと痛むのでした。ジョバンニが云《い》いました。

「僕もうあんな大きな暗《やみ》の中だってこわくない。きっとみんなのほんとうのさいわいをさがしに行く。どこまでもどこまでも僕たち一緒に進んで行こう。」

「ああきっと行くよ。ああ、あすこの野原はなんてきれいだろう。みんな集まってるねえ。あすこがほんとうの天上なんだ。あっあすこにいるのぼくのお母《つか》さんだよ。」カムパネルラは俄《にわ》かに窓の遠くに見えるきれいな野原を指して叫びました。

ジョバンニもそっちを見ましたけれどもそこはぼんやり白くけむっているばかり、どうしてもカムパネルラが云ったように思われませんでした。何とも云えずさびしい気がしてぼんやりそっちを見ていましたら向こうの河岸に二本の電信ばしらが丁度《ちょうど》両方から腕を組んだように赤い腕木をつらねて立っていました。

「カムパネルラ、僕たち一緒に行こうねえ。」ジョバンニが斯《こ》う云いながらふりかえって見ましたらそのいままでカムパネルラの座っていた席にもうカムパネルラの形は見えず、ジョバンニはまるで鉄砲丸《てっぽうだま》のように立ちあがりました。そして誰《たれ》にも聞こえないように窓の外へからだを乗り出して力いっぱいはげしく胸をうって叫びそれからもう咽喉《のど》いっぱい泣きだしました。もうそこらが一ぺんにまっくらになったように思いました。

ジョバンニは眼をひらきました。もとの丘の草の中につかれてねむっていたのでした。胸は何だかおかしく熱《ほて》り頬《ほお》にはつめたい涙がながれていました。

ジョバンニはばねのようにはね起きました。町はすっかりさっきの通りに下でたくさんの灯を綴《つづ》ってはいましたがその光はなんだかさっきよりは熟したという風でした。そしてたったいま夢であるいた天の川もやっぱりさっきの通りに白くぼんやりかかりまっ黒な南の地平線の上では殊《こと》にけむったようになってその右には蠍座《さそりざ》の赤い星がうつくしくきらめき、そらぜんたいの位置はそんなに変わってもいないようでした。

ジョバンニは一さんに丘を走って下りました。まだ夕ごはんをたべないで待っているお母さんのことが胸いっぱいに思いだされたのです。どんどん黒い松の林の中を通ってそれからほの白い牧場の柵《さく》をまわってさっきの入口から暗い牛舎の前へまた来ました。そこには誰《たれ》かがいま帰ったらしくさっきなかった一つの車が何かの樽《たる》を二つ乗っけて置いてありました。

「今晩は、」ジョバンニは叫びました。

「はい。」白い太いずぼんをはいた人がすぐ出て来て立ちました。

「何のご用ですか。」

「今日牛乳がぼくのところへ来なかったのですが」

「あ済みませんでした。」その人はすぐ奥へ行って一本の牛乳瓶《ぎゅうにゅうびん》をもって来てジョバンニに渡しながらまた云《い》いました。

「ほんとうに、済みませんでした。今日はひるすぎうっかりしてこうしの柵をあけて置いたもんですから大将早速親牛のところへ行って半分ばかり呑《の》んでしまいましてね……」その人はわらいました。

「そうですか。ではいただいて行きます。」

「ええ、どうも済みませんでした。」

「いいえ。」

ジョバンニはまだ熱い乳《ちち》の瓶を両方のてのひらで包むようにもって牧場の柵を出ました。

そしてしばらく木のある町を通って大通りへ出てまたしばらく行きますとみちは十文字になってその右手の方、通りのはずれにさっきカムパネルラたちのあかりを流しに行った川へかかった大きな橋のやぐらが夜のそらにぼんやり立っていました。

ところがその十字になった町かどや店の前に女たちが七八人ぐらいずつ集まって橋の方を見ながら何かひそひそ談《はな》しているのです。それから橋の上にもいろいろなあかりがいっぱいなのでした。ジョバンニはなぜかさあっと胸が冷たくなったように思いました。そしていきなり近くの人たちへ

「何かあったんですか。」と叫ぶようにききました。

「こどもが水へ落ちたんですよ。」一人が云いますとその人たちは一斉《いっせい》にジョバンニの方を見ました。ジョバンニはまるで夢中で橋の方へ走りました。橋の上は人でいっぱいで河が見えませんでした。白い服を着た巡査《じゅんさ》も出ていました。

ジョバンニは橋の袂《たもと》から飛ぶように下の広い河原へおりました。

その河原の水際《みずぎわ》に沿ってたくさんのあかりがせわしくのぼったり下ったりしていました。向こう岸の暗いどてにも火が七つ八つうごいていました。そのまん中をもう烏瓜《からすうり》のあかりもない川が、わずかに音をたてて灰いろにしずかに流れていたのでした。

河原のいちばん下流の方へ洲《す》のようになって出たところに人の集まりがくっきりまっ黒に立っていました。ジョバンニはどんどんそっちへ走りました。するとジョバンニはいきなりさっきカムパネルラといっしょだったマルソに会いました。マルソがジョバンニに走り寄ってきました。

「ジョバンニ、カムパネルラが川へはいったよ。」

「どうして、いつ。」

「ザネリがね、舟の上から烏うりのあかりを水の流れる方へ押してやろうとしたんだ。そのとき

舟がゆれたもんだから水へ落っこったろう。するとカムパネルラがすぐ飛びこんだんだ。そしてザネリを舟の方へ押してよこした。ザネリはカトウにつかまった。けれどもあとカムパネルラが見えないんだ。」

「みんな探してるんだろう。」

「ああすぐみんな来た。カムパネルラのお父さんも来た。けれども見附《みつ》からないんだ。ザネリはうちへ連れられてった。」

ジョバンニはみんなの居るそっちの方へ行きました。そこに学生たち町の人たちに囲まれて青じろい尖《とが》ったあごをしたカムパネルラのお父さんが黒い服を着てまっすぐに立って右手に持った時計をじっと見つめていたのです。

みんなもじっと河を見ていました。誰《たれ》も一言も物を云《い》う人もありませんでした。ジョバンニはわくわくわくわく足がふるえました。魚をとるときのアセチレンランプがたくさんせわしく行ったり来たりして黒い川の水はちらちら小さな波をたてて流れているのが見えるのでした。

下流の方の川はば一ぱい銀河が巨《おお》きく写ってまるで水のないそのままのそらのように見えました。

ジョバンニはそのカムパネルラはもうあの銀河のはずれにしかいないというような気がしてしかたなかったのです。

けれどもみんなはまだ、どこかの波の間から、

「ぼくずいぶん泳いだぞ。」と云いながらカムパネルラが出て来るか或《ある》いはカムパネルラがどこ

かの人の知らない洲《す》にでも着いて立っていて誰かの来るのを待っているかというような気がして仕方ないらしいのでした。けれども俄《にわ》かにカムパネルラのお父さんがきっぱり云いました。

「もう駄目《だめ》です。落ちてから四十五分たちましたから。」

ジョバンニは思わずかけよって博士の前に立って、ぼくはカムパネルラの行った方を知っていますぼくはカムパネルラといっしょに歩いていたのですと云おうとしましたがもうのどがつまって何とも云えませんでした。すると博士はジョバンニが挨拶《あいさつ》に来たとでも思ったものですか、しばらくしげしげジョバンニを見ていましたが

「あなたはジョバンニさんでしたね。どうも今晩はありがとう。」と叮《てい》ねいに云《い》いました。

ジョバンニは何も云えずにただおじぎをしました。

「あなたのお父さんはもう帰っていますか。」博士は堅《かた》く時計を握ったまままたききました。

「いいえ。」ジョバンニはかすかに頭をふりました。

「どうしたのかなあ、ぼくには一昨日《おととい》大へん元気な便《たよ》りがあったんだが。今日あたりもう着くころなんだが。船が遅れたんだな。ジョバンニさん。あした放課後みなさんとうちへ遊びに来てくださいね。」

そう云いながら博士はまた川下の銀河のいっぱいにうつった方へじっと眼を送りました。

ジョバンニはもういろいろなことで胸がいっぱいでなんにも云えずに博士の前をはなれて早くお母さんに牛乳を持って行ってお父さんの帰ることを知らせようと思うともう一目散《いちもくさん》に河原を街の方へ走りました。

風の又三郎

かぜのまたさぶろう

九月一日

どっどどどどうど　どどうど　どどう、
青いくるみも吹きとばせ
すっぱいかりんもふきとばせ
どっどどどどうど　どどうど　どどう

谷川の岸に小さな学校がありました。

教室はたった一つでしたが生徒は一年から六年までみんなありました。運動場もテニスコートのくらいでしたがすぐうしろは栗《くり》の木のあるきれいな草の山でしたし、運動場の隅《すみ》にはごぼごぼつめたい水を噴く岩穴もあったのです。

さわやかな九月一日の朝でした。青ぞらで風がどうと鳴り、日光は運動場いっぱいでした。黒

い雪袴《ゆきばかま》をはいた二人の一年生の子がどてをまわって運動場にはいって来て、まだほかに誰《たれ》も来ていないのを見て

「ほう、おら一等だぞ。一等だぞ。」とかわるがわる叫びながら大悦《おおよろこ》びで門をはいって来たのでしたが、ちょっと教室の中を見ますと、二人ともまるでびっくりして棒立ちになり、それから顔を見合わせてぶるぶるふるえました。がひとりはとうとう泣き出してしまいました。というわけは、そのしんとした朝の教室のなかにどこから来たのか、まるで顔も知らないおかしな赤い髪の子供がひとり一番前の机にちゃんと座っていたのです。そしてその机といったらまったくこの泣いた子の自分の机だったのです。もひとりの子ももう半分泣きかけていましたが、それでもむりやり眼《め》をりんと張ってそっちの方をにらめていましたら、ちょうどそのとき川上から

「ちょうはあかぐり　ちょうはあかぐり」と高く叫ぶ声がしてそれからまるで大きな烏《からす》のように嘉助《かすけ》が、かばんをかかえてわらって運動場へかけて来ました。と思ったらすぐそのあとから佐太郎だの耕助だのどやどややってきました。

「なして泣いでら、うなかもたのが。」嘉助が泣かないこどもの肩をつかまえて云《い》いました。するとその子もわあと泣いてしまいました。おかしいとおもってみんながあたりを見ると教室の中にあの赤毛のおかしな子がすましてしゃんとすわっているのが目につきました。みんなはしんとなってしまいました。だんだんみんな女の子たちも集まって来ましたが誰も何とも云えませんでした。

赤毛の子どもは一向《いっこう》こわがる風もなくやっぱりちゃんと座ってじっと黒板を見ています。

するど六年生の一郎が来ました。一郎はまるでおとなのようにゆっくり大股《おおまた》にやってきてみんなを見て「何した」とききました。みんなははじめてがやがや声をたててその教室の中の変な子を指しました。一郎はしばらくそっちを見ていましたがやがて鞄《かばん》をしっかりかかえてさっさと窓の下へ行きました。

みんなもすっかり元気になってついて行きました。

「誰《たれ》だ、時間にならないに教室へはいってるのは。」一郎は窓へはいのぼって教室の中へ顔をつき出して云いました。

「お天気のいい時教室さ入ってるづど先生にうんと叱《しか》らえるぞ。」窓の下の耕助が云いました。

「叱らえでもおら知らないよ。」嘉助が云いました。

「早ぐ出はって来《こ》、出はって来」一郎が云いました。けれどもそのこどもはきょろきょろ室《へや》の中やみんなの方を見るばかりでやっぱりちゃんとひざに手をおいて腰掛《こしかけ》に座っていました。

ぜんたいその形からが実におかしいのでした。変てこな鼠《ねずみ》いろのだぶだぶの上着を着て白い半ずぼんをはいてそれに赤い革の半靴《はんぐつ》をはいていたのです。それに顔と云ったらまるで熟した苹果《りんご》のよう、殊《こと》に眼はまん円《まる》でまっくろなのでした。一向語《いっこうことば》が通じないようなので一郎も全く困ってしまいました。

「あいつは外国人だな」「学校さ入るのだな。」みんなはがやがやがやがや云いました。ところが五年生の嘉助がいきなり

「ああ、三年生さ入るのだ。」と叫びましたので「ああそうだ。」と小さいこどもらは思いました

が一郎はだまってくびをまげました。

変なこどもはやはりきょろきょろこっちを見るだけきちんと腰掛けています。

そのとき風がどうと吹いて来て教室のガラス戸はみんながたがた鳴り、学校のうしろの山の萱《かや》や栗《くり》の木はみんな変に青じろくなってゆれ、教室のなかのこどもは何だかにやっとわらってすこしうごいたようでした。すると嘉助《かすけ》がすぐ叫びました。

「ああ、わかった、あいつは風の又三郎だぞ。」

そうだっとみんなもおもったとき俄《にわ》かにうしろの方で五郎が
「わあ、痛ぃじゃあ。」と叫びました。みんなそっちへ振り向きますと五郎が耕助に足のゆびをふまれてまるで怒って耕助をなぐりつけていたのです。すると耕助も怒って
「わあ、われ悪くてでひと撲《はだ》ぃだなあ。」と云《い》ってまた五郎をなぐろうとしました。五郎はまるで顔中涙だらけにして耕助に組み付こうとしました。そこで一郎が間へはいって嘉助が耕助を押さえてしまいました。

「わあい、喧嘩《けんか》するなったら、先生ぁちゃんと職員室に来てらぞ。」と一郎が云いながらまた教室の方を見ましたら一郎は俄かにまるでぽかんとしてしまいました。たったいままで教室にいたあの変な子が影もかたちもないのです。みんなもまるでせっかく友達になった子うまが遠くへやられたよう、せっかく捕った山雀《やまがら》に遁《に》げられたように思いました。

風がまたどうと吹いて来て窓ガラスをがたがた云わせうしろの山の萱《かや》をだんだん上流の方へ青じろく波だてて行きました。

「わあうなだ喧嘩したんだがら又三郎居《い》なぐなったな。」嘉助が怒って云いました。みんなもほんとうにそう思いました。五郎はじつに申し訳《わ》けないと思って足の痛いのも忘れてしょんぼり肩をすぼめて立ったのです。

「やっぱりあいつは風の又三郎だったな。」

「二百十日で来たのだな。」

「靴《くつ》はいでだたぞ。」

「服も着でだたぞ。」

「髪赤くておがしやづだったな。」

「ありゃありゃ、又三郎おれの机の上さ石かげ乗せでったぞ。」二年生の子が云いました。見るとその子の机の上には汚ない石かけが乗っていたのです。

「そうだ。ありゃ。あそごのガラスもぶっかしたぞ。」

「そだないじゃぁ。あいづぁ休み前に嘉一石ぶっつけだのだな。」

「わあい。そだないじゃぁ。」

と云っていたときこれはまた何という訳でしょう。先生が玄関から出て来たのです。先生はぴかぴか光る呼子《よびこ》を右手にもってもう集まれの仕度《したく》をしているのでしたが、そのすぐうしろから、さっきの赤い髪の子が、まるで権現《ごんげん》さまの尾っぱ持ちのようにすまし込んで白いシャッポをかぶって先生についてすぱすぱとあるいて来たのです。

みんなはしいんとなってしまいました。やっと一郎が「先生お早うございます。」と云いましたのでみんなもついて「先生お早うございます」と云《い》っただけでした。

「みなさん。お早う。どなたも元気ですね。では並んで。」先生は呼子をビルルと吹きました。

それはすぐ谷の向こうの山へひびいてまたピルルルと低く戻ってきました。

すっかりやすみの前の通りだとみんなが思いながら六年生は一人　五年生は七人　四年生は六人　三年生は十二人　組ごとに一列に縦にならびました。

二年生は八人一年生は四人前へならえをしてならんだのです。するとその間あのおかしな子は何かおかしいのかおもしろいのか奥歯で横っちょに舌を噛《か》むようにしてじろじろみんなを見ながら先生のうしろに立っていたのです。すると先生は　高田さんこっちへおはいりなさいと云いながら四年生の列のところへ連れて行って丈《たけ》を嘉助《かすけ》とくらべてから嘉助とそのうしろのきよの間へ立たせました。みんなはふりかえってじっとそれを見ていました。先生はまた玄関の前に戻って前へならえと号令をかけました。

みんなはもう一ぺん前へならえをしてすっかり列をつくりましたがじつはあの変な子がどういう風にしているのか見たくてかわるがわるそっちをふりむいたり横眼でにらんだりしたのでした。するとその子はちゃんと前へならえでもなんでも知ってるらしく平気で両腕を前へ出して指さきを嘉助のせなかへやっと届くくらいにしていたものですから嘉助は何だかせなかがかゆいかくすぐったいかという風にもじもじしていました。

「直れ」先生がまた号令をかけました。

「一年から順に前へおい。」

そこで一年生はあるき出しまもなく二年も三年もあるき出してみんなの前をぐるっと通って右手の下駄箱《げたばこ》のある入口に入って行きました。五年生があるき出すとさっきの子も嘉助のあとへついて大威張《おおいば》りであるいて行きました。前へ行った子もときどきふりかえって見、あとのものもじっと見ていたのです。

まもなくみんなははきものを下駄箱に入れて教室へ入って、ちょうど外へならんだときのように組ごとに一列に机に座りました。さっきの子もすまし込んで嘉助のうしろに座りました。ところがもう大さわぎです。

「わあ、おらの机代わってるぞ。」

「わあ、おらの机さ石かけ入ってるぞ。」

「キッコ、キッコ、うな通信簿持って来たが。おら忘れで来たじゃあ。」

「わあい、さの、木ぺん貸せ、木ぺん貸せったら。」

「わぁがない。ひとの雑記帳とってって。」

そのとき先生が入って来ましたのでみんなもさわぎながらとにかく立ちあがり一郎がいちばんうしろで「礼」と云いました。

みんなはおじぎをする間はちょっとしんとなりましたがそれから又がやがやがやがや云いました。

「しずかに、みなさん。しずかにするのです。」先生が云いました。

「叱《し》っ、悦治、やがましったら。嘉助ぇ、喜っこぅ。わあい。」と一郎が一番うしろからあまりさわぐものを一人ずつ叱《しか》りました。

みんなはしんとなりました。先生が云《い》いました。

「みなさん長い夏のお休みは面白かったですね。みなさんは朝から水泳ぎもできたし林の中で鷹《たか》にも負けないくらい高く叫んだりまた兄さんの草刈りについて上の野原へ行ったりしたでしょう。けれどももう昨日で休みは終りました。これからは第二学期で秋です。むかしから秋は一番からだこころもひきしまって勉強のできる時だといってあるのです。ですから、みなさんも今日から又いっしょにしっかり勉強しましょう。それからこのお休みの間にみなさんのお友達が一人ふえました。それはそこに居る高田さんです。その方のお父さんはこんど会社のご用で上の野原の入り口へおいでになっていられるのです。高田さんはいままでは北海道の学校に居られたのですが今日からみなさんのお友達になるのですから、みなさんは学校で勉強のときも、また栗《くり》拾いや魚とりに行くときも高田さんをさそうようにしなければなりません。わかりましたか。わかった人は手をあげてごらんなさい。」

すぐみんなは手をあげました。その高田とよばれた子も勢いよく手をあげましたので、ちょっと先生はわらいましたがすぐ、

「わかりましたね、ではよし。」と云いましたのでみんなは火の消えたように一ぺんに手をおろしました。

ところが嘉助《かすけ》がすぐ「先生。」といってまた手をあげました。

「はい、」先生は嘉助を指さしました。

「高田さん名は何て云うべな。」

「高田三郎さんです。」

「わあ、うまい、そりゃ、やっぱり又三郎だな。」嘉助はまるで手を叩《たた》いて机の中で踊るようにしましたので、大きな方の子どもらはどっと笑いましたが三年生から下の子どもらは何か怖いという風にしいんとして三郎の方を見ていたのです。先生はまた云いました。

「今日はみなさんは通信簿と宿題をもってくるのでしたね。持って来た人は机の上へ出してください。私がいま集めに行きますから。」

みんなはばたばた鞄《かばん》をあけたり風呂敷《ふろしき》をといたりして通信簿と宿題帖《しゅくだいちょう》を机の上に出しました。そして先生が一年生の方から順にそれを集めはじめました。そのときみんなはぎょっとしました。という訳はみんなのうしろのところにいつか一人の大人が立っていたのです。その人は白いだぶだぶの麻服を着て黒いてかてかした半巾《はんけち》をネクタイの代わりに首に巻いて手には白い扇《おうぎ》をもって軽くじぶんの顔を扇《あお》ぎながら少し笑ってみんなを見おろしていたのです。さあみんなはだんだんしいんとなってまるで堅くなってしまいました。ところが先生は別にその人を気にかける風もなく順々に通信簿を集めて三郎の席まで行きますと三郎は通信簿も宿題帖もない代わりに両手をにぎりこぶしにして二つ机の上にのせていたのです。先生はだまってそこを通りすぎ、みんなのを集めてしまうとそれを両手でそろえながらまた教壇に戻りました。

「では宿題帖はこの次の土曜日に直して渡しますから、今日持って来なかった人は、あしたきっと忘れないで持って来てください。それは悦治さんとコージさんとリョウリクさんとですね。では今日はここまでです。あしたからちゃんといつもの通りの仕度をしてお出《い》でなさい。それから五年生と六年生の人は、先生といっしょに教室のお掃除をしましょう。ではここまで。」

一郎が気を付けと云いみんなは一ぺんに立ちました。うしろの大人も扇を下にさげて立ちました。

「礼。」先生もみんなも礼をしました。うしろの大人も軽く頭を下げました。それからずうっと下の組の子どもらは一目散《いちもくさん》に教室を飛び出しましたが四年生の子どもらはまだもじもじしていました。

すると三郎はさっきのだぶだぶの白い服の人のところへ行きました。先生も教壇を下りてその人のところへ行きました。

「いやどうもご苦労さまでございます。」その大人はていねいに先生に礼をしました。

「じきみんなとお友達になりますから、」先生も礼を返しながら云いました。

「何分どうかよろしくおねがいいたします。それでは。」その人はまたていねいに礼をして眼で三郎に合図すると自分は玄関の方へまわって外へ出て待っていますと三郎はみんなの見ている中を眼をりんとはってだまって昇降口から出て行って追いつき二人は運動場を通って川下の方へ歩いて行きました。

運動場を出るときその子はこっちをふりむいてじっと学校やみんなの方をにらむようにするとまたすたすた白服の大人について歩いて行きました。

「先生、あの人は高田さんのお父さんすか。」一郎が箒《ほうき》をもちながら先生にききました。

「そうです。」

「何の用で来たべ。」

「上の野原の入口にモリブデンという鉱石ができるので、それをだんだん掘るようにする為《ため》だそうです。」

「どごらあだりだべな。」

「私もまだよくわかりませんが、いつもみなさんが馬をつれて行くみちから少し川下へ寄った方なようです。」

「モリブデン何にするべな。」

「それは鉄とまぜたり、薬をつくったりするのだそうです。」

「そだら又三郎も掘るべが。」嘉助《かすけ》が云いました。

「又三郎だなぃ、高田三郎だじゃ。」佐太郎が云いました。

「又三郎だ又三郎だ。」嘉助が顔をまっ赤にしてがん張りました。

「嘉助、うなも残ってらば掃除してすけろ。」一郎が云いました。

「わぁい。やんたじゃ。今日五年生ど六年生だな。」

嘉助は大急ぎで教室をはねだして遁《に》げてしまいました。

風がまた吹いて来て窓ガラスはまたがたがた鳴り雑巾《ぞうきん》を入れたバケツにも小さな黒い波をたてました。

九月二日

次の日一郎はあのおかしな子供が今日からほんとうに学校へ来て本を読んだりするかどうか早く見たいような気がしていつもより早く嘉助《かすけ》をさそいました。ところが嘉助の方は一郎よりもっとそう考えていたと見えてとうにごはんもたべふろしきに包んだ本ももって家の前へ出て一郎を待っていたのでした。二人は途中もいろいろその子のことを談《はな》しながら学校へ来ました。すると運動場には小さな子供らがもう七八人集まっていて棒かくしをしていましたがその子はまだ来ていませんでした。また昨日のように教室の中に居るのかと思って中をのぞいて見ましたが教室の中はしいんとして誰《たれ》も居ず黒板の上には昨日掃除のとき雑巾《ぞうきん》で拭《ふ》いた痕《あと》が乾いてぼんやり白い縞《しま》になっていました。

「昨日のやつまだ来てないな。」一郎が云《い》いました。

「うん」嘉助も云ってそこらを見まわしました。

一郎はそこで鉄棒の下へ行ってじゃみ上りというやり方で無理やりに鉄棒の上にのぼり両腕をだんだん寄せて右の腕木に行くとそこへ腰掛けて昨日又三郎の行った方をじっと見おろして待っていました。谷川はそっちの方へきらきら光ってながれて行きその下の山の上の方では風も吹いているらしくときどき萱《かや》が白く波立っていました。嘉助もやっぱりその柱の下じっとそっちを見て待っていました。ところが二人はそんなに永く待つこともありませんでした。それは突然又三郎がその下手のみちから灰いろの鞄《かばん》を右手にかかえて走るようにして出て来たのです。

「来たぞ」と一郎が思わず下に居る嘉助へ叫ぼうとしていますと早くも又三郎はどてをぐるっとまわってどんどん正門を入って来ると
「お早う。」とはっきり云いました。みんなはいっしょにそっちをふり向きましたが一人も返事をしたものがありませんでした。それはみんなは先生にはいつでも「お早うございます」というように習っていたのでしたがお互いに「お早う」なんて云ったことがなかったのに又三郎にそう云われても一郎や嘉助はあんまりにわかで又勢いがいいのでとうとう臆《おく》せてしまって一郎も嘉助も口の中でお早うというかわりにもにゃもにゃっと云ってしまったのでした。ところが又三郎の方はべつだんそれを苦にする風もなく二三歩又前へ進むとじっと立ってそのまっ黒な眼でぐるっと運動場じゅうを見まわしました。そしてしばらく誰か遊ぶ相手がないかさがしているようでした。けれどもみんなきろきろ又三郎の方は見ていてももじもじしてやはり忙しそうに棒かくしをしたり又三郎の方へ行くものがありませんでした。又三郎はちょっと工合《ぐあい》が悪いようにそこにつっ立っていましたが又運動場をもう一度見まわしました。それからぜんたいこの運動場は何間《なんげん》あるかというように正門から玄関まで大股《おおまた》に歩数を数えながら歩きはじめました。一郎は急いで鉄棒をはねおりて嘉助とならんで息をこらしてそれを見ていました。

　そのうち又三郎は向こうの玄関の前まで行ってしまうとこっちへ向いてしばらく諳算《あんざん》をするように少し首をまげて立っていました。

　みんなはやはりきろきろそっちを見ています。又三郎は少し困ったように両手をうしろへ組むと向こう側の土手の方へ職員室の前を通って歩きだしました。

その時風がざあっと吹いて来て土手の草はざわざわ波になり運動場のまん中でさあっと塵《ちり》があがりそれが玄関の前まで行くときりきりとまわって小さなつむじ風になって黄いろな塵は瓶《びん》をさかさまにしたような形になって屋根より高くのぼりました。すると嘉助《かすけ》が突然高く云《い》いました。

「そうだ。やっぱりあいづ又三郎だぞ。あいつ何かするときっと風吹いてくるぞ。」

「うん。」一郎はどうだかわからないと思いながらもだまってそっちを見ていました。又三郎はそんなことにはかまわず土手の方へやはりすたすたと歩いて行きます。

そのとき先生がいつものように呼子《よびこ》をもって玄関を出て来たのです。

「お早うございます。」小さな子どもらははせ集まりました。

「お早う。」先生はちらっと運動場中を見まわしてから「ではならんで。」と云いながらプルルッと笛を吹きました。

みんなは集まってきて昨日のとおりきちんとならびました。又三郎も昨日云われた所へちゃんと立っています。先生はお日さまがまっ正面なのですこしまぶしそうにしながら号令をだんだんかけてとうとうみんなは昇降口から教室へ入りました。そして礼がすむと先生は
「ではみなさん今日から勉強をはじめましょう。みなさんはちゃんとお道具をもってきましたね。では一年生と二年生の人はお習字のお手本と硯《すずり》と紙を出して、三年生と四年生の人は算術帳と雑記帳と鉛筆を出して五年生と六年生の人は国語の本を出してください。」

さあするとあっちでもこっちでも大さわぎがはじまりました。中にも又三郎のすぐ横の四年生

の机の佐太郎がいきなり手をのばして三年生のかよの鉛筆をひらりととってしまったのです。かよは佐太郎の妹でした。するとかよは
「うわあ兄《え》な木ぺん取ってわかんないな。」と云いながら取り返そうとしますと佐太郎が
「わあこいつおれのだなあ。」と云いながら鉛筆をふところの中へ入れてあとは支那《しな》人がおじぎするときのように両手を袖《そで》へ入れて机へぴったり胸をくっつけました。するとかよは立って来て、
「兄な、兄なの木ぺんは一昨日《おととい》小屋で無くしてしまったけなあ。よこせったら。」と云いながら一生けん命とり返そうとしましたがどうしてももう佐太郎は机にくっついた大きな蟹《かに》の化石みたいになっているのでとうとうかよは立ったまま口を大きくまげて泣きだしそうになりました。すると又三郎は国語の本をちゃんと机にのせて困ったようにしてこれを見ていましたがかよがとうとうぼろぼろ涙をこぼしたのを見るとだまって右手に持っていた半分ばかりになった鉛筆を佐太郎の眼の前の机に置きました。すると佐太郎はにわかに元気になってむっくり起き上りました。そして「呉《く》れる?」と又三郎にききました。又三郎はちょっとまごついたようでしたが覚悟したようにに「うん」と云いました。すると佐太郎はいきなりわらい出してふところの鉛筆をかよの小さな赤い手に持たせました。
先生は向こうで一年生の子の硯に水をついでやったりしていましたし嘉助は又三郎の前ですから知りませんでしたが一郎はこれをいちばんうしろでちゃんと見ていました。
そしてまるで何と云ったらいいかわからない変な気持ちがして歯をきりきり云わせました。
「では三年生のひとはお休みの前にならった引き算をもう一ぺん習ってみましょう。これを勘《かん》

定《じょう》してごらんなさい。」先生は黒板に $\begin{array}{r}25\\-12\\\hline\end{array}$ と書きました。三年生のこどもらはみんな一生けん命にそれを雑記帖にうつしました。かよも頭を雑記帖へくっつけるようにして書いています。

「四年生の人はこれを置いて」 $\begin{array}{r}17\\\times\ 4\\\hline\end{array}$ と書きました。四年生は佐太郎をはじめ喜蔵も甲助もみんなそれをうつしました。

「五年生の人は読本《とくほん》の〔一字空白〕頁《ページ》の〔一字不明〕課をひらいて声をたてないで読めるだけ読んでごらんなさい。わからない字は雑記帖《ちょう》へ拾って置くのです。」

五年生もみんな云《い》われたとおりしはじめました。

「一郎さんは読本の〔一字空白〕頁をしらべてやはり知らない字を書き抜いてください。」

それがすむと先生はまた教壇を下りて一年生と二年生の習字を一人一人見てあるきました。又三郎は両手で本をちゃんと机の上へもって云われたところを息もつかずじっと読んでいました。けれども雑記帖へは字を一つも書き抜いていませんでした。それはほんとうに知らない字が一つもないのかたった一本の鉛筆を佐太郎にやってしまったためかどっちともわかりませんでした。

そのうち先生は教壇へ戻って三年生と四年生の算術の計算をして見せてまた新らしい問題を出すと今度は五年生の生徒の雑記帖へ書いた知らない字を黒板へ書いてそれをかなとわけをつけました。そして

「では嘉助《かすけ》さんここを読んで」と云いました。嘉助は二三度ひっかかりながら先生に教えられて読みました。

又三郎もだまって聞いていました。先生も本をとってじっと聞いていましたが十行ばかり読む

と「そこまで」と云ってこんどは先生が読みました。

そうして一まわり済むと先生はだんだんみんなの道具をしまわせました。それから「ではここまで」と云って教壇に立ちますと一郎がうしろで

「気を付けい」と云いました。そして礼がすむとみんな順に外へ出てこんどは外へならばずにみんな別れ別れになって遊びました。

二時間目は一年生から六年生までみんな唱歌でした。そして先生がマンドリンをもって出て来てみんなはいままでに唱《うた》ったのを先生のマンドリンについて五つもうたいました。

又三郎もみんな知っていてみんなどんどん歌いました。そしてこの時間は大へん早くたってしまいました。

三時間目になるとこんどは三年生と四年生が国語で五年生と六年生が数学でした。先生はまた黒板へ問題を書いて五年生と六年生に計算させました。しばらくたって一郎が答えを書いてしまうと又三郎の方をちょっと見ました。すると又三郎はどこから出したか小さな消し炭で雑記帖の上へがりがりと大きく運算していたのです。

九月四日、日曜

次の朝空はよく晴れて谷川はさらさら鳴りました。一郎は途中で嘉助と佐太郎と悦治をさそって一緒に三郎のうちの方へ行きました。学校の少し下流で谷川をわたって、それから岸で楊《やなぎ》の枝

をみんなで一本ずつ折って青い皮をくるくる剝《は》いで鞭《むち》を拵《こしら》えて手でひゅうひゅう振りながら上の野原への路《みち》をだんだんのぼって行きました。みんなは早くも登りながら息をはあはあしました。

「又三郎ほんとにあそごの湧水《わきみず》まで来て待ぢでるべが。」

「待ぢでるんだ。又三郎偽《うそ》こがなぃもな。」

「ああ暑う、風吹げばいいな。」

「どごがらだが風吹いでるぞ。」

「又三郎吹がせだらべも。」

「何だがお日さんぼやっとして来たな。」

　空に少しばかりの白い雲が出ました。そしてもう大分のぼっていました。谷のみんなの家がずうっと下に見え、一郎のうちの木小屋の屋根が白く光っています。

　路が林の中に入り、しばらく路はじめじめして、あたりは見えなくなりました。そして間もなくみんなは約束の湧水の近くに来ました。するとそこから
「おうい。みんな来たかい。」と三郎の高く叫ぶ声がしました。

　みんなはまるでせかせかと走ってのぼりました。向こうの曲り角の処《ところ》に又三郎が小さな唇《くちびる》をきっと結んだまま三人のかけ上がって来るのを見ていました。三人はやっと三郎の前まで来ました。けれどもあんまり息がはあはあしてすぐには何も云《い》えませんでした。嘉助《かすけ》などはあんまりもどかしいもんですから、空へ向いて
「ホッホウ。」と叫んで早く息を吐いてしまおうとしました。すると三郎は大きな声で笑いまし

た。

「ずいぶん待ったぞ。それに今日は雨が降るかもしれないそうだよ。」

「そだら早ぐ行ぐべすさ。おらまんつ水呑《の》んでぐ。」

三人は汗をふいてしゃがんでまっ白な岩からこぼこぼ噴きだす冷たい水を何べんも掬《すく》ってのみました。

「ぼくのうちはここからすぐなんだ。ちょうどあの谷の上あたりなんだ。みんなで帰りに寄ろうねえ。」

「うん。まんつ野原さ行ぐべすさ。」

みんなが又あるきはじめたとき湧水は何かを知らせるようにぐうっと鳴り、そこらの樹《き》もなんだかざあっと鳴ったようでした。

四人は林の裾《すそ》の藪《やぶ》の間を行ったり岩かけの小さく崩れる所を何べんも通ったりしてもう上の原の入口に近くなりました。

みんなはそこまで来ると来た方からまた西の方をながめました。光ったり陰ったり幾通りにも重なったたくさんの丘の向こうに川に沿ったほんとうの野原がぼんやり碧《あお》くひろがっているのでした。

「ありゃ、あいづ川だぞ。」

「春日明神《かすがみようじん》さんの帯のようだな。」又三郎が云いました。

「何のようだど。」一郎がききました。

「春日明神さんの帯のようだ。」

「うな神さんの帯見だごとあるが。」

「ぼく北海道で見たよ。」

みんなは何のことだかわからずだまってしまいました。

ほんとうにそこはもう上の野原の入口で、きれいに刈られた草の中に一本の巨《おお》きな栗《くり》の木が立ってその幹は根もとの所がまっ黒に焦げて巨きな洞《ほら》のようになり、その枝には古い縄《なわ》や、切れたわらじなどがつるしてありました。

「もう少し行ぐづどみんなして草刈ってるぞ。それがら馬の居るどごもあるぞ。」一郎は云《い》いながら先に立って刈った草のなかの一ぽんみちをぐんぐん歩きました。

三郎はその次に立って
「ここには熊《くま》居ないから馬をはなして置いてもいいなあ。」と云って歩きました。

しばらく行くとみちばたの大きな楢《なら》の木の下に、縄で編んだ袋が投げ出してあって、沢山《たくさん》の草たばがあっちにもこっちにもころがっていました。

せなかに〔約二字分空白〕をしょった二匹の馬が、一郎を見て、鼻をぷるぷる鳴らしました。

「兄《え》な。居るが。兄な。来たぞ。」一郎は汗を拭《ぬぐ》いながら叫びました。

「おおい。ああい。其処《そこ》に居ろ。今行ぐぞ。」

ずうっと向こうの窪《くぼ》みで、一郎の兄さんの声がしました。

陽《ひ》がぱっと明るくなり、兄さんがそっちの草の中から笑って出て来ました。

「善《ゆ》ぐ来たな。みんなも連れで来たのが。善ぐ来た。戻りに馬こ連れでてけろな。今日ぁ午《ひる》まがらきっと曇る。俺《おら》もう少し草集めて仕舞《しむ》がらな、うなだ遊ばばあの土手の中さ入ってろ。まだ牧場の馬二十疋《ぴき》ばがり居るがらな。」

兄さんは向こうへ行こうとして、振り向いて又云いました。

「土手がら外さ出はるなよ。迷ってしまうづど危ないがらな。午まになったら又来るがら。」

「うん。土手の中に居るがら。」

そして一郎の兄さんは、行ってしまいました。空にはうすい雲がすっかりかかり、太陽は白い鏡のようになって、雲と反対に馳《は》せました。風が出て来てまだ刈ってない草は一面に波を立てます。一郎はさきにたって小さなみちをまっすぐに行くとまもなくどてになりました。その土手の一とこちぎれたところに二本の丸太の棒を横にわたしてありました。耕助がそれをくぐろうとしますと、嘉助《かすけ》が

「おらこったなもの外《はず》せだだど」と云いながら片っ方のはじをぬいて下におろしましたのでみんなはそれをはね越えて中へ入りました。向こうの少し小高いところにてかてか光る茶いろの馬が七疋《ひき》ばかり集まってしっぽをゆるやかにばしゃばしゃふっているのです。

「この馬みんな千円以上するづもな。来年がらみんな競馬さも出はるのだづじゃい。」一郎はそばへ行きながら云いました。

馬はみんないままでさびしくって仕様なかったというように一郎たちの方へ寄ってきました。そして鼻づらをずうっとのばして何かほしそうにするのです。

「ははあ、塩をけろづのだな。」みんなは云《い》いながら手を出して馬になめさせたりしましたが三郎だけは馬になれていないらしく気味悪そうに手をポケットへ入れてしまいました。

「わあ又三郎馬怖《おっか》ながるじゃい。」と悦治が云いました。

　すると三郎は
「怖くなんかないやい。」と云いながらすぐポケットの手を馬の鼻づらへのばしましたが馬が首をのばして舌をべろりと出すとさあっと顔いろを変えてすばやくまた手をポケットへ入れてしまいました。

「わあい、又三郎馬怖ながるじゃい。」悦治が又云いました。すると三郎はすっかり顔を赤くしてしばらくもじもじしていましたが
「そんなら、みんなで競馬やるか。」と云いました。

　競馬ってどうするのかとみんな思いました。

　すると三郎は、

「ぼく競馬何べんも見たぞ。けれどもこの馬みんな鞍《くら》がないから乗れないや。みんなで一疋ずつ馬を追ってはじめに向こうの、そら、あの巨《おお》きな樹のところに着いたものを一等にしよう。」

「そいつ面白な。」嘉助《かすけ》が云いました。

「叱《しか》らえるぞ。牧夫に見っ附《つけ》らえでがら。」

「大丈夫だよ。競馬に出る馬なんか練習をしていないといけないんだい。」三郎が云いました。

「よしおらこの馬だぞ。」

「おらこの馬だ。」

「そんならぼくはこの馬でもいいや。」

みんなは楊《やなぎ》の枝や萱《かや》の穂でしゅうと云いながら馬を軽く打ちました。ところが馬はちっともびくともしませんでした。やはり下へ首を垂れて草をかいだり首をのばしてそこらのけしきをもっとよく見るというようにしているのです。

一郎がそこで両手をぴしゃんと打ち合わせて、だあと云いました。すると俄《にわ》かに七疋《ひき》ともまるでたてがみをそろえてかけ出したのです。

「うまぁい。」嘉助ははね上がって走りました。けれどもそれはどうも競馬にはならないのでした。第一馬はどこまでも顔をならべて走るのでしたしそれにそんなに競走するくらい早く走るのでもなかったのです。それでもみんなは面白がってだあだと云いながら一生けん命そのあとを追いました。

馬はすこし行くと立ちどまりそうになりました。みんなもすこしはあはあしましたがこらえてまた馬を追いました。するといつか馬はぐるっとさっきの小高いところをまわってさっき四人ではいって来たどての切れた所へ来たのです。

「あ、馬出はる、馬出はる。押さえろ　押さえろ。」

一郎はまっ青になって叫びました。じっさい馬はどての外へ出たのらしいのでした。どんどん走ってもうさっきの丸太の棒を越えそうになりました。一郎はまるであわてて「どうどうどうどう。」と云いながら一生けん命走って行ってやっとそこへ着いてまるでころぶようにしながら手をひろげたときは二疋《ひき》はもう外へ出ていたのでした。

「早ぐ来て押えろ。早ぐ来て。」一郎は息も切れるように叫びながら丸太棒をもとのようにしました。三人は走って行って急いで丸太をくぐって外へ出ますと二疋の馬はもう走るでもなくどての外に立って草を口で引っぱって抜くようにしています。「そろそろど押さえろよ。そろそろど。」と云《い》いながら一郎は一ぴきのくつわについた札のところをしっかり押えました。嘉助《かすけ》と三郎がもう一疋を押えようとそばへ寄りますと馬はまるで愕《おど》ろいたようにどてへ沿って一目散《いちもくさん》に南の方へ走ってしまいました。

「兄《え》な馬ぁ逃げる、馬ぁ逃げる。兄な。馬逃げる。」とうしろで一郎が一生けん命叫んでいます。三郎と嘉助は一生けん命馬を追いました。

ところが馬はもう今度こそほんとうに遁《に》げるつもりらしかったのです。まるで丈《たけ》ぐらいある草をわけて高みになったり低くなったりどこまでも走りました。

嘉助はもう足がしびれてしまってどこをどう走っているのかわからなくなりました。それからまわりがまっ蒼《さお》になって、ぐるぐる廻《まわ》り、とうとう深い草の中に倒れてしまいました。馬の赤いたてがみとあとを追って行く三郎の白いシャッポが終りにちらっと見えました。

嘉助は、仰向《あおむ》けになって空を見ました。空がまっ白に光って、ぐるぐる廻り、そのこちらを薄い鼠色《ねずみいろ》の雲が、速く速く走っています。そしてカンカン鳴っています。

嘉助はやっと起き上って、せかせか息しながら馬の行った方に歩き出しました。草の中には、今馬と三郎が通った痕《あと》らしく、かすかな路《みち》のようなものがありました。嘉助は笑いました。そし

て、

（ふん。なあに、馬何処《どこ》かで、こわくなってのっこり立ってるさ。）と思いました。

そこで嘉助は、一生懸命それを跡《つ》けて行きました。ところがその路《みち》のようなものは、まだ百歩も行かないうちに、おとこえしや、すてきに背の高い薊《あざみ》の中で、二つにも三つにも分かれてしまって、どれがどれやら一向《いっこう》わからなくなってしまいました。嘉助はおういと叫びました。

おうとどこかで三郎が叫んでいるようです。

思い切って、そのまん中のを進みました。けれどもそれも、時々断《き》れたり、馬の歩かないような急な所を横様《よこざま》に過ぎたりするのでした。

空はたいへん暗く重くなり、まわりがぼうっと霞《かす》んで来ました。冷たい風が、草を渡りはじめ、もう雲や霧が、切れ切れになって眼の前をぐんぐん通り過ぎて行きました。

（ああ、こいつは悪くなって来た。みんな悪いことはこれから集《たか》ってやって来るのだ。）と嘉助は思いました。全くその通り、俄《にわ》かに馬の通った痕は、草の中で無くなってしまいました。

（ああ、悪くなった、悪くなった。）嘉助は胸をどきどきさせました。

草がからだを曲げて、パチパチ云ったり、さらさら鳴ったりしました。霧が殊《こと》に滋《しげ》くなって、着物はすっかりしめってしまいました。

嘉助は咽喉《のど》一杯叫びました。

「一郎、一郎こっちさ来う。」

ところが何の返事も聞えません。黒板から降る白墨《はくぼく》の粉のような、暗い冷たい霧の粒が、そこら一面踊りまわり、あたりが俄《にわ》かにシインとして、陰気に陰気になりました。草からは、もう雫《しずく》の音がポタリポタリと聞えて来ます。

嘉助《かすけ》はもう早く、一郎たちの所へ戻ろうとして急いで引っ返しました。けれどもどうも、それは前に来た所とは違っていたようでした。第一、薊《あざみ》があんまり沢山《たくさん》ありましたし、それに草の底にさっき無かった岩かけが、度々《たびたび》ころがっていました。そしてとうとう聞いたこともない大きな谷が、いきなり眼の前に現われました。すすきが、ざわざわざわっと鳴り、向こうの方は底知れずの谷のように、霧の中に消えているではありませんか。

風が来ると、芒《すすき》の穂は細い沢山の手を一ぱいのばして、忙《せわ》しく振って、

「あ、西さん、あ、東さん。あ西さん。あ南さん。あ、西さん。」なんて云《い》っている様でした。

嘉助はあんまり見っともなかったので、目を瞑《つぶ》って横を向きました。そして急いで引っ返しました。小さな黒い道が、いきなり草の中に出て来ました。それは沢山の馬の蹄《ひづめ》の痕で出来上っていたのです。嘉助は、夢中で、短い笑い声をあげて、その道をぐんぐん歩きました。

けれども、たよりのないことは、みちのはばが五寸《ごすん》ぐらいになったり、又三尺《さんじゃく》ぐらいに変ったり、おまけに何だかぐるっと廻《まわ》っているように思われました。そして、とうとう、大きなてっぺんの焼けた栗《くり》の木の前まで来た時、ぼんやり幾つにも岐《わか》れてしまいました。

其処《そこ》は多分は、野馬の集まり場所であったでしょう、霧の中に円《まる》い広場のように見えたのです。

嘉助はがっかりして、黒い道を又戻りはじめました。知らない草穂《くさぼ》が静かにゆらぎ、少し強い風が来る時は、どこかで何かが合図をしてでも居るように、一面の草が、それ来たっとみなから

だを伏せて避けました。

空が光ってキインキインと鳴っています。それからすぐ眼の前の霧の中に、家の形の大きな黒いものがあらわれました。嘉助はしばらく自分の眼を疑って立ちどまっていましたが、やはりどうしても家らしかったので、こわごわもっと近寄って見ますと、それは冷たい大きな黒い岩でした。

空がくるくるくるっと白く揺らぎ、草がバラッと一度に雫《しずく》を払いました。

「間違って原を向こう側へ下りれば、又三郎もおれももう死ぬばかりだ」と嘉助は、半分思う様に半分つぶやくようにしました。それから叫びました。

「一郎、一郎、居るが。一郎。」

又明るくなりました。草がみな一斉《いっせい》に悦《よろこ》びの息をします。

「伊佐戸《いさど》の町の、電気工夫の童《わらす》ぁ、山男に手足ぃ縛《しば》らえてたふうだ。」といつか誰《たれ》かの話した語《ことば》が、はっきり耳に聞えて来ます。

そして、黒い路《みち》が、俄《にわ》かに消えてしまいました。あたりがほんのしばらくしいんとなりました。それから非常に強い風が吹いて来ました。

空が旗のようにぱたぱた光って翻り、火花がパチパチパチッと燃えました。嘉助はとうとう草の中に倒れてねむってしまいました。

そんなことはみんなどこかの遠いできごとのようでした。

もう又三郎がすぐ眼の前に足を投げだしてだまって空を見あげているのです。いつかいつもの鼠いろの上着の上にガラスのマントを着ているのです。それから光るガラスの靴《くつ》をはいているのです。

又三郎の肩には栗《くり》の木の影が青く落ちています。又三郎の影はまた青く草に落ちています。そして風がどんどんどんどん吹いているのです。又三郎は笑いもしなければ物を云《い》いません。ただ小さな唇《くちびる》を強そうにきっと結んだまま黙ってそらを見ています。いきなり又三郎はひらっとそらへ飛びあがりました。ガラスのマントがギラギラ光りました。ふと嘉《か》助《すけ》は眼をひらきました。灰いろの霧が速く速く飛んでいます。

そして馬がすぐ眼の前にのっそりと立っていたのです。その眼は嘉助を怖《おそ》れて横の方を向いていました。

嘉助ははね上がって馬の名札を押さえました。そのうしろから三郎がまるで色のなくなった唇をきっと結んでこっちへ出てきました。嘉助はぶるぶるふるえました。

「おうい。」霧の中から一郎の兄さんの声がしました。雷《かみなり》もごろごろ鳴っています。

「おおい。嘉助。居るが。嘉助。」一郎の声もしました。嘉助はよろこんでとびあがりました。

「おおい。居る、居る。一郎。おおい。」

一郎の兄さんと一郎が、とつぜん、眼の前に立ちました。嘉助は俄《にわ》かに泣き出しました。

「探したぞ。危ながったぞ。すっかりぬれだな。どう。」一郎の兄さんはなれた手付きで馬の首を抱いてもってきたくつわをすばやく馬のくちにはめました。

「さあ、あべさ。」

「又三郎びっくりしたべぁ。」一郎が三郎に云いました。三郎がだまってやっぱりきっと口を結んでうなずきました。

みんなは一郎の兄さんについて緩《ゆる》い傾斜を、二つ程昇り降りしました。それから、黒い大きな路《みち》について、暫《しば》らく歩きました。

稲光《いなびかり》が二度ばかり、かすかに白くひらめきました。草を焼く匂《におい》がして、霧の中を煙がほっと流れていきます。

一郎の兄さんが叫びました。

「おじいさん。居だ、居だ。みんな居だ。」

おじいさんは霧の中に立っていて、

「ああ心配した、心配した。ああ好《え》がった。おお嘉助。寒がべぁ、さあ入れ。」と云いました。嘉助は一郎と同じようにやはりこのおじいさんの孫なようでした。

半分に焼けた大きな栗《くり》の木の根もとに、草で作った小さな囲いがあって、チョロチョロ赤い火が燃えていました。

一郎の兄さんは馬を楢《なら》の木につなぎました。

馬もひひんと鳴いています。

「おおむぞやな。な。何ぼが泣いだがな。そのわろは金山掘りのわろだな。さあさあみんな、団《だん》子《ご》たべろ。食べろ。な。今こっちを焼ぐがらな。全体何処迄《どこまで》行ってだった。」

「笹長根《ささながね》の下り口だ。」と一郎の兄さんが答えました。

「危ぃがった。危ぃがった。向こうさ降りだら馬も人もそれっ切りだったぞ。さあ嘉助《かすけ》。団子喰《た》べろ。このわろもたべろ。さあさあ、こいづも食べろ。」

「おじいさん。馬置いでくるが。」と一郎の兄さんが云《い》いました。

「うんうん。牧夫来るどまだやがましがらな。したどもも少し待で。又すぐ晴れる。ああ心配した。俺《おら》も虎《とら》こ山《やま》の下まで行って見で来た。はあ、まんつ好《え》がった。雨も晴れる。」

「今朝ほんとに天気好《え》がったのにな。」

「うん。又好《ゆ》ぐなるさ。あ、雨漏《も》って来たな。」

一郎の兄さんが出て行きました。天井がガサガサガサガサ云います。おじいさんが、笑いながらそれを見上げました。

兄さんが又はいって来ました。

「おじいさん。明るぐなった。雨ぁ霽《は》れだ。」

「うんうん。そうが。さあみんなよっく火にあだれ、おら又草刈るがらな」

霧がふっと切れました。陽の光がさっと流れて入りました。その太陽は、少し西の方に寄ってかかり、幾片かの蠟《ろう》のような霧が、逃げおくれて仕方なしに光りました。

草からは雫《しずく》がきらきら落ち、総《すべ》ての葉も茎も花も、今年の終りの陽《ひ》の光を吸っています。

はるかな西の碧《あお》い野原は、今泣きやんだようにまぶしく笑い、向こうの栗の木は、青い後光を放ちました。みんなはもう疲れて一郎をさきに野原をおりました。湧水《わきみず》のところで三郎はやっぱりだまってきっと口を結んだままみんなに別れてじぶんだけお父さんの小屋の方へ帰って行きました。

帰りながら嘉助が云いました。

「あいづやっぱり風の神だぞ。風の神の子っ子だぞ。あそごさ二人して巣食《すく》ってるんだぞ。」

「そだなぃよ。」一郎が高く云いました。

九月六日

次の日は朝のうちは雨でしたが、二時間目からだんだん明るくなって三時間目の終りの十分休みにはとうとうすっかりやみ、あちこちに削ったような青ぞらもできて、その下をまっ白な鱗雲《うろこぐも》がどんどん東へ走り、山の萱《かや》からも栗の木からも残りの雲が湯気《ゆげ》のように立ちました。

「下《さが》ったら葡萄蔓《ぶどうづる》とりに行がないが。」耕助が嘉助にそっと云いました。

「行ぐ行ぐ。又三郎も行がないが。」嘉助がさそいました。耕助は、

「わあい、あそご又三郎さ教えるやないじゃ。」と云いましたが三郎は知らないで、

「行くよ。ぼくは北海道でもとったぞ。ぼくのお母さんは樽《たる》へ二っつ漬《つ》けたよ。」と云いました。

「葡萄とりにおらも連《つれ》でがないが。」二年生の承吉も云いました。

「わがないじゃ。うなどさ教えるやないじゃ。おら去年な新らしいどご目附《めつけ》だじゃ。」

みんなは学校の済むのが待ち遠しかったのでした。五時間目が終ると、一郎と嘉助が佐太郎と耕助と悦治と又三郎と六人で学校から上流《かみ》の方へ登って行きました。少し行くと一けんの藁《わら》やね

の家があって、その前に小さなたばこ畑がありました。たばこの木はもう下の方の葉をつんであるので、その青い茎が林のようにきれいにならんでいかにも面白そうでした。

すると又三郎はいきなり、

「何だい、此《こ》の葉は。」と云いながら葉を一枚むしって一郎に見せました。すると一郎はびっくりして、

「わあ、又三郎、たばごの葉とるづど専売局にうんと叱《しか》られるぞ。わあ、又三郎何《な》してとった。」と少し顔いろを悪くして云《い》いました。みんなも口々に云いました。

「わあい。専売局でぁ、この葉一枚ずつ数えで帳面《ちょうめん》さつけでるだ。おら知らないぞ。」

「おらも知らないぞ。」

「おらも知らないぞ。」みんな口をそろえてはやしました。

すると三郎は顔をまっ赤にして、しばらくそれを振り廻《まわ》して何か云おうと考えていましたが、

「おら知らないでとったんだい。」と怒ったように云いました。

みんなは怖そうに、誰《たれ》か見ていないかというように向こうの家を見ました。たばこばたけからもうもうとあがる湯気の向こうで、その家はしいんとして誰も居たようではありませんでした。

「あの家一年生の小助の家だじゃい。」嘉助《かすけ》が少しなだめるように云いました。ところが耕助ははじめからじぶんの見附《みつ》けた葡萄藪《ぶどうやぶ》へ、三郎だのみんなあんまり来て面白くなかったもんですから、意地悪くもいちど三郎に云いました。

「わあ、又三郎なんぼ知らないたってわがないんだじゃ。わあい、又三郎もどの通りにしてまゆ

んだであ。」

又三郎は困ったようにしてまたしばらくだまっていましたが、

「そんなら、おいら此処《ここ》へ置いてくからいいや。」と云いながらさっきの木の根もとへそっとその葉を置きました。すると一郎は、

「早くあべ。」と云って先にたってあるきだしましたのでみんなもついて行きましたが、耕助だけはまだ残って、

「ほう、おら知らないぞ。ありゃ、又三郎の置いた葉、あすごにあるじゃい。」なんて云っているのでしたがみんながどんどん歩きだしたので耕助もやっとついて来ました。

みんなは萱《かや》の間の小さなみちを山の方へ少しのぼりますと、その南側に向いた窪《くぼ》みに栗《くり》の木があちこち立って、下には葡萄がもくもくした大きな藪になっていました。

「こごおれ見っ附《つけ》だのだがらみんなあんまりとるやないぞ。」耕助が云いました。

すると三郎は、

「おいら栗の方をとるんだい。」といって石を拾って一つの枝へ投げました。青いいがが一つ落ちました。

又三郎はそれを棒きれで剝《む》いて、まだ白い栗を二つとりました。みんなは葡萄の方へ一生けん命でした。

そのうち耕助がも一つの藪へ行こうと一本の栗の木の下を通りますと、いきなり上から雫《しずく》が一ぺんにざっと落ちてきましたので、耕助は肩からせなかから水へ入ったようになりました。耕助

は愕《おどろ》いて口をあいて上を見ましたら、いつか木の上に又三郎がのぼっていて、なんだか少しわらいながらじぶんも袖《そで》ぐちで顔をふいていたのです。

「わあい、又三郎何する。」耕助はうらめしそうに木を見あげました。

「風が吹いたんだい。」三郎は上でくつくつわらいながら云《い》いました。

耕助は樹《き》の下をはなれてまた別の藪《やぶ》で葡萄《ぶどう》をとりはじめました。もう耕助はじぶんでも持てないくらいあちこちへためていて、口も紫いろになってまるで大きく見えました。

「さあ、この位持って戻らなぃが。」一郎が云いました。

「おら、もっと取ってぐじゃ。」耕助が云いました。

そのとき耕助はまた頭からつめたい雫《しずく》をざあっとかぶりました。耕助はまたびっくりしたように木を見上げましたが今度は三郎は樹の上には居ませんでした。けれども樹の向こう側に三郎の鼠《ねずみ》いろのひじも見えていましたし、くつくつ笑う声もしましたから、耕助はもうすっかり怒ってしまいました。

「わあい又三郎、まだひとさ水掛げだな。」

「風が吹いたんだい。」

みんなはどっと笑いました。

「わあい又三郎、うなそごで木ゆすったけぁなあ。」

みんなはどっとまた笑いました。

すると耕助はうらめしそうにしばらくだまって三郎の顔を見ながら、

「うあい又三郎汝《うな》などあ世界になくてもいなあぃ」すると又三郎はずるそうに笑いました。

「やあ耕助君失敬《しっけい》したねえ。」

耕助は何かもっと別のことを云おうと思いましたがあんまり怒ってしまって考え出すことが出来ませんでしたので又同じように叫びました。

「うあい、うあいだが、又三郎、うなみだぃな風など世界中になくてもいいなあ、うわあい」

「失敬したよ。だってあんまりきみもぼくへ意地悪をするもんだから。」又三郎は少し眼をパチパチさせて気の毒そうに云いました。けれども耕助のいかりは仲々《なかなか》解けませんでした。そして三度同じことをくりかえしたのです。

「うわい、又三郎風などあ世界中に無くてもいな、うわい」すると又三郎は少し面白くなった様でまたくつくつ笑いだしてたずねました。

「風が世界中に無くってもいいってどう云うんだい。いいと箇条《かじょう》をたてていってごらん、そら」

又三郎は先生みたいな顔つきをして指を一本だしました。耕助は試験の様だしつまらないことになったと思って大へん口惜《くや》しかったのですが仕方なくしばらく考えてから云いました。

「汝《うな》など悪戯《いたずら》ばりさな、傘《かさ》ぶっ壊《か》したり」

「それからそれから」又三郎は面白そうに一足進んで云いました。

「それがら樹折ったり転覆《おっけぁ》したりさな」

「それから　それからどうだい」

「家もぶっ壊《か》さな」

「それからそれから、あとはどうだい」

「あかしも消さな、」

「それから、あとは？　それからあとは？　どうだい」

「シャップもとばさな」

「それから？　それからあとは？　あとはどうだい。」

「笠《かさ》もとばさな。」

「それからそれから」

「それがら　うう電信ばしらも倒さな」

「それから？　それから？　それから？」

「それがら屋根もとばさな」

「アアハハハ屋根は家のうちだい。どうだいまだあるかい。それから、それから？」

「それだがら、うう、それだがらラムプも消さな。」

「アハハハハハ、ラムプはあかしのうちだい。けれどそれだけかい。え、おい。それから？　それからそれから。」

耕助はつまってしまいました。大抵《たいてい》もう云《い》ってしまったのですからいくら考えてももう出ませんのでした。又三郎はいよいよ面白そうに指を一本立てながら
「それから？　それから？　ええ？　それから」と云うのでした。

耕助は顔を赤くしてしばらく考えてからやっと答えました、

「風車《ふうしゃ》もぶっ壊《か》さな」

するとまた三郎はこんどこそはまるで飛び上がって笑ってしまいました。みんなも笑いました。笑って笑って笑いました。

又三郎はやっと笑うのをやめて云いました。

「そらごらんとうとう風車などを云っちゃったろう。風車なら風を悪く思っちゃいないんだよ、勿論《もちろん》時々こわすこともあるけれども廻《まわ》してやる時の方がずっと多いんだ。風車ならちっとも風を悪く思っていないんだ。それに第一お前のさっきからの数えようはあんまりおかしいや。うう、うう、でばかりいたんだろう。おしまいにとうとう風車なんか数えちゃった、ああおかしい」又三郎は又泪《なみだ》の出るほど笑いました。耕助もさっきからあんまり困ったために怒っていたのもだんだん忘れて来ました、そしてつい又三郎と一しょに笑い出してしまったのです、すると又三郎もすっかりきげんを直して、

「耕助君、いたずらをして済まなかったよ」と云いました。

「さあそれでぁ行ぐべな。」と一郎は云いながら又三郎にぶどうを五ふさばかりくれました。又三郎は白い栗をみんなに二つずつ分けました。そしてみんなは下のみちまでいっしょに下りてあとはめいめいのうちへ帰ったのです。

九月七日

次の朝は霧がじめじめ降って学校のうしろの山もぼんやりしか見えませんでした。ところが今日も二時間目ころからだんだん晴れて間もなく空はまっ青になり日はかんかん照ってお午《ひる》になって三年生から下が下ってしまうとまるで夏のように暑くなってしまいました。

ひるすぎは先生もたびたび教壇で汗を拭《ふ》き四年生の習字も五年生六年生の図画もまるでむし暑くて書きながらうとうとするのでした。

授業が済むとみんなはすぐ川下の方へそろって出掛《でか》けました。嘉助《かすけ》が

「又三郎水泳《みずあ》びに行がなぃが。小さいやづど今ころみんな行ってるぞ。」と云《い》いましたので又三郎もついて行きました。

そこはこの前上の野原へ行ったところよりもも少し下流で右の方からも一つの谷川がはいって来て少し広い河原になりそのすぐ下流は巨《おお》きなさいかちの樹《き》の生えた崖《がけ》になっているのでした。

「おおい。」とさきに来ているこどもらがはだかで両手をあげて叫びました。一郎やみんなは、河原のねむの木の間をまるで徒競走《ときょうそう》のように走っていきなりきものをぬぐとすぐどぶんどぶんと水に飛び込んで両足をかわるがわる曲げてだぁんだぁんと水をたたくようにしながら斜めにならんで向こう岸へ泳ぎはじめました。

前に居たこどもらもあとから追い付いて泳ぎはじめました。

又三郎もきものをぬいでみんなのあとから泳ぎはじめましたが、途中で声をあげてわらいました。

するとと向こう岸についた一郎が髪をあざらしのようにして唇《くちびる》を紫にしてわくわくふるえながら、

「わあ又三郎、何《な》してわらった。」と云いました。又三郎はやはりふるえながら水からあがって

「この川冷たいなあ。」と云いました。

「又三郎何してわらった？」一郎はまたききました。

「おまえたちの泳ぎ方はおかしいや。なぜ足をだぶだぶ鳴らすんだい。」と云いながらまた笑いました。

「うわあい、」と一郎は云いましたが何だかきまりが悪くなったように

「石取りさないが。」と云いながら白い円《まる》い石をひろいました。

「するする」こどもらがみんな叫びました。

「おれそれでぁあの木の上がら落すがらな。」と一郎は云いながら崖《がけ》の中ごろから出ているさいかちの木へするする昇って行きました。そして

「さあ落すぞ、一二三。」と云いながら、その白い石をどぶーんと淵《ふち》へ落しました。みんなはわれ勝《がち》に岸からまっさかさまに水にとび込んで青白いらっこのような形をして底へ潜《もぐ》ってその石をとろうとしました。けれどもみんな底まで行かないに息がつまって浮かびだして来て、かわるがわるふうとそらへ霧をふきました。

又三郎はじっとみんなのするのを見ていましたが、みんなが浮かんできてからじぶんもどぶん

とはいって行きました。けれどもやっぱり底まで届かずに浮いてきたのでみんなはどっと笑いました。そのとき向こうの河原のねむの木のところを大人が四人、肌ぬぎになったり網をもったりしてこっちへ来るのでした。

すると一郎は木の上でまるで声をひくくしてみんなに叫びました。

「おお、発破《はっぱ》だぞ。知らないふりしてろ。石とりやめで早ぐみんな下流《しも》さ下がれ。」

そこでみんなは、なるべくそっちを見ないふりをしながらいっしょに下流《しも》の方へ泳ぎました。一郎は、木の上で手を額《ひたい》にあてて、もう一度よく見きわめてから、どぶんと逆《さか》さまに淵《ふち》へ飛びこみました。それから水を潜《くぐ》って、一ぺんにみんなへ追いついたのです。

みんなは、淵の下流《しも》の、瀬になったところに立ちました。

「知らないふりして遊んでろ。みんな。」一郎が云《い》いました。みんなは、砥石《といし》をひろったり、せきれいを追ったりして、発破のことなぞ、すこしも気がつかないふりをしていました。

すると向こうの淵の岸では、下流の坑夫をしていた庄助《しょうすけ》が、しばらくあちこち見まわしてから、いきなりあぐらをかいて、砂利の上へ座ってしまいました。それからゆっくり、腰からたばこ入れをとって、きせるをくわえて、ぱくぱく煙をふきだしました。奇体《きたい》だと思っていましたら、また腹かけから、何か出しました。

「発破だぞ、発破だぞ。」とみんな叫びました。一郎は、手をふってそれをとめました。庄助は、きせるの火を、しずかにそれへうつしました。うしろに居た一人は、すぐ水に入って、網をかまえました。庄助は、まるで落ちついて、立って一あし水にはいると、すぐその持ったものを、さいかちの木の下のところへ投げこみました。するとまもなく、ぼぉというようなひどい音がして、水はむくっと盛りあがり、それからしばらく、そこらあたりがきぃんと鳴りました。向こうの大人たちは、みんな水へ入りました。

「さあ、流れて来るぞ。みんなとれ。」と一郎が云いました。まもなく、耕助は小指ぐらいの茶いろなかじかが、横向きになって流れて来たのをつかみましたしそのうしろでは嘉助《かすけ》が、まるで瓜《うり》をすするときのような声を出しました。それは六寸《ろくすん》ぐらいある鮒《ふな》をとって、顔をまっ赤にしてよろこんでいたのです。それからみんなとってわあわあよろこびました。

「だまってろ、だまってろ。」一郎が云いました。

そのとき、向こうの白い河原を、肌ぬぎになったり、シャツだけ着たりした大人が、五六人かけて来ました。そのうしろからは、ちょうど活動写真のように、一人の網シャツを着た人が、はだか馬に乗って、まっしぐらに走って来ました。みんな発破の音を聞いて、見に来たのです。

庄助は、しばらく腕を組んでみんなのとるのを見ていましたが、

「さっぱり居なぃな。」と云いました。すると又三郎がいつの間にか庄助のそばへ行っていました。

そして中位の鮒《ふな》を二疋《ひき》「魚《さかな》返すよ。」といって河原へ投げるように置きました。すると庄助が

「何だこの童《わらす》ぁ、きたいなやづだな。」と云いながらじろじろ又三郎を見ました。

又三郎はだまってこっちへ帰ってきました。庄助は変な顔をしてみています。みんなはどっとわらいました。

庄助はだまって、また上流《かみ》へ歩きだしました。ほかのおとなたちもついて行き網シャツの人は、馬に乗って、またかけて行きました。耕助が泳いで行って三郎の置いて来た魚を持ってきました。みんなはそこでまたわらいました。

「発破かけだら、雑魚《ざこ》撒かせ。」嘉助《かすけ》が、河原の砂っぱの上で、ぴょんぴょんはねながら、高く叫びました。

みんなは、とった魚を、石で囲んで、小さな生洲《いけす》をこしらえて、生き返っても、もう遁《に》げて行かないようにして、また上流《かみ》のさいかちの樹《き》へのぼりはじめました。ほんとうに暑くなって、ねむの木もまるで夏のようにぐったり見えましたし、空もまるで、底なしの淵《ふち》のようになりました。

そのころ誰《たれ》かが、

「あ、生洲、打壊《ぶっこわ》すとこだぞ。」と叫びました。見ると、一人の変に鼻の尖《とが》った、洋服を着てわらじをはいた人が、手にはステッキみたいなものをもって、みんなの魚を、ぐちゃぐちゃ掻《か》きまわしているのでした。

「あ、あいづ専売局だぞ。専売局だぞ。」佐太郎が云いました。

「又三郎、うなのとった煙草《たばこ》の葉めっけだんだぞ。うな、連れでぐさ来たぞ。」嘉助が云いました。

「何だい。こわくないや。」又三郎はきっと口をかんで云《い》いました。

「みんな又三郎のごと囲んでろ囲んでろ。」と一郎が云いました。

そこでみんなは又三郎をさいかちの樹のいちばん中の枝に置いてまわりの枝にすっかり腰かけ

ました。

その男はこっちへびちゃびちゃ岸をあるいて来ました。

「来た来た来た来たっ。」とみんなは息をころしました。ところがその男は、別に又三郎をつかまえる風でもなくみんなの前を通りこしてそれから淵のすぐ上流の浅瀬をわたろうとしました。それもすぐに河をわたるでもなく、いかにもわらじや脚絆の汚くなったのを、そのまま洗うというふうに、もう何べんも行ったり来たりするもんですから、みんなはだんだん怖くなくなりましたがその代わり気持ちが悪くなってきました。そこで、とうとう、一郎が云いました。

「お、おれ先に叫ぶから、みんなあとから、一二三で叫ぶこだ。いいか。

あんまり川を濁すなよ、
いつでも先生《せんせ》云うでなぃか。一、二ぃ、三。」

「あんまり川を濁すなよ、
いつでも先生《せんせ》云うでなぃか。」

その人は、びっくりしてこっちを見ましたけれども、何を云ったのか、よくわからないというようすでした。そこでみんなはまた云いました。

「あんまり川を濁すなよ、
いつでも先生《せんせ》、云うでなぃか。」

鼻の尖《とが》った人は、すぱすぱと、煙草《たばこ》を吸うときのような口つきで云いました。

「この水呑《の》むのか、ここらでは。」

「あんまり川をにごすなよ、
いつでも先生《せんせ》云《い》うでないか。」
鼻の尖った人は、少し困ったようにして、また云いました。
「川をあるいてわるいのか。」
「あんまり川をにごすなよ、
いつでも先生《せんせ》云うでないか。」
その人は、あわてたのをごまかすように、わざとゆっくり、川をわたって、それから、アルプスの探険みたいな姿勢をとりながら、青い粘土と赤砂利の崖《がけ》をななめにのぼって、崖の上のたばこ畠《ばたけ》へはいってしまいました。
すると又三郎は
「何だいぼくを連れにきたんじゃないや」と云いながらまっ先にどぶんと淵《ふち》へとび込みました。
みんなも何だかその男も又三郎も気の毒なような、おかしながらんとした気持ちになりながら、一人ずつ木からはね下りて、河原に泳ぎついて、魚を手拭《てぬぐい》につつんだり、手にもったりして、家《うち》に帰りました。

九月八日

次の朝授業の前みんなが運動場で鉄棒にぶら下ったり棒かくしをしたりしていますと少し遅れ

て佐太郎が何かを入れた笊《ざる》をそっと抱《かか》えてやって来ました。

「何だ。何だ。何だ。」とすぐみんな走って行ってのぞき込みました。すると佐太郎は袖《そで》でそれをかくすようにして急いで学校の裏の岩穴のところへ行きました。みんなはいよいよあとを追って行きました。一郎がそれをのぞくと思わず顔いろを変えました。それは魚の毒もみにつかう山《さん》椒《しょう》の粉で、それを使うと発破《はっぱ》と同じように巡査に押さえられるのでした。ところが佐太郎はそれを岩穴の横の萱《かや》の中へかくして、知らない顔をして運動場へ帰りました。

そこでみんなは時間になるまでひそひそその話ばかりしていました。

その日も十時ごろからやっぱり昨日のように暑くなりました。みんなはもう授業の済むのばかり待っていました。二時になって五時間目が終ると、もうみんな一目散《いちもくさん》に飛びだしました。佐太郎も又笊をそっと袖でかくして耕助だのみんなに囲まれて河原へ行きました。又三郎は嘉助《かすけ》と行きました。みんなは町の祭のときの瓦斯《ガス》のような匂《におい》のむっとする、ねむの河原を急いで抜けて、いつものさいかち淵《ぶち》に着きました。すっかり夏のような立派な雲の峰が、東でむくむく盛りあがり、さいかちの木は青く光って見えました。

みんな急いで着物をぬいで、淵の岸に立つと、佐太郎が一郎の顔を見ながら云いました。

「ちゃんと一列にならべ。いいか。魚《さかな》浮いて来たら、泳いで行ってとれ。とった位与《や》るぞ。いいか。」

小さなこどもらは、よろこんで顔を赤くして、押しあったりしながら、ぞろっと淵を囲みました。ぺ吉《きち》だの三四人は、もう泳いで、さいかちの木の下まで行って待っていました。

佐太郎、大威張《おおいば》りで、上流《かみ》の瀬に行って笊《ざる》をじゃぶじゃぶ水で洗いました。みんなしぃんとして、水をみつめて立っていました。又三郎は水を見ないで、向こうの雲の峰の上を通る黒い鳥を見ていました。一郎も河原に座って石をこちこち叩《たた》いていました。ところがそれからよほどたっても、魚は浮いて来ませんでした。

佐太郎は大へんまじめな顔で、きちんと立って水を見ていました。昨日発破をかけたときなら、もう十疋《ぴき》もとっていたんだと、みんなは思いました。またずいぶんしばらくみんなしぃんとして待ちました。けれどもやっぱり、魚は一ぴきも浮いて来ませんでした。

「さっぱり魚、浮ばなぃな。」耕助が叫びました。佐太郎はびくっとしましたけれども、まだ一しんに水を見ていました。

「魚さっぱり浮ばなぃな。」ぺ吉が、また向こうの木の下で云《い》いました。するとみんなは、がやがや云い出して、みんな水に飛び込んでしまいました。

佐太郎は、しばらくきまり悪そうに、しゃがんで水を見ていましたけれど、とうとう立って、

「鬼っこしないか。」と云った。

「する、する。」みんなは叫んで、じゃんけんをするために、水の中から手を出しました。泳いでいたものは、急いでせいの立つところまで行って手を出しました。一郎も河原から来て手を出しました。そして一郎は、はじめに、昨日あの変な鼻の尖《とが》った人の上《のぼ》って行った崖《がけ》の下の、青いぬるぬるした粘土のところを根っこにきめました。そこに取りついていれば、鬼は押さえることができないというのでした。それから、はさみ無しの一人まけかちで、じゃんけんをしました。

ところが、悦治はひとりはさみを出したので、みんなにうんとはやされたほかに鬼になった。悦治は、唇《くちびる》を紫いろにして、河原を走って、喜作を押さえたので、鬼は二人になりました。それからみんなは、砂っぱの上や淵《ふち》を、あっちへ行ったり、こっちへ来たり、押さえたり押さえられたり、何べんも鬼っこをしました。

しまいにとうとう、又三郎一人が鬼になりました。又三郎はまもなく吉郎《きちろう》をつかまえました。みんなは、さいかちの木の下に居てそれを見ていました。

すると又三郎が、

「吉郎君、きみは上流《かみ》から追って来るんだよ、いいか。」と云いながら、じぶんはだまって立って見ていました。吉郎は、口をあいて手をひろげて、上流《かみ》から粘土の上を追って来ました。みんなは淵へ飛び込む仕度《したく》をしました。一郎は楊《やなぎ》の木にのぼりました。そのとき吉郎が、あの上流《かみ》の粘土が、足についていたためにみんなの前ですべってころんでしまいました。みんなは、わああ叫んで、吉郎をはねこえたり、水に入ったりして、上流《かみ》の青い粘土の根に上ってしまいました。

「又三郎、来《こ》。」嘉助《かすけ》は立って、口を大きくあいて、手をひろげて、又三郎をばかにしました。するとと又三郎は、さっきからよっぽど怒っていたと見えて、

「ようし、見ていろよ。」と云いながら、本気になって、ざぶんと水に飛び込んで、一生けん命、そっちの方へ泳いで行きました。

又三郎の髪の毛が赤くてばしゃばしゃしているのにあんまり永く水につかって唇もすこし紫いろなので子どもらは、すっかり恐《こわ》がってしまいました。第一、その粘土のところはせまくて、み

んながはいれなかったのにそれに大へんつるつるすべる坂になっていましたから、下の方の四五人などは、上の人につかまるようにして、やっと川へすべり落ちるのをふせいでいたのでした。一郎だけが、いちばん上で落ち着いて、さあ、みんな、とか何とか相談らしいことをはじめました。みんなもそこで、頭をあつめて聞いています。又三郎は、ぼちゃぼちゃ、もう近くまで行きました。みんなは、ひそひそはなしています。すると又三郎は、いきなり両手で、みんなへ水をかけ出した。みんながばたばた防いでいましたら、だんだん粘土がすべって来て、なんだかすこうし下へずれたようになりました。又三郎はよろこんで、いよいよ水をはねとばしました。するとみんなは、ぼちゃんぼちゃんと一度に水にすべって落ちました。又三郎は、それを片っぱしからつかまえました。一郎もつかまりました。嘉助《かすけ》がひとり、上をまわって泳いで遁《に》げましたら、又三郎はすぐに追い付いて、押さえたほかに、腕をつかんで、四五へんぐるぐる引っぱりまわしました。嘉助は、水を呑《の》んだと見えて、霧をふいて、ごほごほむせて、

「おいらもうやめた。こんな鬼っこもうしない。」と云《い》いました。小さな子どもらはみんな砂利に上がってしまいました。又三郎は、ひとりさいかちの樹《き》の下に立ちました。

ところが、そのときはもう、そらがいっぱいの黒い雲で、楊も変に白っぽくなり、山の草はしんしんとくらくなりそこらは何とも云われない、恐ろしい景色にかわっていました。

そのうちに、いきなり上の野原のあたりで、ごろごろごろと雷が鳴り出しました。と思うと、まるで山つなみのような音がして、一ぺんに夕立《ゆうだち》がやって来ました。風までひゅうひゅう吹きだしました。淵《ふち》の水には、大きなぶちぶちがたくさんできて、水だか石だかわからなくなってしま

いました。みんなは河原から着物をかかえて、ねむの木の下へ遁《に》げこみました。すると又三郎も何だかはじめて怖くなったと見えてさいかちの木の下からどぼんと水へはいってみんなの方へ泳ぎだしました。すると誰《たれ》ともなく
「雨はざっこざっこ雨三郎
風はどっこどっこ又三郎」
と叫んだものがありました。みんなもすぐ声をそろえて叫びました。
「雨はざっこざっこ雨三郎
風はどっこどっこ又三郎」
すると又三郎はまるであわてて、何かに足をひっぱられるように淵からとびあがって一目散にみんなのところに走ってきてがたがたふるえながら
「いま叫んだのはおまえらだちかい。」とききました。
「そでない、そでない。」みんなは一しょに叫びました。ぺ吉がまた一人出て来て、
「そでない。」と云いました。又三郎は、気味悪そうに川のほうを見ましたが色のあせた唇《くちびる》をいつものようにきっと噛《か》んで
「何だい。」と云いましたが、からだはやはりがくがくふるっていました。
そしてみんなは雨のはれ間を待ってめいめいのうちへ帰ったのです。

九月十二日、第十二日

「どっどど　どどうど　どどうど　どどう
青いくるみも、吹きとばせ
すっぱいかりんも吹きとばせ
どっどど　どどうど　どどうど　どどう
どっどど　どどうど　どどうど　どどう」
先頃《せんころ》又三郎から聞いたばかりのあの歌を一郎は夢の中で又きいたのです。
びっくりして跳《は》ね起きて見ると外ではほんとうにひどく風が吹いて林はまるで咆《ほ》えるよう、あけがた近くの青ぐろい、うすあかりが障子や棚《たな》の上の提灯箱《ちょうちんばこ》や家中一《い》っぱいでした。一郎はすばやく帯をしてそして下駄《げた》をはいて土間を下り馬屋の前を通って潜《くぐ》りをあけましたら風がつめたい雨の粒と一緒にどうっと入って来ました。

馬屋のうしろの方で何か戸がばたっと倒れ馬はぶるるっと鼻を鳴らしました。一郎は風が胸の底まで滲《し》み込んだように思ってはあと強く息を吐きました。そして外へかけだしました。外はもうよほど明るく土はぬれて居りました。家の前の栗《くり》の木の列は変に青く白く見えてそれがまるで風と雨とで今洗濯《せんたく》をするとでも云《い》う様に烈《はげ》しくもまれていました。青い葉も幾枚も吹き飛ばされちぎられた青い栗のいがは黒い地面にたくさん落ちていました。空では雲がけわしい灰色に光りどんどんどんどん北の方へ吹きとばされていました。遠くの方の林はまるで海が荒れているようにごとんごとんと鳴ったりざっと聞えたりするのでした。一郎は顔いっぱいに冷たい雨の粒を投げつけられ風に着物をもって行かれそうになりながらだまってその音をきさすましじっと空を見上げました。

するとと胸がさらさらと波をたてるように思いました。けれども又じっとその鳴って吠《ほ》えてうなってかけて行く風をみていますと今度は胸がどかどかなってくるのでした。昨日まで丘や野原の空の底に澄みきってしんとしていた風が今朝夜あけ方俄《にわ》かに一斉《いっせい》に斯《こ》う動き出してどんどんどんタスカロラ海床《かいしょう》の北のはじをめがけて行くことを考えますともう一郎は顔がほてり息もはあ、はあ、なって自分までが一緒に空を翔《か》けて行くような気持ちになって胸を一ぱいはって息をふっと吹きました。

「ああひで風だ。今日はたばこも粟《あわ》もすっかりやらえる。」と一郎のおじいさんが潜《くぐ》りのところに立ってじっと空を見ています。一郎は急いで井戸からバケツに水を一ぱい汲《く》んで台所をぐんぐん拭《ふ》きました。それから金《かな》だらいを出して顔をぶるぶる洗うと戸棚《とだな》から冷たいごはんと味噌《みそ》をだしてまるで夢中でざくざく喰《た》べました。

「一郎、いまお汁《つけ》できるから少し待ってでらよ。何《な》して今朝そったに早く学校へ行がなぃやなぃがべ。」

お母さんは馬にやる〔一字空白〕を煮るかまどに木を入れながらききました。

「うん。又三郎は飛んでったがも知れなぃもや。」

「又三郎って何だてや。鳥こだてが。」

「うん又三郎って云《い》うやづよ。」一郎は急いでごはんをしまうと椀《わん》をこちこち洗って、それから台所の釘《くぎ》にかけてある油合羽《あぶらがっぱ》を着て下駄《げた》はもってはだしで嘉助《かすけ》をさそいに行きました。嘉助はまだ起きたばかりで
「いまごはんだべて行ぐがら。」と云いましたので一郎はしばらくうまやの前で待っていました。

まもなく嘉助は小さい簑《みの》を着て出てきました。

烈《はげ》しい風と雨にぐしょぬれになりながら二人はやっと学校へ来ました。昇降口からはいって行きますと教室はまだしいんとしていましたがところどころの窓のすきまから雨が板にはいって板はまるでざぶざぶしていました。一郎はしばらく教室を見まわしてから
「嘉助、二人して水掃《は》ぐべな。」と云ってしゅろ箒《ぼうき》をもって来て水を窓の下の孔《あな》へはき寄せていました。

するともう誰《たれ》か来たのかというように奥から先生が出てきましたがふしぎなことは先生があたり前の単衣《ひとえ》をきて赤いうちわをもっているのです。

「たいへん早いですね。あなた方二人で教室の掃除をしているのですか。」先生がききました。

「先生お早うございます。」一郎が云いました。

「先生お早うございます。」嘉助も云いましたが、すぐ
「先生、又三郎今日来るのすか。」とききました。

先生はちょっと考えて

「又三郎って高田さんですか。ええ、高田さんは昨日お父さんといっしょにもう外《ほか》へ行きました。日曜なのでみなさんにご挨拶《あいさつ》するひまがなかったのです。」

「先生飛んで行ったのすか。」嘉助がききました。

「いいえ、お父さんが会社から電報で呼ばれたのです。お父さんはもいちどちょっとこっちへ戻られるそうですが高田さんはやっぱり向こうの学校に入るのだそうです。向こうにはお母さんも居られるのですから。」

「何《な》して会社で呼ばったべす。」一郎がききました。

「ここのモリブデンの鉱脈は当分手をつけないことになった為《ため》なそうです。」

「そうだないな。やっぱりあいづは風の又三郎だったな。」

嘉助が高く叫びました。宿直室の方で何かごとごと鳴る音がしました。先生は赤いうちわをもって急いでそっちへ行きました。

二人はしばらくだまったまま相手がほんとうにどう思っているか探るように顔を見合わせたまま立ちました。

風はまだやまず、窓がらすは雨つぶのために曇りながらまだがたがた鳴りました。

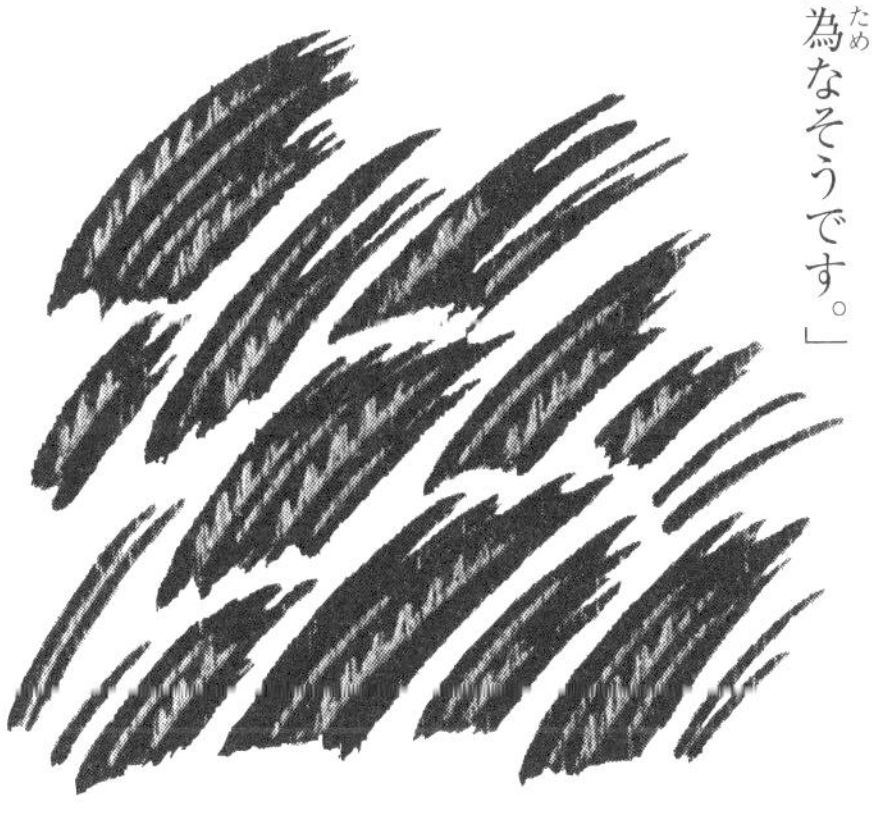

ひのきとひなげし

ひなげしはみんなまっ赤に燃えあがり、めいめい風にぐらぐらゆれて、息もつけないようでした。そのひなげしのうしろの方で、やっぱり風に髪もからだも、いちめんもまれて立ちながら若いひのきが云《い》いました。

「おまえたちはみんなまっ赤な帆船《ほぶね》でね、いまがあらしのとこなんだ」

「いやあだ、あたしら、そんな帆船やなんかじゃないわ。せだけ高くてばかあなひのき。」ひなげしどもは、みんないっしょに云いました。

「そして向こうに居るのはな、もうみがきたて燃えたての銅《あかがね》づくりのいきものなんだ。」

「いやあだ、お日さま、そんなあかがねなんかじゃないわ。せだけ高くてばかあなひのき。」ひなげしどもはみんないっしょに叫びます。

ところがこのときお日さまは、さっさっさっと大きな呼吸を四五へんついてるり色をした山に入ってしまいました。

風が一そうはげしくなってひのきもまるで青黒馬《あおうま》のしっぽのよう、ひなげしどもはみな熱病にかかったよう、てんでに何かうわごとを、南の風に云ったのですが風はてんから相手にせずどしどし向こうへかけぬけます。

ひなげしどもはそこですこうししずまりました。東には大きな立派な雲の峰が少し青ざめて四つならんで立ちました。

いちばん小さいひなげしが、ひとりでこそこそ云いました。

「ああつまらないつまらない、もう一生合唱手《コーラス》だわ。いちど女王《スター》にしてくれたら、あしたは死んでもいいいんだけど。」

となりの黒斑《くろぶち》のはいった花がすぐ引きとって云いました。

「それはもちろんあたしもそうよ。だってスターにならなくたってどうせあしたは死ぬんだわ。」

「あら、いくらスターでなくってもあなたの位立派ならもうそれだけで沢山《たくさん》だわ。」

「うそうそ。とてもつまんない。そりゃあたしいくらかあなたよりあたしの方がいいわねえ。わたしもやっぱりそう思ってよ。けどテクラさんどうでしょう。まるで及びもつかないわ。青いチヨッキの虻《あぶ》さんでも黄のだんだらの蜂《はち》めまでみなまっさきにあっちへ行くわ。」

向こうの葵《あおい》の花壇から悪魔が小さな蛙《かえる》にばけて、ベートーベンの着たような青いフロックコートを羽織りそれに新月よりもけだかいばら娘に仕立てた自分の弟子の手を引いて、大変あわてた風をしてやって来たのです。

「や、道をまちがえたかな。それとも地図が違ってるか。失敗。失敗。はて、一寸《ちょっと》聞いて見よう。もしもし、美容術のうちはどっちでしたかね。」

ひなげしはあんまり立派なばらの娘を見、又美容術と聞いたので、みんなドキッとしましたが、誰《たれ》もはずかしがって返事をしませんでした。悪魔の蛙がばらの娘に云《い》いました。

「ははあ、この辺のひなげしどもはみんなつんぼか何かだな。それに全然無学だな。」

娘にばけた悪魔の弟子はお口をちょっと三角にしていかにもすなおにうなずきました。

女王《スター》のテクラが、もう非常な勇気で云いました。

「何かご用でいらっしゃいますか。」

「あ、これは。ええ、一寸《ちょっと》おたずねいたしますが、美容院はどちらでしょうか。」

「さあ、あいにくとそういうところ存じませんでございます。一体《いったい》それがこの近所にでもございましょうか。」

「それはもちろん。現に私のこのむすめなど、前は尖《とが》ったおかしなもんでずいぶん心配しましたがかれこれ三度助手のお方に来ていただいてすっかり術をほどこしまして　とにかく今はあなた方ともご交際なぞ願えばねがえるようなわけ、あす紐育《ニューヨーク》に連れてでますのでちょっとお礼に出ましたので。では。」

「あ、一寸。一寸お待ち下さいませ。その美容術の先生はどこへでも出張なさいますかしら。」

「しましょうな」

「それでは誠《まこと》になんですが、お序《つい》での節、こちらへもお廻《まわ》りねがえませんでしょうか。」

「そう。しかし私はその先生の書生というでもありません。けれども、しかしとにかくそう云いましょう。おい。行こう。さよなら。」

悪魔は娘の手をひいて、向こうのどてのかげまで行くと片眼《かため》をつぶって云いました。

「お前はこれで帰ってよし。そしてキャベジと鮒《ふな》とを灰で煮込んでおいてくれ。ではおれは今度は医者だから。」といいながらすっかり小さな白い鬚《ひげ》の医者にばけました。悪魔の弟子はさっそく大きな雀《すずめ》の形になってぼろんと飛んで行きました。

東の雲のみねはだんだん高く、だんだん白くなって、いまは空の頂上まで届くほどです。

悪魔は急いでひなげしの所へやって参りました。

「ええと、この辺じゃと云われたが、どうも門へ標札も出してないというようなあんばいだ。一寸たずねますが、ひなげしさんたちのおすまいはどの辺ですかな。」

賢《かしこ》いテクラがドキドキしながら云いました。

「あの、ひなげしは手前どもでございます。どなたでいらっしゃいますか。」

「そう、わしは先刻伯爵《はくしゃく》からお言伝《ことづて》になった医者ですがね。」

「それは失礼いたしました。椅子《いす》もございませんがまあどうぞこちらへ。そして私共は立派になれましょうか。」

「なりますね。まあ三服でちょっとさっきのむすめぐらいというところ。しかし薬は高いから。」

ひなげしはみんな顔色を変えてためいきをつきました。テクラがたずねました。

「一体どれ位でございましょう。」

「左様《さよう》。お一人が五ビルです。」

ひなげしはしいんとしてしまいました。お医者の悪魔もあごのひげをひねったまましいんとして空をみあげています。雲のみねはだんだん崩れてしずかな金いろにかがやき、そおっと、北の方へ流れ出しました。

ひなげしはやっぱりしいんとしています。お医者もじっとやっぱりおひげをにぎったきり、花壇の遠くの方などはもうぼんやりと藍《あい》いろです。そのとき風が来ましたのでひなげしどもはちょっとざわっとなりました。

お医者もちらっと眼をうごかしたようでしたがまもなくやっぱり前のようしいんと静まり返っています。

その時一番小さいひなげしが、思い切ったように云いました。

「お医者さん。わたくしおあしなんか一文《もん》もないのよ。けども少したてばあたしの頭に亜片《あへん》ができるのよ。それをみんなあげることにしてはいけなくって。」

「ほう。亜片かね。あんまり間には合わないけれどもとにかくその薬はわしの方では要《い》るんでね。よし。いかにも承知した。証文《しょうもん》を書きなさい。」

するとみんながまるで一ぺんに叫びました。

「私《わたし》もどうかそうお願いいたします。どうか私《わたくし》もそうお願い致《いた》します。」

お医者はまるで困ったというように額《ひたい》に皺《しわ》をよせて考えていましたが、

「仕方ない。よかろう。何もかもみな慈善のためじゃ。承知した。証文を書きなさい。」

さあ大変だあたし字なんか書けないわとひなげしどもがみんな一緒に思ったとき悪魔のお医者はもう持って来た鞄《かばん》から印刷にした証書を沢山《たくさん》出しました。そして笑って云《い》いました。

「ではそのわしがこの紙をひとつぱらぱらめくるからみんないっしょにこう云いなさい。

亜片はみんな差しあげ候《そうろう》と、」

まあよかったとひなげしどもはみんないちどにざわつきました。お医者は立って云いました。

「では」ぱらぱらぱらぱらぱら、

「亜片はみんな差しあげ候。」

「よろしい。早速薬をあげる。一服、二服、三服とな。まずわたしがここで第一服の呪文《じゅもん》をうたう。するとここらの空気にな。きらきら赤い波がたつ。それをみんなで呑《の》むんだな。」

悪魔のお医者はとてもふしぎないい声でおかしな歌をやりました。

「まひるの草木と石土を　照らさんことを怠りし　赤きひかりは集《つど》い来て　なすすべしらに漂えよ。」

するとほんとうにそこらのもう浅黄《あさぎ》いろになった空気のなかに見えるか見えないような赤い光がかすかな波になってゆれました。ひなげしどもはじぶんこそいちばん美しくなろうと一生けん命その風を吸いました。

悪魔のお医者はきっと立ってこれを見渡していましたがその光が消えてしまうとまた云いました。

「では第二服　まひるの草木と石土を　照らさんことを怠りし　黄なるひかりは集い来て　なすすべしらに漂えよ」

空気へうすい蜜《みつ》のような色がちらちら波になりました。ひなげしはまた一生けん命です。

「では第三服」とお医者が云おうとしたときでした。

「おおい、お医者や、あんまり変な声を出してくれるなよ。ここは、セントジョバンニ様のお庭だからな。」ひのきが高く叫びました。

その時風がザァッとやって来ました。ひのきが高く叫びました。

「こうらにせ医者。まてっ。」

すると医者はたいへんあわてて、まるでのろしのように急に立ちあがって、滅法界《めっぽうかい》もなく大きく黒くなって、途方もない方へ飛んで行ってしまいました。その足さきはまるで釘抜《くぎぬ》きのように尖《とが》り黒い診察鞄《しんさつかばん》もけむりのように消えたのです。

ひなげしはみんなあっけにとられてぽかっとそらをながめています。

ひのきがそこで云いました。

「もう一足でおまえたちみんな頭をばりばり食われるとこだった。」

「それだっていいじゃあないの。おせっかいのひのき」

もうまっ黒に見えるひなげしどもはみんな怒って云いました。

「そうじゃあないて。おまえたちが青いけし坊主《ぼうず》のまんまでがりがり食われてしまったらもう来年はここへは草が生えるだけ、それに第一スターになりたいなんておまえたち、スターて何だか知りもしない癖に。スターというのはな、本統は天井のお星さまのことなんだ。そらあすこへもうお出《い》でになっている。もすこしたてばそらいちめんにおでましだ。そうそうオールスターキャストというだろう。オールスターキャストというのがつまりそれだ。つまり双子《ふたご》星座様は双子星座様のところにレオーノ様はレオーノ様のところに、ちゃんと定まった場所でめいめいのきまった光りようをなさるのがオールスターキャスト、な、ところがありがたいもんでスターになりたいなりたいと云っているおまえたちがそのままそっくりスターでな　おまけにオールスターキャストだということになってある。それはこうだ。聴けよ。

あめなる花をほしと云い
この世の星を花という。」

「何を云ってるの。ばかひのき、けし坊主なんかになってあたしら生きていたくないわ。おまけにいまのおかしな声。悪魔のお方のとても足もとにもよりつけないわ。わあい、わあい、おせっかいの、おせっかいの、せい高ひのき」

けしはやっぱり怒っています。

けれども、もうその顔もみんなまっ黒に見えるのでした。それは雲の峯がみんな崩れて牛みたいな形になりそらのあちこちに星がぴかぴかしだしたのです。

ひなげしは、みな、しいんとして居《お》りました。

ひのきは、まただまって、夕がたのそらを仰《あお》ぎました。

西のそらは今はかがやきを納め、東の雲の峯はだんだん崩れて、そこからもう銀いろの一つ星もまたたき出しました。

セロ弾きのゴーシュ

せろひきのごーしゅ

ゴーシュは町の活動写真館でセロを弾く係りでした。けれどもあんまり上手《じょうず》でないという評判でした。上手でないどころではなく実は仲間の楽手のなかではいちばん下手《へた》でしたから、いつでも楽長にいじめられるのでした。

ひるすぎみんなは楽屋に円《まる》くならんで今度の町の音楽会へ出す第六交響曲の練習をしていました。

トランペットは一生けん命歌っています。

ヴァイオリンも二いろ風のように鳴っています。

クラリネットもボーボーとそれに手伝っています。

ゴーシュも口をりんと結んで眼《め》を皿《さら》のようにして楽譜を見つめながらもう一心に弾いています。

にわかにぱたっと楽長が両手を鳴らしました。みんなぴたりと曲をやめてしんとしました。楽長がどなりました。

「セロがおくれた。トォテテ　テテテイ、ここからやり直し。はいっ」。みんなは今の所の少し前の所からやり直しました。ゴーシュは顔をまっ赤にして額《ひたい》に汗を出しながらやっといま云《い》われたところを通りました。ほっと安心しながら、つづけて弾いていますと楽長がまた手をぱっと拍《う》ちました。

「セロっ。糸が合わない。困るなあ。ぼくはきみにドレミファを教えてまでいるひまはないんだがなあ。」

みんなは気の毒そうにしてわざとじぶんの譜をのぞき込んだりじぶんの楽器をはじいて見たりしています。ゴーシュはあわてて糸を直しました。これはじつはゴーシュも悪いのですがセロもずいぶん悪いのでした。

「今の前の小節から。はいっ。」

みんなはまたはじめました。ゴーシュも口をまげて一生けん命です。そしてこんどはかなり進みました。いいあんばいだと思っていると楽長がおどすような形をしてまたぱたっと手を拍《う》ちました。またかとゴーシュはどきっとしましたがありがたいことにはこんどは別の人でした。ゴーシュはそこでさっきじぶんのときみんながしたようにわざとじぶんの譜へ眼を近づけて何か考えるふりをしていました。

「ではすぐ今の次。はいっ。」

そらと思って弾き出したかと思うといきなり楽長が足をどんと踏んでどなり出しました。

「だめだ。まるでなっていない。このへんは曲の心臓なんだ。それがこんながさがさしたことで。

諸君。演奏までもうあと十日しかないんだよ。音楽を専門にやっているぼくらがあの金沓鍛治《かなぐつかじ》だの砂糖屋の丁稚《でっち》なんかの寄り集まりに負けてしまったらいったいわれわれの面目《めんもく》はどうなるんだ。おいゴーシュ君。君には困るんだがなあ。表情ということがまるでできてない。怒るも喜ぶも感情というものがさっぱり出ないんだ。それにどうしてもぴたっと外《ほか》の楽器と合わないもなあ。いつでもきみだけとけた靴《くつ》のひもを引きずってみんなのあとをついてあるくようなんだ、困るよ、しっかりしてくれないとねえ。光輝あるわが金星音楽団がきみ一人のために悪評をとるようなことでは、みんなへもまったく気の毒だからな。では今日は練習はここまで、休んで六時にはかっきりボックスへ入ってくれ給《たま》え。」

みんなはおじぎをして、それからたばこをくわえてマッチをすったりどこかへ出て行ったりしました。ゴーシュはその粗末な箱みたいなセロをかかえて壁の方へ向いて口をまげてぼろぼろ泪《なみだ》をこぼしましたが、気をとり直してじぶんだけたったひとりいまやったところをはじめからしずかにもいちど弾きはじめました。

その晩遅くゴーシュは何か巨《おお》きな黒いものをしょってじぶんの家へ帰ってきました。家といってもそれは町はずれの川ばたにあるこわれた水車小屋で、ゴーシュはそこにたった一人ですんでいて午前は小屋のまわりの小さな畑でトマトの枝をきったり甘藍《キャベジ》の虫をひろったりしてひるすぎになるといつも出て行っていたのです。ゴーシュがうちへ入ってあかりをつけるとさっきの黒い包みをあけました。それは何でもない。あの夕方のごつごつしたセロでした。ゴーシュはそれを床の上にそっと置くと、いきなり棚《たな》からコップをとってバケツの水をごくごくのみました。

それから頭を一つふって椅子《いす》へかけるとまるで虎《とら》みたいな勢いでひるの譜を弾きはじめました。譜をめくりながら弾いては考え考えては弾き一生けん命しまいまで行くとまたはじめからなんべんもなんべんもごうごうごうごう弾きつづけました。

夜中もとうにすぎてしまいはもうじぶんが弾いているのかもわからないようになって顔もまっ赤になり眼《め》もまるで血走ってとても物凄《ものすご》い顔つきになりいまにも倒れるかと思うように見えました。

そのとき誰《たれ》かうしろの扉《と》をとんとんと叩《たた》くものがありました。

「ホーシュ君か。」ゴーシュはねぼけたように叫びました。ところがすうと扉を押してはいって来たのはいままで五六ぺん見たことのある大きな三毛猫《みけねこ》でした。

ゴーシュの畑からとった半分熟したトマトをさも重そうに持って来てゴーシュの前におろして云《い》いました。

「ああくたびれた。なかなか運搬はひどいやな。」

「何だと」ゴーシュがききました。

「これおみやです。たべてください。」三毛猫が云いました。

ゴーシュはひるからのむしゃくしゃを一ぺんにどなりつけました。

「誰《たれ》がきさまにトマトなど持ってこいと云った。第一おれがきさまらのもってきたものなど食うか。それからそのトマトだっておれの畑のやつだ。何だ。赤くもならないやつをむしって。いままでもトマトの茎をかじったりけちらしたりしたのはおまえだろう。行ってしまえ。ねこめ。」

するとと猫は肩をまるくして眼をすぼめてはいましたが口のあたりでにやにやわらって云いました。

「先生、そうお怒りになっちゃ、おからだにさわります。それよりシューマンのトロメライをひいてごらんなさい。きいてあげますから。」

「生意気《なまいき》なことを云《い》うな。ねこのくせに。」

セロ弾きはしゃくにさわってこのねこのやつどうしてくれようとしばらく考えました。

「いやご遠慮はありません。どうぞ。わたしはどうも先生の音楽をきかないとねむられないんです。」

「生意気だ。生意気だ。生意気だ。」

ゴーシュはすっかりまっ赤になってひるま楽長のしたように足ぶみしてどなりましたがにわかに気を変えて云いました。

「では弾くよ。」ゴーシュは何と思ったか扉《と》にかぎをかって窓もみんなしめてしまい、それからセロをとりだしてあかしを消しました。すると外から二十日過ぎの月のひかりが室《へや》のなかへ半分ほどはいってきました。

「何をひけと。」

「トロメライ、ロマチックシューマン作曲。」猫は口を拭《ふ》いて済まして云いました。

「そうか。トロメライというのはこういうのか。」

セロ弾きは何と思ったかまずはんけちを引きさいてじぶんの耳の穴へぎっしりつめました。それからまるで嵐のような勢いで「印度《インド》の虎狩《とらがり》」という譜を弾きはじめました。

するとは猫はしばらく首をまげて聞いていましたがいきなりパチパチパチッと眼をしたかと思うとぱっと扉《と》の方へ飛びのきました。そしていきなりどんと扉へからだをぶっつけましたが扉はあきませんでした。猫はさあこれはもう一生一代の失敗をしたという風にあわてだして眼や額からぱちぱち火花を出しました。するとこんどは口のひげからも鼻からも出ましたから猫はくすぐったがってしばらくくしゃみをするような顔をしてそれからまたさあこうしてはいられないぞというようにはせあるきだしました。ゴーシュはすっかり面白くなってますます勢いよくやり出しました。

「先生もうたくさんです。たくさんですよ。ご生《しょう》ですからやめてください。これからもう先生のタクトなんかとりませんから。」

「だまれ。これから虎をつかまえる所だ。」

猫はくるしがってはねあがってまわったり壁にからだをくっつけたりしましたが壁についたあとはしばらく青くひかるのでした。しまいは猫はまるで風車のようにぐるぐるぐるぐるゴーシュをまわりました。

ゴーシュもすこしぐるぐるして来ましたので、

「さあこれで許してやるぞ」と云いながらようようやめました。

すると猫もけろりとして
「先生、こんやの演奏はどうかしてますね。」と云いました。

セロ弾きはまたぐっとしゃくにさわりましたが何気ない風で巻たばこを一本だして口にくわえ

それからマッチを一本とって
「どうだい。工合《ぐあい》をわるくしないかい。舌を出してごらん。」

猫はばかにしたように尖《とが》った長い舌をベロリと出しました。

「ははあ、すこし荒れたね。」セロ弾きは云《い》いながらいきなりマッチを舌でシュッとすってじぶんのたばこへつけました。さあ猫は愕《おどろ》いたの何の、舌を風車のようにふりまわしながら入口の扉《と》へ行って頭でどんとぶっつかってはよろよろとしてまた戻って来てどんとぶっつかってはよろよろまた戻って来てまたぶっつかってはよろよろにげみちをこさえようとしました。

ゴーシュはしばらく面白そうに見ていましたが
「出してやるよ。もう来るなよ。ばか。」

セロ弾きは扉をあけて猫が風のように萱《かや》のなかを走って行くのを見てちょっとわらいました。

それから、やっとせいせいしたというようにぐっすりねむりました。


次の晩もゴーシュがまた黒いセロの包みをかついで帰ってきました。そして水をごくごくのむとそっくりゆうべのとおりぐんぐんセロを弾きはじめました。十二時は間もなく過ぎ一時もすぎ二時もすぎてもゴーシュはまだやめませんでした。それからもう何時だかもわからず弾いているかもわからずごうごうやっていますと誰《たれ》か屋根裏をこっこっと叩《たた》くものがあります。

「猫、まだこりないのか。」

ゴーシュが叫びますといきなり天井の穴からぼろんと音がして一疋《ぴき》の灰いろの鳥が降りて来ま

した。床へとまったのを見るとそれはかっこうでした。

「鳥まで来るなんて。何の用だ。」ゴーシュが云いました。

「音楽を教わりたいのです。」

かっこう鳥はすまして云いました。

ゴーシュは笑って
「音楽だと。おまえの歌は　かっこう、かっこうというだけじゃあないか。」

するとかっこうが大へんまじめに
「ええ、それなんです。けれどもむずかしいですからねえ。」と云いました。

「むずかしいもんか。おまえたちのはたくさん啼《な》くのがひどいだけで、なきようは何でもないじゃないか。」

「ところがそれがひどいんです。たとえばかっこうとこうなくのとかっこうとこうなくのとでは聞いていてもよほどちがうでしょう。」

「ちがわないね。」

「ではあなたにはわからないんです。わたしらのなかまならかっこうと一万云えば一万みんなちがうんです。」

「勝手だよ。そんなにわかってるなら何もおれの処《ところ》へ来なくてもいいではないか。」

「ところが私はドレミファを正確にやりたいんです。」

「ドレミファもくそもあるか。」

「ええ、外国へ行く前にぜひ一度いるんです。」

「外国もくそもあるか。」

「先生どうかドレミファを教えてください。わたしはついてうたいますから。」

「うるさいなあ。そら三べんだけ弾いてやるからすんだらさっさと帰るんだぞ。」

ゴーシュはセロを取り上げてボロンボロンと糸を合わせてドレミファソラシドとひきました。

するとかっこうはあわてて羽をばたばたしました。

「ちがいます、ちがいます。そんなんでないんです。」

「うるさいなあ。ではおまえやってごらん。」

「こうですよ。」かっこうはからだをまえに曲げてしばらく構《かま》えてから
「かっこう」と一つなきました。

「何だい。それがドレミファかい。おまえたちには　それではドレミファも第六交響楽も同じなんだな。」

「それはちがいます。」

「どうちがうんだ。」

「むずかしいのはこれをたくさん続けたのがあるんです。」

「つまりこうだろう。」セロ弾きはまたセロをとって、かっこうかっこうかっこうかっこうかっこうとつづけてひきました。

するとかっこうはたいへんよろこんで途中からかっこうかっこうかっこうかっこうかっこうとついて叫

びました。それももうもう一生けん命からだをまげていつまでも叫ぶのです。

　ゴーシュはとうとう手が痛くなって
「こら、いいかげんにしないか。」と云《い》いながらやめました。するとかっこうは残念そうに眼をつりあげてまだしばらくないていましたがやっと
「……かっこうかくうかっかっかっかっか」と云ってやめました。

　ゴーシュがすっかりおこってしまって、

「こらとり、もう用が済んだらかえれ」と云いました。

「どうかもういっぺん弾いてください。あなたのはいいようだけれどもすこしちがうんです。」

「何だと、おれがきさまに教わってるんではないんだぞ。帰らんか。」

「どうかたったもう一ぺんおねがいです。どうか。」かっこうは頭を何べんもこんこん下げました。

「ではこれっきりだよ。」

　ゴーシュは弓をかまえました。かっこうは「くっ」とひとつ息をして
「ではなるべく永くおねがいいたします。」といってまた一つおじぎをしました。

「いやになっちまうなあ。」ゴーシュはにが笑いしながら弾きはじめました。するとかっこうはまたまるで本気になって「かっこうかっこうかっこう」とからだをまげてじつに一生けん命叫びました。ゴーシュははじめはむしゃくしゃしていましたがいつまでもつづけて弾いているうちにふっと何だかこれは鳥の方がほんとうのドレミファにはまっているかなという気がしてきました。

どうも弾けば弾くほどかっこうの方がいいような気がするのでした。

「えいこんなばかなことしていたらおれは鳥になってしまうんじゃないか。」とゴーシュはいきなりぴたりとセロをやめました。

するとかっこうはどしんと頭を叩《たた》かれたようにふらふらっとしてそれからまたさっきのように
「かっこうかっこうかっこうかっかっかっかっかっ」と云ってやめました。それから恨《うら》めしそうにゴーシュを見て
「なぜやめたんですか。ぼくらならどんな意気地《いくじ》ないやつでものどから血が出るまでは叫ぶんですよ。」と云《い》いました。

「何を生意気な。こんなばかなまねをいつまでしていられるか。もう出て行け。見ろ。夜があけるんじゃないか。」ゴーシュは窓を指さしました。

東のそらがぼうっと銀いろになってそこをまっ黒な雲が北の方へどんどん走っています。

「ではお日さまの出るまでどうぞ。もう一ぺん。ちょっとですから。」

かっこうはまた頭を下げました。

「黙れっ。いい気になって。このばか鳥め。出て行かんとむしって朝飯に食ってしまうぞ。」ゴーシュはどんと床をふみました。

するとかっこうはにわかにびっくりしたようにいきなり窓をめがけて飛び立ちました。そして硝子《ガラス》にはげしく頭をぶっつけてばたっと下へ落ちました。

「何だ、硝子へばかだなあ。」ゴーシュはあわてて立って窓をあけようとしましたが元来この窓

はそんなにいつでもするする開く窓ではありませんでした。ゴーシュが窓のわくをしきりにがたがたしているうちにまたかっこうがばっとぶっつかって下へ落ちました。見ると嘴《くちばし》のつけねからすこし血が出ています。

「いまあけてやるから待っていろったら。」ゴーシュがやっと二寸《すん》ばかり窓をあけたとき、かっこうは起きあがって何が何でもこんどこそというようにじっと窓の向こうの東のそらをみつめて、あらん限りの力をこめた風でぱっと飛びたちました。もちろんこんどは前よりひどく硝子につきあたってかっこうは下へ落ちたまましばらく身動きもしませんでした。つかまえてドアから飛ばしてやろうとゴーシュが手を出しましたらいきなりかっこうは眼をひらいて飛びのきました。そしてまたガラスへ飛びつきそうにするのです。ゴーシュは思わず足を上げて窓をばっとけりました。ガラスは二三枚物すごい音して砕け窓はわくのまま外へ落ちました。そのがらんとなった窓のあとをかっこうが矢のように外へ飛びだしました。そしてもうどこまでもどこまでもまっすぐに飛んで行ってとうとう見えなくなってしまいました。ゴーシュはしばらく呆《あき》れたように外を見ていましたが、そのまま倒れるように室《へや》のすみへころがって睡《ねむ》ってしまいました。

次の晩もゴーシュは夜中すぎまでセロを弾いてつかれて水を一杯のんでいますと、また扉《と》をこつこつと叩くものがあります。

今夜は何が来てもゆうべのかっこうのようにはじめからおどかして追い払ってやろうと思ってコップをもったまま待ち構《かま》えて居《お》りますと、扉がすこしあいて一疋《ぴき》の狸《たぬき》の子がはいってきました。

ゴーシュはそこでその扉をもう少し広くひらいて置いてどんと足をふんで、

「こら、狸《たぬき》、おまえは狸汁ということを知っているかっ。」とどなりました。すると狸の子はぼんやりした顔をしてきちんと床へ座ったままどうもわからないというように首をまげて考えていましたが、しばらくたって
「狸汁ってぼく知らない。」と云《い》いました。ゴーシュはその顔を見て思わず吹き出そうとしましたが、まだ無理に恐《こわ》い顔をして、

「では教えてやろう。狸汁というのはな。おまえのような狸をな、キャベジや塩とまぜてくたくたと煮ておれさまの食うようにしたものだ。」と云いました。すると狸の子はまたふしぎそうに
「だってぼくのお父さんがね、ゴーシュさんはとてもいい人でこわくないから行って習えと云ったよ。」と云いました。そこでゴーシュもとうとう笑い出してしまいました。

「何を習えと云ったんだ。おれはいそがしいんじゃないか。それに睡《ねむ》いんだよ。」狸の子は俄《にわ》かに勢いがついたように一足前へ出ました。

「ぼくは小太鼓の係りでねえ。セロへ合わせてもらって来いと云われたんだ。」

「どこにも小太鼓がないじゃないか。」

「そら、これ」狸の子はせなかから棒きれを二本出しました。

「それでどうするんだ。」

「ではね、『愉快な馬車屋』を弾いてください。」

「何だ愉快な馬車屋ってジャズか。」

「ああこの譜だよ。」狸の子はせなかからまた一枚の譜をとり出しました。ゴーシュは手にとってわらい出しました。

「ふう、変な曲だなあ。よし、さあ弾くぞ。おまえは小太鼓を叩《たた》くのか。」ゴーシュは狸の子がどうするのかと思ってちらちらそっちを見ながら弾きはじめました。

すると狸の子は棒をもってセロの駒《こま》の下のところを拍子をとってぽんぽん叩きはじめました。それがなかなかうまいので弾いているうちにゴーシュはこれは面白いぞと思いました。

おしまいまでひいてしまうと狸の子はしばらく首をまげて考えました。

それからやっと考えついたというように云いました。

「ゴーシュさんはこの二番目の糸をひくときはきたいに遅れるねえ。なんだかぼくがつまずくようになるよ。」

ゴーシュははっとしました。たしかにその糸はどんなに手早く弾いてもすこしたってからでないと音が出ないような気がゆうべからしていたのでした。

「いや、そうかもしれない。このセロは悪いんだよ。」とゴーシュはかなしそうに云いました。すると狸は気の毒そうにしてまたしばらく考えていましたが

「どこが悪いんだろうなあ。ではもう一ぺん弾いてくれますか。」

「いいとも弾くよ。」ゴーシュははじめました。狸の子はさっきのようにとんとん叩きながら時々頭をまげてセロに耳をつけるようにしました。そしておしまいまで来たときは今夜もまた東がぼうと明るくなっていました。

「あ、夜が明けたぞ。どうもありがとう。」狸《たぬき》の子は大へんあわてて譜や棒きれをせなかへしょってゴムテープでぱちんととめておじぎを二つ三つすると急いで外へ出て行ってしまいました。

ゴーシュはぼんやりしてしばらくゆうべのこわれたガラスからはいってくる風を吸っていましたが、町へ出て行くまで睡《ねむ》って元気をとり戻そうと急いでねどこへもぐり込みました。

次の晩もゴーシュは夜通しセロを弾いて明方近く思わずつかれて楽器をもったまままうとうとしていますとまた誰《たれ》か扉《と》をこつこつと叩《たた》くものがあります。それもまるで聞えるか聞えないかの位でしたが毎晩のことなのでゴーシュはすぐ聞きつけて「おはいり。」と云いました。すると戸のすきまからはいって来たのは一ぴきの野ねずみでした。そして大へんちいさなこどもをつれてちょろちょろとゴーシュの前へ歩いてきました。そのまた野ねずみのこどもと来たらまるでけしごむのくらいしかないのでゴーシュはおもわずわらいました。すると野ねずみは何をわらわれたろうというようにきょろきょろしながらゴーシュの前に来て、青い栗《くり》の実を一つぶ前においてちゃんとおじぎをして云《い》いました。

「先生、この児《こ》があんばいがわるくて死にそうでございますが先生お慈悲《じひ》になおしてやってくださいまし。」

「おれが医者などやれるもんか。」ゴーシュはすこしむっとして云いました。すると野ねずみのお母さんは下を向いてしばらくだまっていましたがまた思い切ったように云いました。

「先生、それはうそでございます。先生は毎日あんなに上手にみんなの病気をなおしておいでになるではありませんか。」

「何のことだかわからんね。」

「だって先生先生のおかげで、兎《うさぎ》さんのおばあさんもなおりましたし狸さんのお父さんもなおりましたしあんな意地悪のみみずくまでなおしていただいたのにこの子ばかりお助けをいただけないとはあんまり情ないことでございます。」

「おいおい、それは何かの間ちがいだよ。おれはみみずくの病気なんどなおしてやったことはないからな。もっとも狸の子はゆうべ来て楽隊のまねをして行ったがね。ははん。」ゴーシュは呆《あき》れてその子ねずみを見おろしてわらいました。

すると野鼠《のねずみ》のお母さんは泣きだしてしまいました。

「ああこの児はどうせ病気になるならもっと早くなればよかった。さっきまであれ位ごうごうと鳴らしておいでになったのに、病気になるといっしょにぴたっと音がとまってもうあとはいくらおねがいしても鳴らしてくださらないなんて。何てふしあわせな子どもだろう。」

ゴーシュはびっくりして叫びました。

「何だと、ぼくがセロを弾けばみみずくや兎の病気がなおると。どういうわけだ。それは。」

野ねずみは眼を片手でこすりこすり云いました。

「はい、ここらのものは病気になるとみんな先生のおうちの床下にはいって療《なお》すのでございます。」

「すると療るのか。」

「はい。からだ中とても血のまわりがよくなって大へんいい気持ちですぐに療《なお》る方もあればうちへ帰ってから療る方もあります。」

「ああそうか。おれのセロの音がごうごうひびくと、それがあんまの代わりになっておまえたちの病気がなおるというのか。よし。わかったよ。やってやろう。」ゴーシュはちょっとギウギウと糸を合わせてそれからいきなりのねずみのこどもをつまんでセロの孔《あな》から中へ入れてしまいました。

「わたしもいっしょについて行きます。どこの病院でもそうですから。」おっかさんの野ねずみはきちがいのようになってセロに飛びつきました。

「おまえさんもはいるかね。」セロ弾きはおっかさんの野ねずみをセロの孔からくぐしてやろうとしましたが顔が半分しかはいりませんでした。

野ねずみはばたばたしながら中のこどもに叫びました。

「おまえそこはいいかい。落ちるときいつも教えるように足をそろえてうまく落ちたかい。」

「いい。うまく落ちた。」こどものねずみはまるで蚊のような小さな声でセロの底で返事しました。

「大丈夫さ。だから泣き声出すなというんだ。」ゴーシュはおっかさんのねずみを下におろしてそれから弓をとって何とかラプソディとかいうものをごうごうがあがあ弾きました。するとおっかさんのねずみはいかにも心配そうにその音の工合《ぐあい》をきいていましたがとうとうこらえ切れなくなったふうで

「もう沢山《たくさん》です。どうか出してやってください。」と云《い》いました。

「なあんだ、これでいいのか。」ゴーシュはセロをまげて孔のところに手をあてて待っていましたら間もなくこどものねずみが出てきました。ゴーシュは、だまってそれをおろしてやりました。見るとすっかり目をつぶってぶるぶるぶるぶるふるえていました。

「どうだったの。いいかい。気分は。」

こどものねずみはすこしもへんじもしないでまだしばらく眼をつぶったままぶるぶるぶるぶるふるえていましたがにわかに起きあがって走りだした。

「ああよくなったんだ。ありがとうございます。ありがとうございます。」おっかさんのねずみもいっしょに走っていましたが、まもなくゴーシュの前に来てしきりにおじぎをしながら「ありがとうございますありがとうございます」と十ばかり云いました。

ゴーシュは何がなかあいそうになって「おい、おまえたちはパンはたべるのか。」とききました。

すると野鼠《のねずみ》はびっくりしたようにきょろきょろあたりを見まわしてから
「いえ、もうおパンというものは小麦の粉をこねたりむしたりしてこしらえたものでふくふく膨《ふく》らんでいておいしいものなそうでございますが、そうでなくても私どもはおうちの戸棚《とだな》へなど参ったこともございませんし、ましてこれ位お世話になりながらどうしてそれを運びになんど参れましょう。」と云いました。

「いや、そのことではないんだ。ただたべるのかときいたんだ。ではたべるんだな。ちょっと待てよ。その腹の悪いこどもへやるからな。」

ゴーシュはセロを床へ置いて戸棚からパンを一つまみむしって野ねずみの前へ置きました。

野ねずみはもうまるでばかのようになって泣いたり笑ったりおじぎをしたりしてから大じそうにそれをくわえてこどもをさきに立てて外へ出て行きました。

「あああ。鼠と話するのもなかなかつかれるぞ。」ゴーシュはねどこへどっかり倒れてすぐぐうぐうねむってしまいました。


それから六日目の晩でした。金星音楽団の人たちは町の公会堂のホールの裏にある控室へみんなぱっと顔をほてらしてめいめい楽器をもって、ぞろぞろホールの舞台から引きあげて来ました。首尾よく第六交響曲を仕上げたのです。ホールでは拍手の音がまだ嵐《あらし》のように鳴って居《お》ります。楽長はポケットへ手をつっ込んで拍手なんかどうでもいいというようにのそのそみんなの間を歩きまわっていましたが、じつはどうして嬉《うれ》しさでいっぱいなのでした。みんなはたばこをくわえてマッチをすったり楽器をケースへ入れたりしました。

ホールではまだぱちぱち手が鳴っています。それどころではなくいよいよそれが高くなって何だかこわいような手がつけられないような音になりました。大きな白いリボンを胸につけた司会者がはいって来ました。

「アンコールをやっていますが、何かみじかいものでもきかせてやってくださいませんか。」

すると楽長がきっとなって答えました。

「いけませんな。こういう大物のあとへ何を出したってこっちの気の済むようには行くもんでないんです。」

「では楽長さん出て一寸挨拶《ちょっとあいさつ》して下さい。」

「だめだ。おい、ゴーシュ君、何か出て弾いてやってくれ。」

「わたしがですか。」ゴーシュは呆気《あっけ》にとられました。

「君だ、君だ。」ヴァイオリンの一番の人がいきなり顔をあげて云《い》いました。

「さあ出て行きたまえ。」楽長が云いました。みんなもセロをむりにゴーシュに持たせて扉《と》をあけるといきなり舞台へゴーシュを押し出してしまいました。ゴーシュがその孔《あな》のあいたセロをもってじつに困ってしまって舞台へ出るとみんなはそら見ろというように一そうひどく手を叩《たた》きました。わあと叫んだものもあるようでした。

「どこまでひとをばかにするんだ。よし見ていろ。印度《インド》の虎狩《とらがり》をひいてやるから。」ゴーシュはすっかり落ちついて舞台のまん中へ出ました。

それからあの猫の来たときのようにまるで怒った象のような勢いで虎狩りを弾きました。ところが聴衆はしいんとなって一生けん命聞いています。ゴーシュはどんどん弾きました。猫が切《せつ》ながってぱちぱち火花を出したところも過ぎました。扉へからだを何べんもぶっつけた所も過ぎました。

曲が終るとゴーシュはもうみんなの方などは見もせずちょうどその猫のようにすばやくセロをもって楽屋へ遁《に》げ込みました。するとと楽屋では楽長はじめ仲間がみんな火事にでもあったあとのように眼をじっとしてひっそりとすわり込んでいます。ゴーシュはやぶれかぶれだと思ってみんなの間をさっさとあるいて行って向こうの長椅子《ながいす》へどっかりとからだをおろして足を組んですわりました。

するとみんなが一ぺんに顔をこっちへ向けてゴーシュを見ましたがやはりまじめでべつにわらっているようでもありませんでした。

「こんやは変な晩だなあ。」

ゴーシュは思いました。ところが楽長は立って云《い》いました。

「ゴーシュ君、よかったぞお。あんな曲だけれどもここではみんなかなり本気になって聞いてたぞ。一週間か十日の間にずいぶん仕上げたなあ。十日前とくらべたらまるで赤ん坊と兵隊だ。やろうと思えばいつでもやれたんじゃないか、君。」

仲間もみんな立って来て「よかったぜ」とゴーシュに云いました。

「いや、からだが丈夫だからこんなこともできるよ。普通の人なら死んでしまうからな。」楽長が向こうで云っていました。

その晩遅くゴーシュは自分のうちへ帰って来ました。

そしてまた水をがぶがぶ呑《の》みました。それから窓をあけていつかかっこうの飛んで行ったと思った遠くのそらをながめながら
「ああかっこう。あのときはすまなかったなあ。おれは怒ったんじゃなかったんだ。」と云いました。

北守将軍と三人兄弟の医者

ほくしゅしょうぐんとさんにんきょうだいのいしゃ

一、三人兄弟の医者

むかしラユーという首都に、兄弟三人の医者がいた。いちばん上のリンパーは、普通の人の医者だった。その弟のリンプーは、馬や羊の医者だった。いちばん末のリンポーは、草だの木だの医者だった。そして兄弟三人は、町のいちばん南にあたる、黄いろな崖《がけ》のとっぱなへ、青い瓦《かわら》の病院を、三つならべて建てていて、てんでに白や朱の旗を、風にぱたぱた云《い》わせていた。

坂のふもとで見ていると、漆《うるし》にかぶれた坊さんや、少しびっこをひく馬や、萎《しお》れかかった牡丹《ぼたん》の鉢《はち》を、車につけて引く園丁《えんてい》や、いんこを入れた鳥籠《とりかご》や、次から次とのぼって行って、さて坂上に行き着くと、病気の人は、左のリンパー先生へ、馬や羊や鳥《とり》類は、中のリンプー先生へ、草木をもった人たちは、右のリンポー先生へ、三つにわかれてはいるのだった。

さて三人は三人とも、実に医術もよくできて、また仁心《じんしん》も相当あって、たしかにもはや名医の類であったのだが、まだいい機会《おり》がなかったために別に位もなかったし、遠くへ名前も聞こえなかった。ところがとうとうある日のこと、ふしぎなことが起ってきた。

二、北守将軍《ほくしゅ》ソンバーユー

ある日のちょうど日の出ごろ、ラユーの町の人たちは、はるかな北の野原の方で、鳥か何かがたくさん群れて、声をそろえて鳴くような、おかしな音を、ときどき聴《き》いた。はじめは誰《だれ》も気にかけず、店を掃《は》いたりしていたが、朝めしすこしすぎたころ、だんだんそれが近づいて、みんな立派なチャルメラや、ラッパの音だとわかってくると、町じゅうにわかにざわざわした。その間にはぱたぱたいう、太鼓《たいこ》の類の音もする。もう商人《あきうど》も職人も、仕事がすこしも手につかない。門を守った兵隊たちは、まず門をみなしっかりとざし、町をめぐった壁の上には、見張りの者をならべて置いて、それからお宮へ知らせを出した。

そしてその日の午《ひる》ちかく、ひづめの音や鎧《よろい》の気配、また号令の声もして、向こうはすっかり、この町を、囲んでしまった模様であった。

番兵たちや、あらゆる町の人たちが、まるでどきどきやりながら、矢を射る孔《あな》からのぞいて見た。壁の外から北の方、まるで雲霞《うんか》の軍勢だ。ひらひらひかる三角旗や、ほこがさながら林のようだ。ことになんとも奇体《きたい》なことは、兵隊たちが、みな灰いろでぼさぼさして、なんだかけむりのようなのだ。するどい眼《め》をして、ひげが二いろまっ白な、せなかのまがった大将が、尻尾《しっぽ》が箒《ほうき》のかたちになって、うしろにぴんとのびている白馬《はくば》に乗って先頭に立ち、大きな剣を空にあげ、声高々《たかだか》と歌っている。

「北守将軍ソンバーユーは
いま塞外《さいがい》の砂漠《さばく》から
やっとのことで戻ってきた。
勇ましい凱旋《がいせん》だと云いたいが
実はすっかり参って来たのだ
とにかくあすこは寒い処《ところ》さ。
三十年という黄いろなむかし
おれは十万の軍勢をひきい
この門をくぐって威張《いば》って行った。
それからどうだもう見るものは空ばかり
風は乾いて砂を吹き
雁《かり》さえ干《ほ》せてたびたび落ちた
おれはその間《あいだ》馬でかけ通し
馬がつかれてたびたびペタンと座り
涙をためてはじっと遠くの砂を見た。
その度《たび》ごとにおれは鎧《よろい》のかくしから
塩をすこうし取り出して

馬に嘗《な》めさせては元気をつけた。
その馬も今では三十五歳
五里かけるにも四時間かかる
それからおれはもう七十だ。
とても帰れまいと思っていたが
ありがたや敵が残らず脚気《かっけ》で死んだ
今年の夏はへんに湿気《しっき》が多かったでな。
それに脚気の原因が
あんまりこっちを追いかけて
砂を走ったためなんだ
そうしてみればどうだやっぱり凱旋《がいせん》だろう。
殊《こと》にも一つほめられていいことは
十万人もでかけたものが
九万人まで戻って来た。
死んだやつらは気の毒だが
三十年の間には
たとえいくさに行かなくたって
一割ぐらいは死ぬんじゃないか。

そこでラユーのむかしのともよ
またこどもらよきょうだいよ
北守将軍ソンバーユーと
その軍勢が帰ったのだ
門をあけてもいいではないか。」

さあ城壁のこっちでは、湧《わ》きたつような騒動だ。うれしまぎれに泣くものや、両手をあげて走るもの、じぶんで門をあけようとして、番兵たちに叱《しか》られるもの、もちろん王のお宮へは使《つかい》が急いで走って行き、城門の扉《と》はぴしゃんと開いた。おもての方の兵隊たちも、もううれしくて、馬にすがって泣いている。

顔から肩から灰いろの、北守将軍ソンバーユーは、わざとくしゃくしゃ顔をしかめ、しずかに馬のたづなをとって、まっすぐを向いて先登《せんとう》に立ち、それからラッパや太鼓《たいこ》の類、三角ばたのついた槍《やり》、まっ青に銹《さ》びた銅のほこ、それから白い矢をしょった、兵隊たちが入ってくる。馬は太鼓に歩調を合わせ、殊にもさきのソン将軍の白馬《しろうま》は、歩くたんびに膝《ひざ》がぎちぎち音がして、ちょうどひょうしをとるようだ。兵隊たちは軍歌をうたう。

「みそかの晩とついたちは
砂漠《さばく》に黒い月が立つ。
西と南の風の夜《よ》は
月は冬でもまっ赤だよ。

雁《がん》が高みを飛ぶときは
敵が遠くへ遁《に》げるのだ。
追おうと馬にまたがれば
にわかに雪がどしゃぶりだ。」

兵隊たちは進んで行った。九万の兵というものはただ見ただけでもぐったりする。

「雪の降る日はひるまでも
そらはいちめんまっくらで
わずかに雁の行くみちが
ぼんやり白く見えるのだ。
砂がこごえて飛んできて
枯れたよもぎをひっこぬく。
抜けたよもぎは次次と
都の方へ飛んで行く。」

みんなは、みちの両側に、垣《かき》をきずいて、ぞろっとならび、泪《なみだ》を流してこれを見た。かくて、バーユー将軍が、三町ばかり進んで行って、町の広場についたとき、向こうのお宮の方角から、黄いろな旗がひらひらして、誰《たれ》かこっちへやってくる。これはたしかに知らせが行って、王から迎いが来たのである。

ソン将軍は馬をとめ、ひたいに高く手をかざし、よくよくそれを見きわめて、それから俄《にわ》かに一礼し、急いで、馬を降りようとした。ところが馬を降りられない、もう将軍の両足は、しっかり馬の鞍《くら》につき、鞍はこんどは、がっしりと馬の背中にくっついて、もうどうしてもはなれない。さすが豪気《ごうぎ》の将軍も、すっかりあわてて赤くなり、口をびくびく横に曲げ、一生けん命、はね下《お》りようとするのだが、どうにもからだがうごかなかった。ああこれこそじつに将軍が、三十年も、国境の空気の乾いた砂《さ》漠《ばく》のなかで、重いつとめを肩に負い、一度も馬を下りないために、馬とひとつになったのだ。おまけに砂漠のまん中で、どこにも草の生えるところがなかったために、多《た》分《ぶん》はそれが将軍の顔を見付けて生《は》えたのだろう。灰いろをしたふしぎなものがもう将軍の顔や手や、まるでいちめん生えていた。兵隊たちにも生えていた。そのうち使いの大臣は、だんだん近くやって来て、もうまっさきの大きな槍《やり》や、旗のしるしも見えて来た。

将軍、馬を下りなさい。王様からのお迎いです。将軍、馬を下りなさい。向こうの列で誰《だれ》か云う。将軍はまた手をばたばたしたが、やっぱりからだがはなれない。

ところが迎いの大臣は、鮒《ふな》よりひどい近眼《きんがん》だった。わざと馬から下りないで、両手を振って、みんなに何か命令してると考えた。

「謀叛《むほん》だな。よし。引き上げろ。」そう大臣はみんなに云った。そこで大臣一行は、くるっと馬を立て直し、黄いろな塵《ちり》をあげながら、一目散《いちもくさん》に戻って行く。ソン将軍はこれを見て肩をすぼめてため息をつき、しばらくぼんやりしていたが、俄かにうしろを振り向いて、軍師の長を呼び寄せた。

「おまえはすぐに鎧《よろい》を脱いで、おれの刀と弓をもち、早くお宮へ行ってくれ。それから誰かにこう云《い》うのだ。北守将軍ソンバーユーは、あの国境の砂漠の上で、三十年のひるも夜《よ》も、馬から下りるひまがなく、とうとうからだが鞍につき、そのまた鞍が馬について、どうにもお前へ出られません。これからお医者に行きまして、やがて参内《さんだい》いたします。こうていねいに云ってくれ。」

軍師の長はうなずいて、すばやく鎧と兜《かぶと》を脱ぎ、ソン将軍の刀をもって、一目散にかけて行く。

ソン将軍はみんなに云った。

「全軍しずかに馬をおり、兜《かぶと》をぬいで地に座れ。ソン大将はただ今から、ちょっとお医者へ行ってくる。そのうち音をたてないで、じいっとやすんでいてくれい。わかったか。」

「わかりました。将軍」兵隊共は声をそろえて一度に叫ぶ。将軍はそれを手で制し、急いで馬に鞭《むち》うった。たびたびぺたんと砂漠《さばく》に寝た、この有名な白馬《しろうま》は、ここで最後の力を出し、がたがたがたがた鳴りながら、風より早くかけ出した。さて将軍は十町ばかり、夢中で馬を走らせて、大きな坂の下に来た。それから俄《にわ》かにこう云った。

「上手《じょうず》な医者はいったい誰《だれ》だ。」

一人の大工が返事した。

「それはリンパー先生です。」

「そのリンパーはどこに居る。」

「すぐこの坂のま上です。あの三つある旗のうち、一番左でございます。」

「よろしい、しゅう。」と将軍は、例の白馬《はくば》に一鞭《むち》くれて、一気に坂をかけあがる。大工はあとでぶつぶつ云った。

「何だ、あいつは野蛮《やばん》なやつだ。ひとからものを教《おそ》わって、よろしい、しゅう　とはいったいなんだ。」

ところがバーユー将軍は、そんなことには構《かま》わない。そこらをうろうろあるいている、病人たちをはね越えて、門の前まで上《のぼ》っていた。なるほど門のはしらには、小医リンパー先生と、金看《きんかん》板《ばん》がかけてある。

三、リンパー先生

さてソンバーユー将軍は、いまやリンパー先生の、大玄関《だいげんかん》を乗り切って、どしどし廊下へ入って行く。さすがはリンパー病院だ、どの天井も室《へや》の扉《と》も、高さが二丈《じょう》ぐらいある。

「医者はどこかね。診《み》てもらいたい。」ソン将軍は号令した。

「あなたは一体何《なん》ですか。馬のまんまで入るとは、あんまり乱暴すぎましょう。」萌黄《もえぎ》の長い服を着て、頭を剃《そ》った一人の弟子が、馬のくつわをつかまえた。

「おまえが医者のリンパーか、早くわが輩《はい》の病気を診ろ。」

「いいえ、リンパー先生は、向こうの室《へや》に居《お》られます。けれどもご用がおありなら、馬から下りていただきたい。」

「いいや、そいつができんのじゃ。馬からすぐに下りれたら、今ごろはもう王様の、前へ行ってた筈《はず》なんじゃ。」

「ははあ、馬から降りられない。そいつは脚《あし》の硬直《こうちょく》だ。そんならいいです。おいでなさい。」

弟子は向こうの扉《と》をあけた。ソン将軍はぱかぱかと馬を鳴らしてはいって行った。中には人がいっぱいで、そのまん中に先生らしい、小さな人が床几《しょうぎ》に座り、しきりに一人の眼を診ている。

「ひとつこっちをたのむのじゃ。馬から降りられないでのう。」そう将軍はやさしく云《い》った。ところがリンパー先生は、見向きもしないし動きもしない。やっぱりじっと眼を見ている。

「おい、きみ、早くこっちを見んか。」将軍が怒鳴《どな》り出したので、病人たちはびくっとした。ところが弟子がしずかに云った。

「診るには番がありますからな。あなたは九十六番で、いまは六人目ですから、もう九十人お待ちなさい。」

「黙れ、きさまは我輩《わがはい》に、七十二人待てっと云うか。おれを誰《たれ》だと考える。北守将軍ソンバーユーだ。九万人もの兵隊を、町の広場に待たせてある。おれが一人を待つことは七万二千の兵隊が、向こうの方で待つことだ。すぐ見ないならけちらすぞ。」将軍はもう鞭《むち》をあげ馬は一いきはねあがり、病人たちは泣きだした。ところがリンパー先生は、やっぱりびくともしていない、てんでこっちを見もしない。その先生の右手から、黄の綾《あや》を着た娘が立って、花瓶《かびん》にさした何かの花を、一枝《ひとえだ》とって水につけ、やさしく馬につきつけた。馬はぱくっとそれを噛《か》み、大きな息を一つして、ぺたんと四《よっ》つ脚《あし》を折り、今度はごうごういびきをかいて、首を落してねむってしまう。ソン将軍はまごついた。

「あ、馬のやつ、又《また》参ったな。困った。困った。困った。」と云って、急いで鎧《よろい》のかくしから、塩の袋をとりだして、馬に喰《た》べさせようとする。

「おい、起きんかい。あんまり情《なさ》けないやつだ。あんなにひどく難儀《なんぎ》して、やっと都に帰って来ると、すぐ気がゆるんで死ぬなんて、ぜんたいどういう考えなのか。こら、起きんかい。起きんかい。しっ、ふう、どう、おい、この塩を、ほんの一口たべんかい。」それでも馬は、やっぱりぐうぐうねむっている。ソン将軍はとうとう泣いた。

「おい、きみ、わしはとにかくに、馬だけどうかみてくれたまえ。こいつは北の国境で、三十年もはたらいたのだ。」

むすめはだまって笑っていたが、このときリンパー先生が、いきなりこっちを振り向いて、まるで将軍の胸底《むなそこ》から、馬の頭も見徹《みとお》すような、するどい眼をしてしずかに云った。

「馬はまもなく治ります。あなたの病気をしらべるために、馬を座らせただけです。あなたはそれで向こうの方で、何か病気をしましたか。」

「いいや、病気はしなかった。病気は別にしなかったが、狐《きつね》のために欺《だま》されて、どうもときどき困ったじゃ。」

「それは、どういう風《ふう》ですか。」

「向こうの狐はいかんのじゃ。十万近い軍勢を、ただ一ぺんに欺すんじゃ。夜に沢山《たくさん》火をともしたり、昼間いきなり砂漠《さばく》の上に、大きな海をこしらえて、城や何かも出したりする。全くたちが悪いんじゃ。」

「それは狐がしますのですか。」

「狐とそれから、砂鶻《サコツ》じゃね、砂鶻というて鳥なんじゃ。こいつは人の居《お》らないときは、高い処《ところ》を飛んでいて、誰《だれ》かを見ると試しに来る。馬のしっぽを抜いたりね。目をねらったりするもんで、こいつがでたらもう馬は、がたがたふるえてようあるかんね。」

「そんなら一ぺん欺《だま》されると、何日ぐらいでよくなりますか。」

「まあ四日じゃね。五日のときもあるようじゃ。」

「それであなたは今までに、何べんぐらい欺されました？」

「ごく少《すくな》くて十ぺんじゃろう。」

「それではお尋《たず》ねいたします。百と百とを加えると答はいくらになりますか。」

「百八十じゃ。」

「それでは二百と二百では。」

「さよう、三百六十だろう。」

「そんならも一つ伺《うかが》いますが、十の二倍は何ほどですか。」

「それはもちろん十八じゃ。」

「なるほど、すっかりわかりました。あなたは今でもまだ少し、砂漠《さばく》のためにつかれています。つまり十パーセントです。それではなおしてあげましょう。」

パー先生は両手をふって、弟子にしたくを云《い》い付けた。弟子は大きな銅鉢《どうばち》に、何かの薬をいっぱい盛って、布巾《ふきん》を添えて持って来た。ソン将軍は両手を出して鉢をきちんと受けとった。パー先生は片袖《かたそで》まくり、布巾に薬をいっぱいひたし、かぶとの上からざぶざぶかけて、両手でそれをゆすぶると、兜《かぶと》はすぐにすぱりととれた。弟子がも一人、もひとつ別の銅鉢へ、別の薬をもってきた。そこでリンパー先生は、別の薬でじゃぶじゃぶ洗う。雫《しずく》はまるでまっ黒だ。ソン将軍は心配そうに、うつむいたまま訊《き》いている。

「どうかね、馬は大丈夫かね。」

「もうじきです。」とパー先生は、つづけてじゃぶじゃぶ洗っている。雫がだんだん茶いろになって、それからうすい黄いろになった。それからとうとうもう色もなく、ソン将軍の白髪《はくはつ》は、熊《くま》より白く輝いた。そこでリンパー先生は、布巾を捨てて両手を洗い、弟子は頭と顔を拭《ふ》く。将軍はぶるるっと身ぶるいして、馬にきちんと起きあがる。

「どうです、せいせいしたでしょう。ところで百と百とをたすと、答はいくらになりますか。」

「もちろんそれは二百だろう。」

「そんなら二百と二百とたせば。」

「さよう、四百にちがいない。」

「十の二倍はどれだけですか。」

「それはもちろん二十じゃな。」さっきのことは忘れた風で、ソン将軍はけろりと云う。

「すっかりおなおりなりました。つまり頭の目がふさがって、一割いけなかったのですな。」

「いやいや、わしは勘定《かんじょう》などの、十や二十はどうでもいいんじゃ。それは算師がやるでのう。わしは早速この馬と、わしをはなしてもらいたいんじゃ。」

「なるほどそれはあなたの足を、あなたの服と引きはなすのは、すぐ私《わたくし》に出来るです。いやもう離れている筈《はず》です。けれども、ずぼんが鞍《くら》につき、鞍がまた馬についたのを、はなすというのは別ですな。それはとなりで、私の弟がやっていますから、そっちへおいでいただきます。それにいったいこの馬もひどい病気にかかっています。」

「そんならわしの顔から生えた、このもじゃもじゃはどうじゃろう。」

「そちらもやっぱり向こうです。とにかくひとつとなりの方へ、弟子をお供《とも》に出しましょう。」

「それではそっちへ行くとしよう。ではさようなら。」

さっきの黄色いきものをつけた、むすめが馬の右耳に、息を一つ吹き込んだ。馬はがばっとはねあがり、ソン将軍は俄《にわ》かに背《せい》が高くなる、将軍は馬のたづなをとり、弟子とならんで室《へや》を出る。それから庭をよこぎって厚い土塀《どべい》の前に来た。小さな潜《くぐ》りがあいている。

「いま裏門をあけさせましょう。」助手は潜りを入って行く。

「いいや、それには及ばない。わたしの馬はこれぐらい、まるで何とも思ってやしない。」

将軍は馬にむちをやる。

ぎっ、ばっ、ふう。馬は土塀をはね越えて、となりのリンプー先生の、けしのはたけをめちゃくちゃに、踏みつけながら立っていた。

四、馬医リンプー先生

ソン将軍が、お医者の弟子と、けしの畑をふみつけて向こうの方へ歩いて行くと、もうあっちからもこっちからも、ぶるるるふうというような、馬の仲間の声がする。そして二人が正面の、巨《おお》きな棟《むね》にはいって行くと、もう四方《しほう》から馬どもが、二十疋《ぴき》もかけて来て、蹄《ひづめ》をことことと鳴らしたり、頭をぶらぶらしたりして、将軍の馬に挨拶《あいさつ》する。

向こうでリンプー先生は、首のまがった茶いろの馬に、白い薬を塗っている。さっきの弟子が進んで行って、ちょっと何かをささやくと、馬医のリンプー先生は、わらってこっちをふりむいた。巨きな鉄の胸甲《むなあて》を、がっしりはめていることは、ちょうどやっぱり鎧《よろい》のようだ。馬にけられぬためらしい。将軍はすぐその前へ、じぶんの馬を乗りつけた。

「あなたがリンプー先生か。わしは将軍ソンバーユーじゃ。何分《なにぶん》ひとつたのみたい。」

「いや、その由《よし》を伺《うかが》いました。あなたのお馬はたしか三十九ぐらいですな。」

「四捨五入して、そうじゃ、やっぱり三十九じゃな。」

「ははあ、ただいま手術いたします。あなたは馬の上に居て、すこし煙《けむ》いかしれません。それをご承知くださいますか。」

「煙い？　なんのどうして煙《けむ》ぐらい、砂漠《さばく》で風の吹くときは、一分間に四十五以上、馬を跳躍させるんじゃ。それを三つも、やすんだら、もう頭まで埋まるんじゃ。」

「ははあ、それではやりましょう。おい、フーシュ。」プー先生は弟子を呼ぶ。弟子はおじぎを一つして、小さな壺《つぼ》をもって来た。プー先生は蓋《ふた》をとり、何か茶いろな薬を出して、馬の眼《まなこ》に塗りつけた。それから「フーシュ」とまた呼んだ。弟子はおじぎを一つして、となりの室《へや》へ入って行って、しばらくごとごとしていたが、まもなく赤い小さな餅《もち》を、皿《さら》にのっけて帰って来た。先生はそれをつまみあげ、しばらく指ではさんだり、匂《におい》をかいだりしていたが、何か決心したらしく、馬にぱくりと喰《た》べさせた。ソン将軍は、その白馬《しろうま》の上に居て、待ちくたびれてあくびをした。するとにわかに白馬は、がたがたがたがたふるえ出しそれからからだ一面に、あせとけむりを噴き出した。プー先生はこわそうに、遠くへ行ってながめている。がたがたがたがた鳴りながら、馬はけむりをつづけて噴いた。そのまた煙が無暗《むやみ》に辛《から》い。ソン将軍も、はじめは我慢していたが、とうとう両手を眼《め》にあてて、ごほんごほんとせきをした。そのうちだんだんけむりは消えてこんどは、汗が滝よりひどくながれだす。プー先生は近くへよって、両手をちょっと鞍《くら》にあて、二つつばかりゆすぶった。

たちまち鞍はすぱりとはなれ、はずみを食った将軍は、床にすとんと落とされた。ところがさすが将軍だ。いつかきちんと立っている。おまけに鞍と将軍も、もうすっかりとはなれていて、将軍はまがった両足を、両手でぱしゃぱしゃ叩《たた》いたし、馬は俄かに荷がなくなって、さも見当《けんとう》がつかないらしく、せなかをゆらゆらゆすぶった。するとバーユー将軍はこんどは馬のほうきのようなしっぽを持って、いきなりぐっと引っ張った。すると何やらまっ白な、尾の形した塊が、ごとりと床にころがり落ちた。馬はいかにも軽そうに、いまは全く毛だけになったしっぽを、ふさふさ振っている。弟子が三人集まって、馬のからだをすっかりふいた。

「もういいだろう。歩いてごらん。」

馬はしずかに歩きだす。あんなにぎちぎち軋《きし》んだ膝《ひざ》がいまではすっかり鳴らなくなった。プー先生は手をあげて、馬をこっちへ呼び戻し、おじぎを一つ将軍にした。

「いや謝《しゃ》しますじゃ。それではこれで。」将軍は、急いで馬に鞍を置き、ひらりとそれにまたがれば、そこらあたりの病気の馬は、ひんひん別れの挨拶《あいさつ》をする。ソン将軍は室《へや》を出て塀《へい》をひらりと飛び越えて、となりのリンポー先生の、菊のはたけに飛び込んだ。

五、リンポー先生

さてもリンポー先生の、草木を治すその室は、林《はやし》のようなものだった。あらゆる種類の木や花が、そこらいっぱいならべてあって、どれにもみんな金だの銀の、巨《おお》きな札がついている。そこを、バーユー将軍は、馬から下りて、ゆっくりと、ポー先生の前へ行く。さっきの弟子がさきまわりして、すっかり談《はな》していたらしく、ポー先生は薬の函《はこ》と大きな赤い団扇《うちわ》をもって、ごくうやうやしく待っていた。ソン将軍は手をあげて、

「これじゃ。」と顔を指さした。ポー先生は黄いろな粉を、薬函から取り出して、ソン将軍の顔から肩へ、もういっぱいにふりかけて、それから例のうちわをもって、ばたばたばたばた扇《あお》ぎ出す。するとたちまち、将軍の、顔じゅうの毛はまっ赤に変り、みんなふわふわ飛び出して、見ているうちに将軍は、すっかり顔がつるつるなった。じつにこのとき将軍は、三十年ぶりにっこりした。

「それではこれで行きますじゃ。からだもかるくなったでのう。」もう将軍はうれしくて、はやてのように室を出て、おもての馬に飛び乗れば、馬はたちまち病院の、巨きな門を外に出た。あ

とから弟子が六人で、兵隊たちの顔から生えた灰いろの毛をとるために、薬の袋とうちわをもって、ソン将軍を追いかけた。

六、北守将軍仙人《せんにん》となる

さてソンバーユー将軍は、ポー先生の玄関を、光のように飛び出して、となりのリンプー病院を、はやてのごとく通り過ぎ、次のリンパー病院を、斜めに見ながらもう一散《いっさん》に、さっきの坂をかけ下りる。馬は五倍も速いので、もう向こうには兵隊たちの、やすんでいるのが見えてきた。兵隊たちは心配そうにこっちの方を見ていたのだが、思わず歓呼《かんこ》の声をあげ、みんな一緒に立ちあがる。そのときお宮の方からはさっきの使いの軍師の長が一目散にかけて来た。「ああ、王様は、すっかりおわかりになりました。あなたのことをおききになって、おん涙さえ浮かべられ、お出《い》でをお待ちでございます。」

そこへさっきの弟子たちが、薬をもってやってきた。兵隊たちはよろこんで、粉をふってはたばた扇《あお》ぐ。そこで九万の軍隊は、もう輪廓《りんかく》もはっきりなった。

将軍は高く号令した。

「馬にまたがり、気をつけいっ。」みんなが馬にまたがれば、まもなくそこらはしんとして、たった二疋《ひき》の遅れた馬が、鼻をぶるっと鳴らしただけだ。

「前へ進めっ。」太鼓も銅羅《どら》も鳴り出して、軍は粛々《しゅくしゅく》行進した。

やがて九万の兵隊は、お宮の前の一里の庭に縦横《じゅうおう》ちょうど三百人、四角な陣をこしらえた。

ソン将軍は馬を降り、しずかに壇をのぼって行って床《ゆか》に額《ひたい》をすりつけた。王はしずかに断《こ》ったった。

「じつに永らくご苦労だった。これからはもうここに居て、大将たちの大将として、なお忠勤をはげんでくれ。」

北守将軍ソンバーユーは涙を垂れてお答えした。

「おことばまことに畏《かしこ》くて、何とお答えいたしていいか、とみに言葉も出でませぬ。とは云《い》えいまや私《わたくし》は、生きた骨ともいうような、役に立たずでございます。砂漠《さばく》の中に居《い》ました間《あいだ》、どこから敵が見ているか、あなどられまいと考えて、いつでもりんと胸を張り、眼を見開いて居りましたのが、いま王様のお前に出て、おほめの詞《ことば》をいただきますと、俄《にわ》かに眼さえ見えぬよう。背骨も曲ってしまいます。何卒《なにとぞ》これでお暇《ひま》を願い、郷里に帰りとうございます。」

「それでは誰《たれ》かおまえの代わり、大将五人の名を挙げよ。」

そこでバーユー将軍は、大将四人の名をあげた。そして残りの一人の代わり、リン兄弟の三人を国のお医者におねがいした。王は早速許されたので、その場でバーユー将軍は、鎧《よろい》もぬげば兜《かぶと》もぬいで、かさかさ薄い麻を着た。そしてじぶんの生れた村のス山《ざん》の麓《ふもと》へ帰って行って、粟《あわ》をすこうし播《ま》いたりした。それから粟の間引きもやった。けれどもそのうち将軍は、だんだんものを食わなくなってせっかくじぶんで播いたりした、粟も一口たべただけ、水をがぶがぶ呑《の》んでいた。ところが秋の終りになると、水もさっぱり呑まなくなって、ときどき空を見上げては何かしゃっくりするようなきたいな形《かたち》をたびたびした。

そのうちいつか将軍は、どこにも形が見えなくなった。そこでみんなは将軍さまは、もう仙人《せんにん》になったと云《い》って、ス山《ざん》の山《やま》のいただきへ小さなお堂をこしらえて、あの白馬《しろうま》は神馬《しんば》に祭り、あかしや栗をささげたり、麻ののぼりをたてたりした。

けれどもこのとき国手《こくしゅ》になった例のリンパー先生は、会う人ごとに斯《こ》ういった。

「どうして、バーユー将軍が、雲だけ食った筈《はず》はない。おれはバーユー将軍の、からだをよくみて知っている。肺と胃の腑《ふ》は同じでない。きっとどこかの林の中に、お骨《こつ》があるにちがいない。」

なるほどそうかもしれないと、思った人もたくさんあった。

グスコーブドリの伝記

ぐすこーぶどりのでんき

一、森

グスコーブドリは、イーハトーブの大きな森のなかに生まれました。お父《とう》さんは、グスコーナドリという名高い木樵《きこ》りで、どんな巨《おお》きな木でも、まるで赤ん坊を寝かしつけるように訳なく伐《き》ってしまう人でした。

ブドリにはネリという妹があって、二人は毎日森で遊びました。ごしっごしっとお父さんの樹《き》を鋸《ひ》く音が、やっと聴《き》こえるくらいな遠くへも行きました。二人はそこで木苺《きいちご》の実をとって湧水《わきみず》に漬《つ》けたり、空を向いてかわるがわる山鳩《やまばと》の啼《な》くまねをしたりしました。するとあちらでもこちらでも、ぽう、ぽう、と鳥が睡《ねむ》そうに鳴き出すのでした。

お母《かあ》さんが、家《うち》の前の小さな畑に麦を播《ま》いているときは、二人はみちにむしろをしいて座って、ブリキ缶《かん》で蘭《らん》の花を煮たりしました。するとこんどは、もういろいろの鳥が、二人のぱさぱさした頭の上を、まるで挨拶《あいさつ》するように啼きながらざあざあざあざあ通りすぎるのでした。

ブドリが学校へ行くようになりますと、森はひるの間《あいだ》大へんさびしくなりました。そのかわりひるすぎには、ブドリはネリといっしょに、森じゅうの樹《き》の幹に、赤い粘土や消し炭で、樹の名を書いてあるいたり、高く歌ったりしました。

ホップの蔓《つる》が、両方からのびて、門のようになっている白樺《しらかば》の樹には、「カッコウドリ、トオルベカラズ」と書いたりもしました。

そして、ブドリは十になり、ネリは七つになりました。ところがどういうわけですか、その年は、お日さまが春から変に白くて、いつもなら雪がとけると間もなく、まっしろな花をつけるこぶしの樹もまるで咲かず、五月になってもたびたび霙《みぞれ》がぐしゃぐしゃ降り、七月の末になっても一向《いっこう》に暑さが来ないために去年播《ま》いた麦も粒の入らない白い穂しかできず、大抵《たいてい》の果物《くだもの》も、花が咲いただけで落ちてしまったのでした。

そしてとうとう秋になりましたが、やっぱり栗《くり》の木は青いからのいがばかりでしたし、みんなでふだんたべるいちばん大切なオリザという穀物も、一つぶもできませんでした。野原ではもうひどいさわぎになってしまいました。

ブドリのお父さんもお母さんも、たびたび薪《たきぎ》を野原の方へ持って行ったり、冬になってからは何べんも巨《おお》きな樹を町へそりで運んだりしたのでしたが、いつもがっかりしたようにして、わずかの麦の粉《こ》などもって帰ってくるのでした。それでもどうにかその冬は過ぎて次の春になり、畑には大切にしまって置いた種子《たね》も播かれましたが、その年もまたすっかり前の年の通りでした。そして秋になると、とうとうほんとうの饑饉《ききん》になってしまいました。もうそのころは学校へ来るこどももまるでありませんでした。ブドリのお父さんもお母さんも、すっかり仕事をやめていました。そしてたびたび心配そうに相談しては、かわるがわる町へ出て行って、やっとすこしばかりの黍《きび》の粒など持って帰ることもあれば、なんにも持たずに顔いろを悪くして帰ってくることもありました。そしてみんなは、こならの実や、葛《くず》やわらびの根や、木の柔らかな皮やいろんなものをたべて、その冬をすごしました。けれども春が来たころは、お父さんもお母さんも、何かひどい病気のようでした。

ある日お父さんは、じっと頭をかかえて、いつまでもいつまでも考えていましたが、俄《にわ》かに起きあがって、

「おれは森へ行って遊んでくるぞ」と云《い》いながら、よろよろ家《うち》を出て行きましたが、まっくらになっても帰って来ませんでした。二人がお母さんにお父さんはどうしたろうときいても、お母さんはだまって二人の顔を見ているばかりでした。

次の日の晩方になって、森がもう黒く見えるころ、お母さんは俄かに立って、炉に榾《ほだ》をたくさ

んくべて家《うち》じゅうすっかり明るくしました。それから、わたしはお父さんをさがしに行くから、お前たちはうちに居てあの戸棚《とだな》にある粉を二人ですこしずつたべなさいと云って、やっぱりよろよろ家《うち》を出て行きました。二人が泣いてあとから追って行きますと、お母さんはふり向いて、「何たらいうことをきかないこどもらだ。」と叱《しか》るように云いました。そしてまるで足早に、つまずきながら森へ入ってしまいました。二人は何べんも行ったり来たりして、そこらを泣いて廻《まわ》りました。とうとうこらえ切れなくなって、まっくらな森の中へ入って、いつかのホップの門のあたりや、湧水《わきみず》のあるあたりをあちこちうろうろ歩きながら、お母さんを一晩呼びました。森の樹《き》の間からは、星がちらちら何か云うようにひかり、鳥はたびたびおどろいたように暗《やみ》の中を飛びましたけれども、どこからも人の声はしませんでした。とうとう二人はぼんやり家《うち》へ帰って中へはいりますと、まるで死んだように睡《ねむ》ってしまいました。

ブドリが眼《め》をさましたのは、その日のひるすぎでした。お母さんの云った粉のことを思いだして戸棚を開けて見ますと、なかには、袋に入れたそば粉やこ《こ》ならの実がまだたくさん入っていました。ブドリはネリをゆり起して二人でその粉をなめ、お父さんたちがいたときのように炉に火をたきました。

それから、二十日《はつか》ばかりぼんやり過ぎましたら、ある日戸口で、

「今日《こんにち》は、誰《たれ》か居るかね。」と言うものがありました。お父さんが帰って来たのかと思ってブドリがはね出して見ますと、それは籠《かご》をしょった目の鋭い男でした。その男は籠の中から円《まる》い餅《もち》をとり出してぽんと投げながら言いました。

「私《わたし》はこの地方の飢饉《ききん》を救《たす》けに来たものだ。さあ何でも喰《た》べなさい。」二人はしばらく呆《あき》れていましたら、「さあ喰べるんだ、食べるんだ。」とまた云《い》いました。二人がこわごわたべはじめますと、男はじっと見ていましたが、

「お前たちはいい子供だ。けれどもいい子供だというだけでは何にもならん。わしと一緒についておいで。尤《もっと》も男の子は強いし、わしも二人はつれて行けない。おい女の子、おまえはここにいても、もうたべるものがないんだ。おじさんと一緒に町へ行こう。毎日パンを食べさしてやるよ。」そしてぷいっとネリを抱きあげて、せなかの籠へ入れて、そのまま「おおほいほい。おおほいほい。」とどなりながら、風のように家を出て行きました。ネリはおもてではじめてわっと泣き出し、ブドリは、「どろぼう、どろぼう。」と泣きながら叫んで追いかけましたが、男はもう森の横を通ってずうっと向こうの草原を走っていて、そこからネリの泣き声が、かすかにふるえて聞えるだけでした。

ブドリは、泣いてどなって森のはずれまで追いかけて行きましたが、とうとう疲れてばったり倒れてしまいました。

二、てぐす工場

ブドリがふっと眼《め》をひらいたとき、いきなり頭の上で、いやに平べったい声がしました。

「やっと眼がさめたな。まだお前は飢饉のつもりかい。起きておれに手伝わないか。」

見るとそれは茶いろなきのこしゃっぽをかぶって外套《がいとう》にすぐシャツを着た男で、何か針金でこさえたものをぶらぶら持っているのでした。

「もう飢饉は過ぎたの？　手伝いって何を手伝うの？」ブドリがききました。

「網掛けさ。」

「ここへ網を掛けるの？」

「掛けるのさ。」

「網をかけて何にするの？」

「てぐすを飼うのさ。」

見るとすぐブドリの前の栗《くり》の木に、二人の男がはしごをかけてのぼっていて一生けん命何か網を投げたり、それを繰ったりしているようでしたが、網も糸も一向《いっこう》見えませんでした。

「あれでてぐすが飼えるの？」

「飼えるのさ。うるさいこどもだな。おい。縁起《えんぎ》でもないぞ。てぐすも飼えないところにどうして工場《こうば》なんか建てるんだ。飼えるともさ。現におれはじめ沢山《たくさん》のものが、それでくらしを立てているんだ。」

ブドリはかすれた声で、やっと、「そうですか。」と云《い》いました。

「それにこの森は、すっかりおれが買ってあるんだから、ここで手伝うならいいが、そうでもなければどこかへ行って貰《もら》いたいな。もっともお前はどこへ行ったって食うものもなかろうぜ。」

ブドリは泣き出しそうになりましたが、やっとこらえて云《い》いました。

「そんなら手伝うよ。けれどもどうして網をかけるの？」

「それは勿論《もちろん》教えてやる。こいつをね。」男は手にもった針金の籠《かご》のようなものを両手で引き伸ばしました。「いいか。こういう工合《ぐあい》にやるとはしごになるんだ。」

男は大股《おおまた》に右手の栗の木に歩いて行って、下の枝に引っ掛けました。

「さあ、今度はおまえが、この網をもって上へのぼって行くんだ。さあ、のぼってごらん。」

男は変なまりのようなものをブドリに渡しました。ブドリは仕方なくそれをもってはしごにとりついて登って行きましたが、はしごの段々がまるで細くて手や足に喰《く》いこんでちぎれてしまいそうでした。

「もっと登るんだ。もっと。もっとさ。そしたらさっきのまりを投げてごらん。栗の木を越すようにさ。そいつを空へ投げるんだよ。何だい。ふるえてるのかい。意気地《いくじ》なしだなあ。投げるんだよ。投げるんだよ。そら、投げるんだよ。」

ブドリは仕方なく力一杯にそれを青空に投げたと思いましたら俄《にわ》かにお日さまがまっ黒に見えて逆《さかさ》まに下へ落ちました。そしていつか、その男に受けとめられていたのでした。男はブドリを地面におろしながらぶりぶり憤《おこ》り出しました。

「お前もいくじのないやつだ。何というふにゃふにゃだ。俺《おれ》が受け止めてやらなかったらお前は今ごろは頭がはじけていたろう。おれはお前の命の恩人だぞ。これからは、失礼なことを云ってはならん。ところで、さあ、こんどはあっちの木へ登れ。も少したったらごはんもたべさせてやるよ。」男はまたブドリへ新しいまりを渡しました。ブドリははしごをもって次の樹《き》へ行ってまりを投げました。

「よし、なかなか上手《じょうず》になった。さあまりは沢山《たくさん》あるぞ。なまけるな。樹《き》も栗の木ならどれでもいいんだ。」

男はポケットから、まりを十ばかり出してブドリに渡すと、すたすた向こうへ行ってしまいました。ブドリはまた三つばかりそれを投げましたが、どうしても息がはあはあしてからだがだるくてたまらなくなりました。もう家《うち》へ帰ろうと思って、そっちへ行って見ますと愕《おどろ》いたことには、家にはいつか赤い土管《どかん》の煙突がついて、戸口には「イーハトーブてぐす工場《こうじょう》」という看板がかかっているのでした。そして中からたばこをふかしながら、さっきの男が出て来ました。

「さあこども、たべものをもってきてやったぞ。これを食べて暗くならないうちにもう少し稼《かせ》ぐんだ。」

「ぼくはもういやだよ。うちへ帰るよ。」

「うちっていうのはあすこか。あすこはおまえのうちじゃない。おれのてぐす工場《こうば》だよ。あの家《うち》もこの辺の森もみんなおれが買ってあるんだからな。」

ブドリはもうやけになって、だまってその男のよこした蒸《む》しパンをむしゃむしゃたべて、またまりを十ばかり投げました。

その晩ブドリは、昔のじぶんのうち、いまはてぐす工場になっている建物の隅《すみ》に、小さくなってねむりました。さっきの男は、三四人の知らない人たちと遅くまで炉ばたで火をたいて、何か呑《の》んだりしゃべったりして居ました。次の朝早くから、ブドリは森に出て、昨日《きのう》のようにはたらきました。

それから一月ばかりたって、森じゅうの栗《くり》の木に網がかかってしまいますと、てぐす飼いの男は、こんどは粟《あわ》のようなものがいっぱいついた板きれを、どの木にも五六枚ずつ吊《つる》させました。そのうちに木は芽を出して森はまっ青になりました。すると、樹につるした板きれから、たくさんの小さな青じろい虫が、糸をつたわって列になって枝へ這《は》いあがって行きました。ブドリたちはこんどは毎日薪《たきぎ》とりをさせられました。その薪が、家のまわりに小山のように積み重なり、栗の木が青じろい紐《ひも》のかたちの花を枝いちめんにつけるころになりますと、あの板から這いあがって行った虫も、ちょうど栗の花のような色とかたちになりました。そして森じゅうの栗の葉は、まるで形もなくその虫に食《く》い荒《あ》らされてしまいました。それから間もなく虫は、大きな黄いろな繭《まゆ》を、網の目ごとにかけはじめました。

するとてぐす飼いの男は、狂気のようになって、ブドリたちを叱《しか》りとばして、その繭を籠《かご》に集めさせました。それをこんどは片っぱしから鍋《なべ》に入れてぐらぐら煮て、手で車をまわしながら糸をとりました。夜も昼もがらがらがらがら三つの糸車をまわして糸をとりました。こうしてこしらえた黄いろな糸が小屋に半分ばかりたまったころ、外に置いた繭からは、大きな白い蛾《が》がぽろぽろぽろぽろ飛びだしはじめました。てぐす飼いの男は、まるで鬼みたいな顔つきになって、じぶんも一生けん命糸をとりましたし、野原の方からも四人《よにん》人を連れてきて働かせました。けれども蛾の方は日ましに多く出るようになって、しまいには森じゅうまるで雪でも飛んでいるようになりました。するとある日、六七台の荷馬車が来て、いままでにできた糸をみんなつけて、町の方へ帰りはじめました。みんなも一人ずつ荷馬車について行きました。いちばんしまいの荷馬車がたつとき、てぐす飼いの男が、ブドリに、

「おい、お前の来春《らいはる》まで食うくらいのものは家《うち》の中に置いてやるからな、それまでここで森と工《こう》場《ば》の番をしているんだぞ。」

と云《い》って変ににやにやしながら、荷馬車についてさっさと行ってしまいました。

ブドリはぼんやりあとへ残りました。うちの中はまるで汚くて、嵐《あらし》のあとのようでしたし森は荒れはてて山火事にでもあったようでした。ブドリが次の日、家《うち》のなかやまわりを片附《かたづ》けはじめましたらてぐす飼いの男がいつも座っていた所から古いボール紙の函《はこ》を見附《みつ》けました。中には十冊ばかりの本がぎっしり入って居《お》りました。開いて見ると、てぐすの絵や機械の図がたくさんある、まるで読めない本もありましたし、いろいろな樹《き》や草の図と名前の書いてあるものもありました。

ブドリは一生けん命その本のまねをして字を書いたり図をうつしたりしてその冬を暮らしました。

春になりますと亦《また》あの男が六七人のあたらしい手下を連れて、大へん立派ななりをしてやって来ました。そして次の日からすっかり去年のような仕事がはじまりました。

そして網はみんなかかり、黄いろな板もつるされ、虫は枝に這《は》い上《のぼ》り、ブドリたちはまた、薪《たきぎ》作りにかかるころになりました。ある朝、ブドリたちが薪をつくっていましたら俄《にわ》かにぐらぐらっと地震がはじまりました。それからずうっと遠くでどーんという音がしました。

しばらくたつと日が変にくらくなり、こまかな灰がばさばさばさばさ降って来て、森はいちめんにまっ白になりました。ブドリたちが呆《あき》れて樹《き》の下にしゃがんでいましたら、てぐす飼いの男が大へんあわててやってきました。

「おい、みんな、もうだめだぞ。噴火だ。噴火がはじまったんだ。てぐすはみんな灰をかぶって死んでしまった。みんな早く引き揚げてくれ。おい、ブドリ。お前ここに居たかったら居てもいいが、こんどはたべ物は置いてやらないぞ。それにここに居ても危いからなお前も野原へ出て何か稼《かせ》ぐ方がいいぜ。」そう云ったかと思うと、もうどんどん走って行ってしまいました。ブドリが工場《こうば》へ行って見たときはもう誰《たれ》も居りませんでした。そこでブドリは、しょんぼりとみんなの足痕《あしあと》のついた白い灰をふんで野原の方へ出て行きました。

三、沼ばたけ

ブドリは、いっぱいに灰をかぶった森の間を、町の方へ半日歩きつづけました。灰は風の吹くたびに樹からばさばさ落ちて、まるでけむりか吹雪《ふぶき》のようでした。けれどもそれは野原へ近づくほど、だんだん浅く少くなって、ついには樹も緑に見え、みちの足痕も見えないくらいになりました。

とうとう森を出切《でき》ったとき、ブドリは思わず眼をみはりました。野原は眼の前から、遠くのまっしろな雲まで、美しい桃いろと緑と灰いろのカードでできているようでした。そばへ寄って見ると、その桃いろなのには、いちめんにせいの低い花が咲いていて、蜜蜂《みつばち》がいそがしく花から花をわたってあるいていましたし、緑いろなのには小さな穂を出して草がぎっしり生え、灰いろなのは浅い泥の沼でした。そしてどれも、低い幅のせまい土手でくぎられ、人は馬を使ってそれを掘り起したり掻《か》き廻《まわ》したりしてはたらいていました。

ブドリがその間を、しばらく歩いて行きますと、道のまん中に、二人の人が、大声で何か喧嘩《けんか》でもするように云《い》い合っていました。右側の方の鬚《ひげ》の赭《あか》い人が云いました。

「何でもかんでも、おれは山師《やまし》張《ば》るときめた。」

するとも一人の白い笠《かさ》をかぶったせいの高いおじいさんがいいました。

「やめろって云ったらやめるもんだ。そんなに肥料《こやし》うんと入れて、藁《わら》はとれるったって、実は一粒もとれるもんでない。」

「うんにゃ、おれの見込みでは、今年は今までの三年分暑いに相違ない。一年で三年分とって見せる。」

「やめろ。やめろ。やめろったら。」

「うんにゃ。やめない。花はみんな埋《うず》めてしまったから、こんどは豆玉《まめたま》を六十枚入れてそれから鶏《とり》の糞《かえし》、百駄《だん》入れるんだ。急《いそ》がしったら何のこう忙《いそが》しくなれば、ささげの蔓《つる》でもいいから手伝いに頼みたいもんだ。」

ブドリは思わず近寄っておじぎをしました。

「そんならぼくを使ってくれませんか。」

するとニ人は、ぎょっとしたように顔をあげて、あごに手をあててしばらくブドリを見ていましたが、赤鬚《あかひげ》が俄《にわ》かに笑い出しました。

「よしよし。お前に馬の指竿《させ》とりを頼むからな。すぐおれについて行くんだ。それではまず、のるかそるか、秋まで見ててくれ。さあ行こう。ほんとに、さゝげの蔓でもいいから頼みたい時でな。」赤鬚は、ブドリとおじいさんに交《かわ》る交《がわ》る云いながら、さっさと先に立って歩きました。あとではおじいさんが、

「年寄りの云うこと聞かないで、いまに泣くんだな。」とつぶやきながら、しばらくこっちを見送っているようすでした。

それからブドリは、毎日毎日沼ばたけへ入って馬を使って泥を掻き廻しました。一日ごとに桃いろのカードも緑のカードもだんだん潰《つぶ》されて、泥沼に変るのでした。馬はたびたびぴしゃっと泥水をはねあげて、みんなの顔へ打ちつけました。一つの沼ばたけがすめばすぐ次の沼ばたけへ入るのでした。一日がとても永くて、しまいには歩いているのかどうかわからなくなったり、泥が飴《あめ》のような、水がスープのような気がしたりするのでした。風が何べんも吹いて来て近くの泥水に魚の鱗《うろこ》のような波をたて、遠くの水をブリキいろにして行きました。そらでは、毎日甘くすっぱいような雲が、ゆっくりゆっくりながれていて、それがじつにうらやましそうに見えました。

こうして二十日《はつか》ばかりたちますと、やっと沼ばたけはすっかりどろどろになりました。次の朝から主人はまるで気が立って、あちこちから集まって来た人たちといっしょに、その沼ばたけに緑いろの槍《やり》のようなオリザの苗をいちめん植えました。それが十日《とおか》ばかりで済むと、今度はブドリ

たちを連れて、今まで手伝って貰《もら》った人たちの家《うち》へ毎日働きにでかけました。それもやっと一まわり済むと、こんどはまたじぶんの沼ばたけへ戻って来て、毎日毎日草取りをはじめました。ブドリの主人の苗は大きくなってまるで黒いくらいなのに、となりの沼ばたけはぼんやりしたうすい緑いろでしたから、遠くから見ても、二人の沼ばたけははっきり堺《さかい》まで見わかりました。七日ばかりで草取りが済むとまたほかへ手伝いに行きました。ところがある朝、主人はブドリを連れて、じぶんの沼ばたけを通りながら、俄《にわ》かに「あっ」と叫んで棒立ちになってしまいました。見ると唇《くちびる》のいろまで水いろになって、ぼんやりまっすぐを見つめているのです。

「病気が出たんだ。」主人がやっと云《い》いました。

「頭でも痛いんですか。」ブドリはききました。

「おれでないよ。オリザよ。それ。」主人は前のオリザの株を指さしました。ブドリはしゃがんでしらべて見ますと、なるほどどの葉にも、いままで見たことのない赤い点々がついていました。主人はだまってしおしおと沼ばたけを一まわりしましたが、家《うち》へ帰りはじめました。ブドリも心配してついて行きますと、主人はだまって巾《きれ》を水でしぼって、頭にのせると、そのまま板の間《いたま》に寝てしまいました。すると間もなく、主人のおかみさんが表からかけ込んで来ました。

「オリザへ病気が出たというのはほんとうかい。」

「ああ、もうだめだよ。」

「どうにかならないのかい。」

「だめだろう。すっかり五年前の通りだ。」

「だから、あたしはあんたに山師をやめろといったんじゃないか。おじいさんもあんなにとめたんじゃないか。」

おかみさんはおろおろ泣きはじめました。すると主人が俄かに元気になってむっくり起きあがりました。

「よし。イーハトーブの野原で、指折り数えられる大百姓《おおびゃくしょう》のおれが、こんなことで参るか。よし。来年こそやるぞ。ブドリ。おまえおれのうちへ来てから、まだ一晩も寝たいくらい寝たことがないな。さあ、五日《いつか》でも十日《とおか》でもいいから、ぐうというくらい寝てしまえ。おれはそのあとで、あすこの沼ばたけでおもしろい手品《てづま》をやって見せるからな。その代わり今年の冬は、家《うち》じゅうそばばかり食うんだぞ。おまえそばはすきだろうが。」それから主人はさっさと帽子をかぶって外へ出て行ってしまいました。ブドリは主人に云われた通り納屋へ入って睡《ねむ》ろうと思いましたが、何だかやっぱり沼ばたけが苦になって仕方ないので、またのろのろそっちへ行って見ました。するといつ来ていたのか、主人がたった一人腕組みをして土手に立って居《お》りました。見ると沼ばたけには水がいっぱいで、オリザの株は葉をやっと出しているだけ、上にはぎらぎら石油が浮んでいるのでした。主人が云いました。

「いまおれこの病気を蒸《む》し殺してみるとこだ。」

「石油で病気の種が死ぬんですか。」とブドリがききますと、主人は、「頭から石油に漬《つ》けられたら人だって死ぬだ。」と云いながら、ほうと息を吸って首をちぢめました。その時、水下《みずしも》の沼ばたけの持主が、肩をいからして息を切ってかけて来て、大きな声でどなりました。

「何だって油《あぶら》など水へ入れるんだ、みんな流れて来て、おれの方へはいってるぞ。」

主人は、やけくそに落ちついて答えました。

「何だって油など水へ入れるったって、オリザへ病気ついたから、油など水へ入れるのだ」

「何だってそんならおれの方へ流すんだ。」

「何だってそんならおまえの方へ流すったって、水は流れるから油もついて流れるのだ。」

「そんなら何だっておれの方へ水来ないように水口《みなくち》とめないんだ。」

「何だっておまえの方へ水行かないように水口とめないかったって、あすこはおれのみな口でないから水とめないのだ。」

となりの男は、かんかん怒《おこ》ってしまってもう物も云《い》えず、いきなりがぶがぶ水へはいって、自分の水口に泥を積みあげはじめました。主人はにやりと笑いました。

「あの男むずかしい男でな。こっちで水をとめると、とめたといって怒るからわざと向こうにとめさせたのだ。あすこさえとめれば、今夜中に水はすっかり草の頭までかかるからな。さあ帰ろう。」主人はさきに立ってすたすた家《うち》へあるきはじめました。

次の朝ブドリはまた主人と沼ばたけへ行ってみました。主人は水の中から葉を一枚とってしきりにしらべていましたが、やっぱり浮かない顔でした。その次の日もそうでした。その次の日もそうでした。その次の日もそうでした。その次の朝、とうとう主人は決心したように云いました。

「さあブドリ、いよいよここへ蕎麦《そば》播《ま》きだぞ。おまえあすこへ行って、となりの水口《みなくち》こわして来い。」ブドリは云われた通りこわして来ました。石油のはいった水は、恐ろしい勢いでとなりの田へ流れて行きます。きっとまた怒ってくるなと思っていますと、ひるごろ例のとなりの持主が、大きな鎌《かま》をもってやってきました。

「やあ、何だってひとの田へ石油ながすんだ。」

主人がまた、腹の底から声を出して答えました。

「石油ながれれば何だって悪いんだ。」

「オリザみんな死ぬでないか。」

「オリザみんな死ぬか、オリザみんな死なないか、まずおれの沼ばたけのオリザ見なよ。今日で四日《よっか》頭から石油かぶせたんだ。それでもちゃんとこの通りでないか。赤くなったのは病気のためで、勢いのいいのは石油のためなんだ。おまえの所など、石油がただオリザの足を通るだけでないか。却《かえ》っていいかもしれないんだ。」

「石油こやしになるのか。」向こうの男は少し顔いろをやわらげました。

「石油こやしになるか石油こやしにならないか知らないが、とにかく石油は油でないか。」

「それは石油は油だな。」男はすっかり機嫌《きげん》を直してわらいました。水はどんどん退《しりぞ》き、オリザの株は見る見る根もとまで出て来ました。すっかり赤い斑《まだら》ができて焼けたようになっています。

「さあおれの所ではもうオリザ刈りをやるぞ。」

主人は笑いながら云って、それからブドリといっしょに、片っぱしからオリザの株を刈り、跡《あと》へすぐ蕎麦《そば》を播《ま》いて土をかけて歩きました。そしてその年はほんとうに主人の云ったとおり、ブドリの家では蕎麦ばかり食べました。次の春になりますと主人が云いました。

「ブドリ、今年は沼ばたけは去年よりは三分の一減ったからな、仕事はよほど楽だ。その代わりおまえは、おれの死んだ息子の読んだ本をこれから一生けん命勉強して、いままでおれを山師だといってわらったやつらを、あっと云《い》わせるような立派なオリザを作る工夫《くふう》をして呉《く》れ。」そして、いろいろな本を一山《ひとやま》ブドリに渡しました。ブドリは仕事のひまに片っぱしからそれを読みました。殊《こと》にその中の、クーボーという人の物の考え方を教えた本は面白かったので何べんも読みました。またその人が、イーハトーブの市《し》で一ヶ月の学校をやっているのを知って、大へん行って習いたいと思ったりしました。

そして早くもその夏、ブドリは大きな手柄《てがら》をたてました。それは去年と同じ頃、またオリザに病気ができかかったのを、ブドリが木の灰と食塩《しお》を使って食いとめたのでした。そして八月のなかばになると、オリザの株はみんなそろって穂を出し、その穂の一枝《ひとえだ》ごとに小さな白い花が咲き、花はだんだん水いろの籾《もみ》にかわって、風にゆらゆら波をたてるようになりました。主人はもう得意の絶頂でした。来る人ごとに、

「何のおれも、オリザの山師で四年しくじったけれども、今年は一度に四年前とれる。これもまたなかなかいいもんだ。」などと云って自慢するのでした。

ところがその次の年はそうは行きませんでした。植え付けの頃からさっぱり雨が降らなかったために、水路は乾いてしまい、沼にはひびが入って、秋のとりいれはやっと冬じゅう食べるくらいでした。来年こそと思っていましたが次の年もまた同じようなひでりでした。それからも来年こそ来年こそと思いながら、ブドリの主人は、だんだんこやしを入れることができなくなり、馬

も売り、沼ばたけもだんだん売ってしまったのでした。

ある秋の日、主人はブドリにつらそうに云いました。

「ブドリ、おれももとはイーハトーブの大百姓《おおびゃくしょう》だったし、ずいぶん稼《かせ》いでも来たのだが、たびたびの寒さと旱魃《かんばつ》のために、いまでは沼ばたけも昔の三分一になってしまったし、来年は、もう入れるこやしもないのだ。おれだけでない、来年こやしを買って入れれる人ったらもうイーハトーブにも何人もないだろう。こういうあんばいでは、いつになっておまえにはたらいて貰《もら》った礼をするというあてもない。おまえも若いはたらき盛りを、おれのとこで暮らしてしまってはあんまり気の毒だから、済まないがどうかこれを持って、どこへでも行っていい運を見つけてくれ。」

そして主人は一ふくろのお金と新らしい紺で染めた麻の服と赤革《あかがわ》の靴《くつ》とをブドリにくれました。

ブドリはいままでの仕事のひどかったことも忘れてしまって、もう何にもいらないから、ここで働いていたいとも思いましたが、考えてみると、居てもやっぱり仕事もそんなにないので、主人に何べんも何べんも礼を云って、六年の間はたらいた沼ばたけと主人に別れて停車場《ていしゃば》をさして歩きだしました。

四、クーボー大博士

ブドリは二時間ばかり歩いて、停車場へ来ました。それから切符を買って、イーハトーブ行《ゆ》きの汽車に乗りました。汽車はいくつもの沼ばたけをどんどんどんどんうしろへ送りながら、もう一散《いっさん》に走りました。その向こうには、たくさんの黒い森が、次から次と形を変えて、やっぱりうしろの方へ残されて行くのでした。ブドリはいろいろな思いで胸がいっぱいでした。早くイーハトーブの市に着いて、あの親切な本を書いたクーボーという人に会い、できるなら、働きながら勉強して、みんながあんなにつらい思いをしないで沼ばたけを作れるよう、また火山の灰だのひでりだの寒さだのを除く工夫《くふう》をしたいと思うと、汽車さえまどろこくってたまらないくらいでした。汽車はその日のひるすぎ、イーハトーブの市に着きました。停車場を一足出ますと、地面の底から何かのんのん湧《わ》くようなひびきやどんよりとしたくらい空気、行ったり来たりする沢山《たくさん》の自働車《じどうしゃ》のあいだに、ブドリはしばらくぼうとしてつっ立ってしまいました。やっと気をとりなおして、そこらの人にクーボー博士《はかせ》の学校へ行くみちをたずねました。すると誰《たれ》へ訊《き》いても、みんなブドリのあまりまじめな顔を見て、吹き出しそうにしながら、「そんな学校は知らんね。」とか、「もう五六丁《ちょう》行って訊いて見な。」とかいうのでした。そしてブドリがやっと学校をさがしあてたのはもう夕方近くでした。その大きなこわれかかった白い建物の二階で、誰か大きな声でしゃべっていました。

「今日《こんにち》は。」ブドリは高く叫びました。誰も出てきませんでした。「今日はあ。」ブドリはあらん限り高く叫びました。するとすぐ頭の上の二階の窓から、大きな灰いろの頭が出て、めがねが二つぎらりと光りました。それから、

「今授業中だよ。やかましいやつだ。用があるならはいって来い。」とどなりつけて、すぐ顔を引っ込めますと、中では大勢でどっと笑い、その人は構《かま》わずまた何か大声でしゃべっています。

ブドリはそこで思い切って、なるべく足音をたてないように二階にあがって行きますと、階段のつき当りの扉《と》があいていて、じつに大きな教室が、ブドリのまっ正面《しょうめん》にあらわれました。中にはさまざまの服装をした学生がぎっしりです。向こうは大きな黒い壁になっていて、そこにたくさんの白い線が引いてあり、さっきのせいの高い眼がねをかけた人が、大きな櫓《やぐら》の形の模型を、あちこち指《ゆび》さしながら、さっきのままの高い声で、みんなに説明して居りました。

ブドリはそれを一目《ひとめ》見ると、ああこれは先生の本に書いてあった歴史の歴史ということの模型だなと思いました。先生は笑いながら、一つのとってを廻《まわ》しました。模型はがちっと鳴って奇体《きたい》な船のような形になりました。またがちっととってを廻すと、模型はこんどは大きなむかでのような形に変りました。

みんなはしきりに首をかたむけて、どうもわからんという風にしていましたが、ブドリにはただ面白かったのです。

「そこでこういう図ができる。」先生は黒い壁へ別の込み入った図をどんどん書きました。左手にもチョークをもって、さっさっと書きました。学生たちもみんな一生けん命そのまねをしました。ブドリもふところから、いままで沼ばたけで持っていた汚ない手帳を出して図を書きとりました。先生はもう書いてしまって、壇の上にまっすぐに立って、じろじろ学生たちの席を見まわしています。ブドリも書いてしまって、その図を縦横《たてよこ》から見ていますと、ブドリのとなりで一人の学生が、

「あああ。」とあくびをしました。ブドリはそっとききました。

「ね、この先生は何て云《い》うんですか。」

するとと学生はばかにしたように鼻でわらいながら答えました。

「クーボー大博士《だいはかせ》さお前知らなかったのかい。」それからじろじろブドリのようすを見ながら、

「はじめから、この図なんか書けるもんか。ぼくでさえ同じ講義をもう六年もきいているんだ。」

と云って、じぶんのノートをふところへしまってしまいました。その時教室に、ぱっと電燈《でんとう》がつきました。もう夕方だったのです。大博士が向こうで言いました。

「いまや夕《ゆうべ》ははるかに来《きた》り、拙講《せっこう》もまた全課を了《お》えた。諸君のうちの希望者は、けだしいつもの例により、そのノートをば拙者に示し、更《さら》に数箇《すうこ》の試問を受けて、所属を決すべきである。」学生たちはわあと叫んで、みんなばたばたノートをとじました。それからそのまま帰ってしまうものが大部分でしたが、五六十人は一列になって大博士の前をとおりながらノートを開いて見せるのでした。すると大博士はそれを一寸《ちょっと》見て、一言《ひとこと》か二言《ふたこと》質問をして、それから白墨《はくぼく》でえりへ、「合」とか、「再来」とか「奮励」とか書くのでした。学生はその間《あいだ》、いかにも心配そうに首をちぢめているのでしたが、それからそっと肩をすぼめて廊下まで出て、友達にそのしるしを読んで貰《もら》って、よろこんだりしょげたりするのでした。

ぐんぐん試験が済んで、いよいよブドリ一人になりました。ブドリがその小さな汚ない手帳を出したとき、クーボー大博士は大きなあくびをやりながら、屈《かが》んで眼をぐっと手帳につけるようにしましたので、手帳はあぶなく大博士に吸い込まれそうになりました。

ところが大博士は、うまそうにこくっと一つ息をして、

「よろしい。この図は非常に正しくできている。そのほかのところは、何だ、ははあ、沼ばたけのこやしのことに、馬のたべ物のことかね。では問題を答えなさい。工場《こうば》の煙突から出るけむりには、どういう色の種類があるか。」

ブドリは思わず大声に答えました。

「黒、褐《かつ》、黄、灰、白、無色。それからこれらの混合です。」

大博士はわらいました。

「無色のけむりは大へんいい。形について云いたまえ。」

「無風で煙が相当あれば、たての棒にもなりますが、さきはだんだんひろがります。雲の非常に低い日は、棒は雲まで昇って行って、そこから横にひろがります。風のある日は、棒は斜めになりますが、その傾きは風の程度に従います。波や幾つもきれになるのは、風のためにもよりますが、一つはけむりや煙突のもつ癖のためです。あまり煙の少ないときは、コルク抜きの形にもなり、煙も重い瓦斯《がす》がまじれば、煙突の口から房になって、一方乃至《ないし》四方に落ちることもあります。」大博士はまたわらいました。

「よろしい。きみはどういう仕事をしているのか。」

「仕事をみつけに来たんです。」

「面白い仕事がある。名刺をあげるから、そこへすぐ行きなさい。」博士は名刺をとり出して何かするする書き込んでブドリに呉《く》れました。ブドリはおじぎをして、戸口を出て行こうとしますと、大博士はちょっと眼で答えて、

「何だ。ごみを焼いてるのかな。」と低くつぶやきながら、テーブルの上にあった鞄《かばん》に、白墨《チョーク》のかけらや、はんけちや本や、みんな一緒に投げ込んで小脇にかかえ、さっき顔を出した窓から、プイッと外へ飛び出しました。びっくりしてブドリが窓へかけよって見ますといつか大博士は玩《おも》具《ちゃ》のような小さな飛行船《ひこうせん》に乗って、じぶんでハンドルをとりながら、もううす青いもやのこめた町の上を、まっすぐに向こうへ飛んでいるのでした。ブドリがいよいよ呆《あき》れて見ていますと、間もなく大博士は、向こうの大きな灰いろの建物の平屋根に着いて船を何かかぎのようなものにつなぐと、そのままぽろっと建物の中へ入って見えなくなってしまいました。

五、イーハトーブ火山局

ブドリが、クーボー大博士から貰《もら》った名刺の宛名《あてな》をたずねて、やっと着いたところは大きな茶いろの建物で、うしろには房のような形をした高い柱が夜のそらにくっきり白く立って居りました。ブドリは玄関に上って呼鈴を押しますと、すぐ人が出て来て、ブドリの出した名刺を受け取り、一目《ひとめ》見ると、すぐブドリを突き当たりの大きな室《へや》へ案内しました。そこにはいままでに見たこともないような大きなテーブルがあって、そのまん中に一人の少し髪の白くなった人のよさそうな立派な人が、きちんと座って耳に受話器をあてながら何か書いていていました。そしてブドリの入って来たのを見ると、すぐ横の椅子《いす》を指《ゆび》さしながらまた続けて何か書きつけています。

その室の右手の壁いっぱいに、イーハトーブ全体の地図が、美しく色どった巨《おお》きな模型に作ってあって、鉄道も町も川も野原もみんな一目でわかるようになって居り、そのまん中を走るせぼねのような山脈と、海岸に沿って縁《へり》をとったようになっている山脈、またそれから枝を出して海の中に点々の島をつくっている一列の山山には、みんな赤や橙《だいだい》や黄のあかりがついていて、それが代わる代わる色が変ったりジーと蟬《せみ》のように鳴ったり、数字が現われたり消えたりしているのです。下の壁《かべ》に添《そ》った棚《たな》には、黒いタイプライターのようなものが三列に百でもきかないくらい並んで、みんなしずかに動いたり鳴ったりしているのでした。ブドリがわれを忘れて見とれて居りますと、その人が受話器をことっと置いてふところから名刺入れを出して、一枚の名刺をブドリに出しながら、

「あなたが、グスコーブドリ君ですか。私《わたし》はこう云《い》うものです。」と云いました。見ると、イーハトーブ火山局技師ペンネンナームと書いてありました。その人はブドリの挨拶《あいさつ》になれないでもじもじしているのを見ると、重ねて親切に云いました。

「さっきクーボー博士から電話があったのでお待ちしていました。まあこれから、ここで仕事しながらしっかり勉強してごらんなさい。ここの仕事は、去年はじまったばかりですが、じつに責任のあるもので、それに半分はいつ噴火するかわからない火山の上で仕事するものなのです。それに火山の癖というものは、なかなか学問でわかることではないのです。われわれはこれからよほどしっかりやらなければならんのです。では今晩はあっちにあなたの泊るところがありますから、そこでゆっくりお休みなさい。あしたこの建物中をすっかり案内しますから。」

次の朝、ブドリはペンネンネン老技師に連れられて、建物のなかを一一《いちいち》つれて歩いて貰《もら》いさまざま

の器械やしかけを詳しく教わりました。その建物のなかのすべての器械はみんなイーハトーブ中の三百幾つかの活火山や休火山に続いていて、それらの火山の煙や灰を噴いたり、熔岩を流したりしているようすは勿論《もちろん》、みかけはじっとしている古い火山でも、その中の熔岩や瓦斯《がす》のもようから、山の形の変りようまで、みんな数字になったり図になったりして、あらわれて来るのでした。そして烈《はげ》しい変化のある度《たび》に、模型はみんな別々の音で鳴るのでした。

ブドリはその日からペンネン老技師について、すべての器械の扱い方や観測のしかたを習い、夜も昼も一心に働いたり勉強したりしました。そして二年ばかりたちますとブドリはほかの人たちと一緒に、あちこちの火山へ器械を据《す》え付《つ》けに出されたり、据え付けてある器械の悪くなったのを修繕にやられたりもするようになりましたので、もうブドリにはイーハトーブの三百幾つの火山と、その働き工合《ぐあい》は掌《てのひら》の中にあるようにわかって来ました。じつにイーハトーブには七十幾つの火山が毎日煙をあげたり、熔岩を流したりしているのでしたし、五十幾つかの休火山は、いろいろな瓦斯を噴いたり、熱い湯を出したりしていました。そして残りの百六七十の死火山のうちにもいつまた何をはじめるかわからないものもあるのでした。

ある日ブドリが老技師とならんで仕事をして居りますと、俄《にわ》かにサンムトリという南の方の海岸にある火山が、むくむく器械に感じ出して来ました。老技師が叫びました。

「ブドリ君。サンムトリは、今朝まで何もなかったね。」

「はい、いままでサンムトリのはたらいたのを見たことがありません。」

「ああ、これはもう噴火が近い。今朝の地震が刺戟《しげき》したのだ。この山の北十キロのところにはサンムトリの市がある。今度爆発すれば、多分《たぶん》山は三分の一、北側をはねとばして、牛や卓子《テーブル》ぐらいの岩は熱い灰や瓦斯といっしょに、どしどしサンムトリ市に落ちてくる。どうでも今のうちにこの海に向いた方へボーリングを入れて傷口をこさえて、瓦斯を抜くか熔岩を出させるかしなければならない。今すぐ二人で見に行こう。」二人はすぐに支度《したく》して、サンムトリ行《ゆ》きの汽車に乗りました。

六、サンムトリ火山

二人は次の朝、サンムトリの市に着き、ひるころサンムトリ火山の頂《いただき》近く、観測器械を置いてある小屋に登りました。そこは、サンムトリ山《さん》の古い噴火口の外輪山が、海の方へ向いて欠けた所で、その小屋の窓からながめますと、海は青や灰いろの幾つもの縞《しま》になって見え、その中を汽船は黒いけむりを吐き、銀いろの水脈《みお》を引いていくつも滑《すべ》って居るのでした。

老技師はしずかにすべての観測機を調べ、それからブドリに云いました。

「きみはこの山はあと何日ぐらいで噴火すると思うか。」

「一月《ひとつき》はもたないと思います。」

「一月はもたない。もう十日ももたない。早く工作をしてしまわないと、取り返しのつかないことになる。私《わたし》はこの山の海に向いた方では、あすこが一番弱いと思う。」老技師は山腹《さんぷく》の谷の上のうす緑の草地を指さしました。そこを雲の影がしずかに青く滑っているのでした。

「あすこには熔岩の層が二つしかない。あとは柔らかな火山灰と火山礫《かざんれき》の層だ。それにあすこまでは牧場《ぼくじょう》の道も立派にあるから、材料を運ぶことも造作ない。ぼくは工作隊を申請しよう。」老技師は忙《せわ》しく局へ発信をはじめました。その時脚《あし》の下では、つぶやくような微《かす》かな音がして、観測小屋はしばらくぎしぎし軋《きし》みました。老技師は機械をはなれました。

「局からすぐ工作隊を出すそうだ。工作隊といっても半分決死隊だ。私はいままでに、こんな危険に迫った仕事をしたことがない。」

「十日のうちにできるでしょうか。」

「きっとできる。装置《そうち》には三日、サンムトリ市の発電所から、電線を引いてくるには五日かかるな。」

技師はしばらく指を折って考えていましたが、やがて安心したようにまたしずかに云《い》いました。

「とにかくブドリ君。一つ茶をわかして呑《の》もうではないか。あんまりいい景色だから。」ブドリは持って来たアルコールランプに火を入れて茶をわかしはじめました。空にはだんだん雲が出て、それに日ももう落ちたのか、海はさびしい灰いろに変り、たくさんの白い波がしらは、一せいに火山の裾《すそ》に寄せて来ました。

ふとブドリはすぐ眼の前にいつか見たことのあるおかしな形の小さな飛行船が飛んでいるのを見つけました。老技師もはねあがりました。

「あ、クーボー君がやって来た。」

ブドリも続いて小屋をとび出しました。飛行船はもう小屋の左側の大きな岩の壁の上にとまって中からせいの高いクーボー大博士がひらりと飛び下りていました。博士はしばらくその辺の岩の大きなさけ目をさがしていましたが、やっとそれを見つけたと見えて、手早くねじをしめて飛行船をつなぎました。

「お茶をよばれに来たよ。ゆれるかい。」大博士はにやにやわらって云いました。老技師が答えました。

「まだそんなでない。けれどもどうも岩がぼろぼろ上から落ちているらしいんだ。」

ちょうどその時、山は俄《にわ》かに怒ったように鳴り出し、ブドリは眼の前が青くなったように思いました。山はぐらぐら続けてゆれました。見るとクーボー大博士も老技師もしゃがんで岩へしがみついていましたし、飛行船も大きな波に乗った船のようにゆっくりゆれて居りました。地震はやっとやみクーボー大博士は、起きあがってすたすたと小屋へ入って行きました。中ではお茶がひっくり返って、アルコールが青くぽかぽか燃えていました。クーボー大博士は機械をすっかり調べて、それから老技師といろいろ談《はな》しました。そしてしまいに云いました。

「もうどうしても来年は潮汐《ちょうせき》発電所を全部作ってしまわなければならない。それができれば今度のような場合にもその日のうちに仕事ができるし、ブドリ君が云っている沼ばたけの肥料も降らせられるんだ。」

「旱魃《かんばつ》だってちっともこわくなくなるからな。」ペンネン技師も云いました。ブドリは胸がわくわくしました。山まで踊りあがっているように思いました。じっさい山は、その時烈《はげ》しくゆれ出して、ブドリは床へ投げ出されていたのです。大博士が云いました。

「やるぞ。やるぞ。いまのはサンムトリの市へも可成《かなり》感じたにちがいない。」

老技師が云《い》いました。

「今のはぼくらの足もとから、北へ一キロばかり地表下七百米《メートル》ぐらいの所で、この小屋の六七十倍ぐらいの岩の塊が熔岩の中へ落ち込んだらしいのだ。ところが瓦斯《がす》がいよいよ最後の岩の皮をはね飛ばすまでにはそんな塊を百も二百も、じぶんのからだの中にとらなければならない。」

大博士はしばらく考えていましたが、「そうだ、僕はこれで失敬しよう。」と云って小屋を出て、いつかひらりと船に乗ってしまいました。老技師とブドリは、大博士があかりを二三度振って挨《あい》拶《さつ》しながら山をまわって向こうへ行くのを見送ってまた小屋に入り、かわるがわる眠ったり観測したりしました。そして暁方麓《あけがたふもと》へ工作隊がつきますと、老技師はブドリを一人小屋に残して、昨日《きのう》指さしたあの草地まで降りて行きました。みんなの声や、鉄の材料の触れ合う音は、下から風が吹き上げるときは、手にとるように聴《きこ》えました。ペンネン技師からはひっきりなしに、向こうの仕事の進み工合《ぐあい》も知らせてよこし、瓦斯の圧力や山の形の変りようも尋《たず》ねて来ました。それから三日の間は、はげしい地震や地鳴りのなかでブドリの方も、麓の方もほとんど眠るひまさえありませんでした。その四日目の午后《ごご》、老技師からの発信が云ってきました。

「ブドリ君だな。すっかり支度ができた。急いで降りてきたまえ。観測の器械は一ぺん調べてそのままにして、表は全部持ってくるのだ。もうその小屋は今日の午后にはなくなるんだから。」

ブドリはすっかり云われた通りにして山を下りて行きました。そこにはいままで局の倉庫にあった大きな鉄材が、すっかり櫓《やぐら》に組み立っていて、いろいろな機械はもう電流さえ来ればすぐに働き出すばかりになっていました。ペンネン技師の頰《ほお》はげっそり落ち、工作隊の人たちも青ざめて眼ばかり光らせながら、それでもみんな笑ってブドリに挨拶しました。老技師が云いました。

「では引き上げよう。みんな支度して車に乗り給《たま》え。」みんなは大急ぎで二十台の自働車《じどうしゃ》に乗りました。車は列になって山の裾《すそ》を一散《いっさん》にサンムトリの市に走りました。丁度《ちょうど》山と市とのまん中ごろで技師は自働車をとめさせました。

「ここへ天幕《てんと》を張り給え。そしてみんなで眠るんだ。」

みんなは、物を一言《ひとこと》も云えずにその通りにして倒れるように睡《ねむ》ってしまいました。

その午后、老技師は受話器を置いて叫びました。

「さあ電線は届いたぞ。ブドリ君、始めるよ。」老技師はスイッチを入れました。ブドリたちは、天幕の外に出て、サンムトリの中腹を見つめました。野原には、白百合《しろゆり》がいちめん咲き、その向こうにサンムトリが青くひっそり立っていました。

俄《にわ》かにサンムトリの左の裾がぐらぐらっとゆれまっ黒なけむりがぱっと立ったと思うとまっすぐに天にのぼって行って、おかしなきのこの形になり、その足もとから黄金《きん》色の熔岩がきらきら流れ出して、見るまにずうっと扇形《おうぎがた》にひろがりながら海へ入りました。と思うと地面は烈《はげ》しくぐらぐらゆれ、百合の花もいちめんゆれ、それからごうっというような大きな音が、みんなを倒すくらい強くやってきました。それから風がどうっと吹いて行きました。

「やったやった。」とみんなはそっちに手を延ばして高く叫びました。この時サンムトリの煙は、崩れるようにそらいっぱいひろがって来ましたが、忽《たちま》ちそらはまっ暗になって、熱いこいしがぱ

らぱらぱらぱら降ってきました。みんなは天幕の中にはいって心配そうにしていましたが、ペンネン技師は、時計を見ながら、

「ブドリ君、うまく行った。危険はもう全くない。市の方へは灰をすこし降らせるだけだろう。」と云《い》いました。こいしはだんだん灰にかわりました。それもまもなく薄くなってみんなはまた天幕の外へ飛び出しました。野原はまるで一めん鼠《ねずみ》いろになって、灰は一寸《ちょっと》ばかり積もり、百合の花はみんな折れて灰に埋《うず》まり、空は変に緑いろでした。そしてサンムトリの裾には小さな瘤《こぶ》ができて、そこから灰いろの煙が、まだどんどん登って居りました。

その夕方みんなは、灰やこいしを踏んで、もう一度山へのぼって、新らしい観測の機械を据え着けて帰りました。

七、雲の海

それから四年の間に、クーボー大博士の計画通り、潮汐《ちょうせき》発電所は、イーハトーブの海岸に沿って、二百も配置されました。イーハトーブをめぐる火山には、観測小屋といっしょに、白く塗られた鉄の櫓《やぐら》が順々に建ちました。

ブドリは技師心得《こころえ》になって、一年の大部分は火山から火山と廻《まわ》ってあるいたり、危くなった火山を工作したりしていました。

次の年の春、イーハトーブの火山局では、次のようなポスターを村や町へ張りました。

「窒素《ちつそ》肥料を降らせます。今年の夏、雨といっしょに、硝酸《しようさん》アムモニアをみなさんの沼ばたけや蔬菜《そさい》ばたけに降らせますから、肥料を使う方は、その分を入れて計算してください。分量は百メートル四方につき百二十キログラムです。

雨もすこしは降らせます。

旱魃《かんばつ》の際には、とにかく作物の枯れないぐらいの雨は降らせることができますから、いままで水が来なくなって作付《さくづけ》しなかった沼ばたけも、今年は心配せずに植え付けてください。」

その年の六月、ブドリはイーハトーブのまん中にあたるイーハトーブ火山の頂上の小屋に居りました。下はいちめん灰いろをした雲の海でした。そのあちこちからイーハトーブ中の火山のいただきが、ちょうど島のように黒く出て居りました。その雲のすぐ上を一隻《せき》の飛行船が、船尾からまっ白な煙を噴いて一つの峯から一つの峯へちょうど橋をかけるように飛びまわっていました。そのけむりは、時間がたつほどだんだん太くはっきりなってしずかに下の雲の海に落ちかぶさり、まもなく、いちめんの雲の海にはうす白く光る大きな網が、山から山へ張り亘《わた》されました。いつか飛行船はけむりを納めて、しばらく挨拶《あいさつ》するように輪を描《か》いていましたが、やがて船首を垂れてしずかに雲の中へ沈んで行ってしまいました。受話器がジーと鳴りました。ペンネン技師の声でした。

「船はいま帰って来た。下の方の支度《したく》はすっかりいい。雨はざあざあ降っている。もうよかろうと思う。はじめてくれ給え。」

ブドリはぼたんを押しました。見る見るさっきのけむりの網は、美しい桃いろや青や紫に、パッパッと眼《め》もさめるようにかがやきながら、点《つ》いたり消えたりしました。ブドリはまるでうっとりとしてそれに見とれました。そのうちにだんだん日は暮れて、雲の海もあかりが消えたときは、灰いろか鼠《ねずみ》いろかわからないようになりました。

受話器が鳴りました。

「硝酸《しょうさん》アムモニアはもう雨の中へでてきている。量もこれぐらいならちょうどいい。移動のぐあいもいいらしい。あと四時間やれば、もうこの地方は今月中は沢山《たくさん》だろう。つづけてやってくれたまえ。」

ブドリはもううれしくってはね上りたいくらいでした。この雲の下で昔の赤鬚《あかひげ》の主人もとなりの石油がこやしになるかと云《い》った人も、みんなよろこんで雨の音を聞いている。そしてあすの朝は、見違えるように緑いろになったオリザの株を手で撫《な》でたりするだろう、まるで夢のようだと思いながら雲のまっくらになったり、また美しく輝いたりするのを眺《なが》めて居りました。ところが短い夏の夜はもう明けるらしかったのです。電光の合間に、東の雲の海のはてがぼんやり黄ばんでいるのでした。

ところがそれは月が出るのでした。大きな黄いろな月がしずかに登ってくるのでした。そして雲が青く光るときは変に白っぽく見え、桃いろに光るときは何かわらっているように見えるのでした。ブドリは、もうじぶんが誰《たれ》なのか何をしているのか忘れてしまって、ただぼんやりそれをみつめていました。受話器がジーと鳴りました。

「こっちでは大分《だいぶん》雷が鳴りだして来た。網があちこちちぎれたらしい。あんまり鳴らすとあしたの新聞が悪口を云うからもう十分ばかりでやめよう。」

ブドリは受話器を置いて耳をすましました。雲の海はあっちでもこっちでもぶつぶつぶつぶつ呟《つぶや》いているのです。よく気をつけて聞くとやっぱりそれはきれぎれの雷の音でした。ブドリはスイッチを切りました。俄《にわ》かに月のあかりだけになった雲の海は、やっぱりしずかに北へ流れています。ブドリは毛布をからだに巻いてぐっすり睡《ねむ》りました。

八、秋

その年の農作物の収穫は、気候のせいもありましたが、十年の間にもなかったほど、よく出来ましたので、火山局にはあっちからもこっちからも感謝状や激励の手紙が届きました。ブドリははじめてほんとうに生きた甲斐《かい》があるように思いました。

ところがある日、ブドリがタチナという火山へ行った帰り、とりいれの済んでがらんとした沼ばたけの中の小さな村を通りかかりました。ちょうどひるころなので、パンを買おうと思って、一軒の雑貨や菓子を売っている店へ寄って、

「パンはありませんか。」とききました。すると、そこには三人のはだしの人たちが、眼をまっ赤にして酒を呑《の》んで居りましたが、一人が立ち上って、

「パンはあるが、どうも食われないパンでな。石盤《セキバン》だもな。」とおかしなことを云いますと、み

んなは面白そうにブドリの顔を見てどっと笑いました。ブドリはいやになって、ぷいっと表へ出ましたら、向こうから髪を角刈《かくが》りにしたせいの高い男が来て、いきなり、

「おい、お前、今年の夏、電気でこやし降らせたブドリだな。」と云いました。

「そうだ。」ブドリは何気なく答えました。その男は高く叫びました。

「火山局のブドリ来たぞ。みんな集まれ。」

すると今の家《うち》の中やそこらの畑から、七八人の百姓たちが、げらげらわらってかけて来ました。

「この野郎、きさまの電気のお蔭《かげ》で、おいらのオリザ、みんな倒れてしまったぞ。何してあんなまねしたんだ。」一人が云《い》いました。

ブドリはしずかに云いました。

「倒れるなんて、きみらは春に出したポスターを見なかったのか。」

「何この野郎。」いきなり一人がブドリの帽子を叩《たた》き落しました。それからみんなは寄ってたかってブドリをなぐったりふんだりしました。ブドリはとうとう何が何だかわからなくなって倒れてしまいました。

気がついて見るとブドリはどこか病院らしい室《へや》の白いベッドに寝ていました。枕もとには見舞の電報や、たくさんの手紙がありました。ブドリのからだ中は痛くて熱く、動くことができませんでした。けれどもそれから一週間ばかりたちますと、もうブドリはもとの元気になっていました。そして新聞で、あのときの出来事は、肥料の入《い》れ様《よう》をまちがって教えた農業技師が、オリザの倒れたのをみんな火山局のせいにして、ごまかしていたためだということを読んで、大きな声

で一人で笑いました。その次の日の午后、病院の小使《こづかい》が入って来て、「ネリというご婦人のお方が訪ねておいでになりました。」と云いました。ブドリは夢ではないかと思いましたら、まもなく一人の日に焼けた百姓のおかみさんのような人が、おずおずと入って来ました。それはまるで変ってはいましたが、あの森の中から誰《たれ》かにつれて行かれたネリだったのです。二人はしばらく物も言えませんでしたが、やっとブドリが、その後《のち》のことをたずねますと、ネリもぼつぼつとイーハトーブの百姓のことばで、今までのことを談《はな》しました。ネリを連れて行ったあの男は、三日ばかりの後《のち》、面倒臭くなったのかある小さな牧場《ぼくじょう》の近くへネリを残してどこかへ行ってしまったのでした。

ネリがそこらを泣いて歩いていますと、その牧場の主人が可哀《かあい》そうに思って家《うち》へ入れて赤ん坊のお守をさせたりしていましたが、だんだんネリは何でも働けるようになったのでとうとう三四年前にその小さな牧場の一番上の息子と結婚したというのでした。そして今年は肥料も降ったので、いつもなら厩肥《うまやごえ》を遠くの畑まで運び出さなければならず、大へん難儀《なんぎ》したのを、近くのかぶらの畑へみんな入れたし、遠くの玉蜀黍《とうもろこし》もよくできたので、家じゅうみんな悦《よろこ》んでいるというようなことも云いました。またあの森の中へ主人の息子といっしょに何べんも行って見たけれども、家はすっかり壊れていたし、ブドリはどこへ行ったかわからないのでいつもがっかりして帰っていたら、昨日《きのう》新聞で主人がブドリのけがをしたことを読んだのでやっとこっちへ訪ねて来たということも云いました。ブドリは、直ったらきっとその家へ訪ねて行ってお礼を云う約束をしてネリを帰しました。

九、カルボナード島

それからの五年は、ブドリにはほんとうに楽しいものでした。赤鬚《あかひげ》の主人の家《うち》にも何べんもお礼に行きました。

もうよほど年は老《と》っていましたが、やはり非常な元気で、こんどは毛の長い兎《うさぎ》を千疋《びき》以上飼ったり、赤い甘藍《かんらん》ばかり畑に作ったり、相変らずの山師はやっていましたが、暮らしはずうっといいようでした。

ネリには、可愛《かあい》らしい男の子が生れました。冬に仕事がひまになると、ネリはその子にすっかりこどもの百姓のようなかたちをさせて、主人といっしょに、ブドリの家に訪ねて来て、泊って行ったりするのでした。

ある日、ブドリのところへ、昔てぐす飼いの男にブドリといっしょに使われていた人が訪ねて来て、ブドリたちのお父さんのお墓が森のいちばんはずれの大きな榧《かや》の木の下にあるということを教えて行きました。それは、はじめ、てぐす飼いの男が森に来て、森じゅうの樹《き》を見てあるいたとき、ブドリのお父さんたちの冷たくなったからだを見附《みつ》けて、ブドリに知らせないように、そっと土に埋《うず》めて、上へ一本の樺《かば》の枝をたてて置いたというのでした。ブドリは、すぐネリたちをつれてそこへ行って、白い石灰岩の墓をたてて、それからもその辺を通るたびにいつも寄ってくるのでした。

そしてちょうどブドリが二十七の年でした。どうもあの恐ろしい寒い気候がまた来るような模様でした。測候所では、太陽の調子や北の方の海の氷の様子からその年の二月にみんなへそれを予報しました。それが一足ずつだんだん本統《ほんとう》になってこぶしの花が咲かなかったり、五月に十日もみぞれが降ったりしますと、みんなはもう、この前の凶作を思い出して生きたそらもありませんでした。クーボー大博士も、たびたび気象や農業の技師たちと相談したり、意見を新聞へ出したりしましたが、やっぱりこの烈《はげ》しい寒さだけはどうともできないようすでした。

ところが六月もはじめになって、まだ黄いろなオリザの苗や、芽を出さない樹《き》を見ますと、ブドリはもう居ても立ってもいられませんでした。このままで過ぎるなら、森にも野原にも、ちょうどあの年のブドリの家族のようになる人がたくさんできるのです。ブドリはまるで物も食べずに幾晩も幾晩も考えました。ある晩ブドリは、クーボー大博士のうちを訪ねました。

「先生、気層のなかに炭酸《たんさん》瓦斯《がす》が増えて来れば暖かくなるのですか。」

「それはなるだろう。地球ができてからいままでの気温は、大抵空気中の炭酸瓦斯の量できまっていたと云われる位だからね。」

「カルボナード火山島が、いま爆発したら、この気候を変える位の炭酸瓦斯を噴くでしょうか。」

「それは僕も計算した。あれがいま爆発すれば、瓦斯はすぐ大循環の上層の風にまじって地球ぜんたいを包むだろう。そして下層の空気や地表からの熱の放散を防ぎ、地球全体を平均で五度位温かにするだろうと思う。」

「先生、あれを今すぐ噴かせられないでしょうか。」

「それはできるだろう。けれども、その仕事に行ったもののうち、最後の一人はどうしても遁《に》げられないのでね。」

「先生、私《わたくし》にそれをやらしてください。どうか先生からペンネン先生へお許しの出るようお詞《ことば》を下さい。」

「それはいけない。きみはまだ若いし、いまのきみの仕事に代われるものはそうはない。」

「私のようなものは、これから沢山《たくさん》できます。私よりもっともっと何でもできる人が、私よりもっと立派にもっと美しく、仕事をしたり笑ったりして行くのですから。」

「その相談は僕はいかん。ペンネン技師に談《はな》したまえ。」

ブドリは帰って来て、ペンネン技師に相談しました。技師はうなずきました。

「それはいい。けれども僕がやろう。僕は今年もう六十三なのだ。ここで死ぬなら全く本望《ほんもう》というものだ。」

「先生、けれどもこの仕事はまだあんまり不確かです。一ぺんうまく爆発しても間もなく瓦斯が雨にとられてしまうかもしれませんし、また何もかも思った通りいかないかもしれません。先生が今度お出でになってしまっては、あと何とも工夫《くふう》がつかなくなると存じます。」

老技師はだまって首を垂れてしまいました。

それから三日の後、火山局の船が、カルボナード島へ急いで行きました。そこへいくつものやぐらは建ち、電線は連結されました。

すっかり仕《し》度《たく》ができると、ブドリはみんなを船で帰してしまって、じぶんは一人島に残りました。

　そしてその次の日、イーハトーブの人たちは、青ぞらが緑いろに濁り、日や月が銅《あかがね》いろになったのを見ました。けれどもそれから三四日《さんよっか》たちますと、気候はぐんぐん暖かくなってきて、その秋はほぼ普通の作柄《さくがら》になりました。そしてちょうど、このお話のはじまりのようになる筈《はず》の、たくさんのブドリのお父さんやお母さんは、たくさんのブドリやネリといっしょに、その冬を暖かいたべものと、明るい薪《たきぎ》で楽しく暮らすことができたのでした。

〔銀河鉄道の夜　初期形第三次稿〕

ケンタウル祭の夜

（そら、ぼくの影ぼうしは、だんだんみじかくなって、ぼくへ追いついて来る。じきにすっかりちぢまっちまうぞ。）

ジョバンニは、口笛を吹いているようなさびしい口付きで、うしろをふりかえって、こんなことを考えながら、檜《ひのき》のまっ黒にならんだ町の坂を下りて来たのでした。

坂の下に大きな一つの街燈《がいとう》が、青白く立派に光って立っていました。ほんとうにジョバンニが、どんどん電燈の方へ下りて行きますと、いままでばけもののように、長くぼんやり、うしろへ引いていたジョバンニの影ぼうしは、だんだん濃く黒くはっきりなって、足をあげたり手を振ったり、ジョバンニの横の方へまわって来るのでした。

（ぼくはまるで軽便《けいべん》鉄道の機関車だ。ここは勾配《こうばい》だからこんなに速い。ぼくはいまその電燈を通り越す。しゅっしゅっ。そら、こんどはぼくの影法師はコンパスだ。あんなにくるっとまわって、前の方へ来た。）

とジョバンニが思いながら、大股《おおまた》にその街燈の下を通り過ぎたとき、いきなり一人の顔の赤い、新らしいえりの尖《とが》ったシャツを着た小さな子が、電燈の向こう側の暗い小路《こうじ》から出て来て、ひらっとジョバンニとすれちがいました。

「ザネリ、どこへ行ったの。」ジョバンニがまだそう云《い》ってしまわないうちに、「ジョバンニ、お父さんから、らっこの上着が来るよ。」その子が投げつけるようにうしろから叫びました。

ジョバンニは、ばっと胸がつめたくなり、そこら中《じゅう》きぃんと鳴るように思いました。

なぜならジョバンニのお父さんは、そんならっこや海豹《あざらし》をとる、それも密猟船に乗っていて、それになにかひとを怪我《けが》させたために、遠くのさびしい海峡の町の監獄に入っているというのでした。ですから今夜だって、みんなが町の広場にあつまって、一緒に星めぐりの歌をうたったり、川へ青い烏瓜《からすうり》のあかしを流したりする、たのしいケンタウル祭の晩なのに、ジョバンニはぼろぼろのふだん着のままで、病気のおっかさんの牛乳の配られて来ないのをとりに、下の町はずれまで行くのでした。

(ザネリは、どうしてぼくがなんにもしないのに、あんなことを云うのだろう。ぼくのお父さんは、わるくて監獄にはいっているのではない。わるいことなど、お父さんがする筈《はず》はないんだ。去年の夏、帰って来たときだって、ちょっと見たときはびっくりしたけれども、ほんとうはにこにこわらって、それにあの荷物を解いたときならどうだ、鮭《さけ》の皮でこさえた大きな靴だの、となかいの角だの、どんなにぼくは、よろこんではねあがって叫んだかしれない。ぼくは学校へ持って行ってみんなに見せた。先生までめずらしいといって見たんだ。いまだってちゃんと標本室にある。それにザネリやなんかあんまりだ。けれどもあんなことをいうのはばかだからだ。)

ジョバンニは、せわしくいろいろのことを考えながら、さまざまの灯や木の枝で、きれいに飾られた町を通って行きました。時計屋の店には明るくネオン燈がついて、一秒ごとに石でこさえたふくろうの赤い眼が、くるっくるっとうごいたり、眩《まば》ゆいプラチナや黄金《きん》の鎖だの、いろいろな宝石のはいった指《ゆび》環《わ》だのが、海のような色をした厚い硝子《ガラス》の盤に載ってゆっくり循《めぐ》ったり、また向こう側から、銅の人馬《じんば》がゆっくりこっちへまわって来たりするのでした。そのまん中に円い黒い星座早見が青いアスパラガスの葉で飾ってありました。

(ああ、もしぼくがいまのように、朝暗いうちから二時間も新聞を折ってまわしにあるいたり、学校から帰ってからまで、活版処へ行って活字をひろったりしないでもいいようなら、学校でも前のようにもっとおもしろくて、人馬《ひとうま》だって球投げだって、誰《たれ》にも負けないで、一生けん命やれたんだ。それがもういまは、誰もぼくとはあそばない。ぼくはたったひとりになってしまった。)

ジョバンニはきゅうくつな上着の肩を気にしながら、それでも胸を張って大きく手を振って、町を通って行きました。そのケンタウル祭の夜の町のきれいなことは、空気は澄みきって、まるで水のように通りや店の中を流れましたし、街燈はみなまっ青なもみや楢《なら》の枝で包まれ、電気会社の前の六本のプラタヌスの木などは、中に沢山《たくさん》の豆電燈がついて、ほんとうにそこらは人魚の都のように見えるのでした。子どもらは、みんな新らしい折のついた着物を着て、星めぐりの口笛を吹いたり、

「ケンタウルス、露をふらせ。」と叫んで走ったり、青いマグネシヤの花火を燃したりして、たのしそうに遊んでいるのでした。けれどもジョバンニは、いつかまた深く首を垂れて、そこらのにぎやかさとはまるでちがったことを考えながら、町はずれへ急ぐのでした。

(お母《つか》さんは、ほんとうにきのどくだ。毎日あんまり心配して、それでも無理に外へ出て、キャベジの草をとったり燕麦《オート》を刈ったりはたらいたのだ。あの晩、おっかさんは、あんまり動悸《どうき》がするからジョバンニ、起きてお湯をわかしてお呉《く》れと云ってぼくをおこした。おっかさんが、ぼんやり辛《つら》そうに息をし

て、唇《くちびる》のいろまで変わっていたんだ。ぼくはたったひとり、まるで馬鹿のように、火を吹きつけてお湯をわかした。手をあたためてあげたり、胸に湿布をしたり、頭を冷やしたり、いろいろしても、おっかさんはただだるそうに、もういいよというきりだった。ぼくはどんなに、つらかったかわからない。)

ジョバンニは、いつか町はずれのポプラの木が幾本も幾本も、高く星ぞらに浮んでいるところに来ていました。その牛乳屋の黒い門を入り、牛の匂《におい》のするうすくらい台所の前に立って、ジョバンニは帽子をぬいで「今晩は、」と云《い》いましたら、家の中はしぃんとして誰《たれ》も居たようではありませんでした。

「今晩は、ごめんなさい。」ジョバンニはまっすぐに立ってまた叫びました。するとしばらくたってから、年老《と》った下女が、横の方からバケツをさげて出て来て云いました。

「今晩だめですよ。誰も居ませんよ。」

「あの、今日、牛乳が僕んとこへ来なかったので、貰《もら》いにあがったんです。」ジョバンニが一生けん命勢いよく云いました。

「ちち、今日はもうありませんよ。あしたにして下さい。」

下女は着物のふちで赤い眼の下のとこを擦《こす》りながら、しげしげジョバンニを見て云いました。

「おっかさんが病気なんですがないんでしょうか。」

「ありませんよ。お気の毒ですけれど。」下女はもう行ってしまいそうでした。

「そうですか。ではありがとう。」ジョバンニは、お辞義をして台所から出ましたけれども、なぜか泪《なみだ》がいっぱいに湧きました。

(今日、銀貨が一枚さえあったら、どこからでもコンデンスミルクを買って帰るんだけれど。ああ、ぼくはどんなにお金がほしいだろう。青い苹果《りんご》だってもうできているんだ。カムパネルラなんか、ほんとうにいいなあ。今日だって、銀貨を二枚も、運動場で弾《はじ》いたりしていた。ぼくはどうして、カムパネルラのように生れなかったろう。カムパネルラなら、ステッドラーの色鉛筆でも何でも買える。それにほんとうにカムパネルラはえらい。せいだって高いし、いつでもわらっている。一年生のころは、あんまりできなかったけれども、いまはもう一番で級長で、誰だって追い付きやしない。算術だって、むずかしい歩合算《ぶあいざん》でも、ちょっと頭を曲げればすぐできる。絵なんかあんなにうまい。水車を写生したのなどは、おとなだってあれくらいにできやしない。ぼくがカムパネルラと友だちだったら、どんなにいいだろう。カムパネルラは、決してひとの悪口などを云わない。そして誰だって、カムパネルラをわるくもっていない。けれども、ああ、おっかさんは、いまうちでぼくを待っている。ぼくは早く帰って、牛乳はないけれども、おっかさんの額にキスをして、あの時計屋のふくろうの飾りのことをお話ししよう。)

ジョバンニは、せわしくこんなことを考えながら、さっき来た町かどを、まがろうとしましたら、向こうの雑貨店の前で、黒い影やぼんやり白いシャツが入り乱れて、六七人の生徒らが、口笛を吹いたり笑ったりして、めいめい烏瓜《からすうり》の燈火《あかり》を持ってやって来るのを見ました。その笑い声も口笛も、みんな聞きおぼえのあるものでした。ジョバンニの同級の子供らだったのです。ジョバンニは思わずどきっとして戻ろうとしましたが、思い直して、一そう勢いよくそっちへ歩いて行きました。

「川へ行くの。」ジョバンニが云おうとして、少しのどがつまったように思ったとき、

「ジョバンニ、らっこの上着が来るよ。」さっきのザネリがまた叫びました。

「ジョバンニ、らっこの上着が来るよ。」すぐみんなが、続いて叫びました。ジョバンニはまっ赤になって、もう歩いているかもわからず、急いで行きすぎようとしましたら、そのなかにカムパネルラが居

たのです。カムパネルラは気の毒そうに、だまって少しわらって、怒らないだろうかというようにジョバンニの方を見ていました。

ジョバンニは、遁《に》げるようにその眼を避け、そしてカムパネルラのせいの高いかたちが過ぎて行って間もなく、みんなはてんでに口笛を吹きました。町かどを曲るとき、ふりかえって見ましたら、ザネリがやはりふりかえって見ていました。そしてカムパネルラもまた、高く口笛を吹いて行ってしまったのでした。ジョバンニは、なんとも云えずさびしくなって、いきなり走り出しました。すると耳に手をあてて、わああと云いながら片足でぴょんぴょん跳んでいた小さな子供らは、ジョバンニが面白くてかけるのだと思って、わあいと叫びました。どんどんジョバンニは走りました。

けれどもジョバンニは、まっすぐに坂をのぼって、あの檜《ひのき》の中のおっかさんの家へは帰らないで、ちょうどその北の方の、町はずれへ走って行ったのです。そこには、河原のぼうっと白く見える、小さな川があって、細い鉄の欄干のついた橋がかかっていました。

（ぼくはどこへもあそびに行くとこがない。ぼくはみんなから、まるで狐《きつね》のように見えるんだ。）

ジョバンニは橋の上でとまって、ちょっとの間、せわしい息できれぎれに口笛を吹きながら泣き出したいのをごまかして立っていましたが、俄《にわ》かにまたちからいっぱい走りだしました。

天気輪の柱

川のうしろは、ゆるい丘になって、その黒い平らな頂上は、北の大熊星《おおぐまぼし》の下に、ぼんやりふだんよりも低く連なって見えました。

ジョバンニは、もう露の降りかかった小さな林のこみちを、どんどんのぼって行きました。まっくらな草や、いろいろな形に見えるやぶのしげみの間を、その小さなみちが、一すじ白く星あかりに照らしだされてあったのです。草の中には、ぴかぴか青びかりを出す小さな虫もいて、ある葉は青くすかし出され、ジョバンニは、さっきみんなの持って行った烏瓜《からすうり》のあかしのようだとも思いました。

そのまっ黒な、松や楢《なら》の林を越えると、俄かにがらんと空がひらけて、天の川がしらしらと南から北へ亘《わた》っているのが見え、また頂《いただき》の、天気輪の柱も見わけられたのでした。つりがねそうか野ぎくかの花が、そこらいちめんに、夢の中からでも薫《かお》りだしたというように咲き、鳥が一疋《ぴき》、丘の上を鳴き続けながら通って行きました。

ジョバンニは、頂の天気輪の柱の下に来て、どかどかするからだを、つめたい草に投げました。

町の灯は、暗《やみ》の中をまるで海の底のお宮のけしきのようにともり、子供らの歌う声や口笛、きれぎれの叫び声もかすかに聞こえて来るのでした。風が遠くで鳴り、丘の草もしずかにそよぎ、ジョバンニの汗でぬれたシャツもつめたく冷《ひ》やされました。ジョバンニはじっと天の川を見ながら考えました。

(ぼくはもう、遠くへ行ってしまいたい。みんなからはなれて、どこまでもどこまでも行ってしまいたい。それでも、もしカムパネルラが、ぼくといっしょに来てくれたら、そして二人で、野原やさまざまの家をスケッチしながら、どこまでもどこまでも行くのなら、どんなにいいだろう。カムパネルラは決してぼくを怒っていないのだ。そしてぼくは、どんなに友だちがほしいだろう。ぼくはもう、カムパネルラが、ほんとうにぼくの友だちになって、決してうそをつかないなら、ぼくは命でもやってもいい。けれどもそう云《い》おうと思っても、いまはぼくはそれを、カムパネルラに云えなくなってしまった。一緒に遊ぶひまだってないんだ。ぼくはもう、空の遠くの遠くの方へ、たった一人で飛んで行ってしまいたい。)

野原から汽車の音が聞こえました。その小さな列車の窓は一列小さく赤く見え、その中にはたくさんの旅人が、苹果《りんご》を剝《む》いたり、わらったり、いろいろな風にしていると考えますと、ジョバンニは、もう何とも云《い》えずかなしくなって、また眼をそらに挙げました。あの青い琴の星さえ蕈《きのこ》のように脚が長くなって、三つにも四つにもわかれ、ちらちら忙《せわ》しく瞬いたのでした。

「あああの白いそらの帯が牛乳の川だ〔以下原稿五枚なし〕

ら、やっぱりその青い星を見つづけていました。

ところがいくら見ていても、そこは博士の云ったような、がらんとした冷たいとこだとは思われませんでした。それどころでなく、見れば見るほど、そこは小さな林や牧場やらある野原のように考えられて仕方なかったのです。そしてジョバンニはその琴の星が、また二つにも三つにもなって、ちらちら瞬き、脚が何べんも出たり引っ込んだりして、とうとう蕈のように長く延びるのを見ました。

銀河ステーション

（さっきもちょうど、あんなになった。）

ジョバンニが、こう呟《つぶや》くか呟かないうちに、愕《おどろ》いたことは、いままでぼんやり蕈のかたちをしていた、その青じろいひかりが、にわかにはっきりした三角標の形になって、しばらく蛍《ほたる》のように、ぺかぺか消えたりともったりしていましたが、とうとうりんとうごかないようになって、濃い鋼青のそらの野原にたちました。いま新らしく灼《や》いたばかりの青い鋼の板のような、そらの野原に、まっすぐにすきっと立ったのです。

(いくらなんでも、あんまりひどい。ひかりがあんなチョコレートででも組みあげたような三角標になるなんて。)

ジョバンニは、思わず誰《たれ》へともなしにそう叫びました。

するとちょうど、それに返事をするように、どこか遠くの遠くのもやの中から、セロのようなごうごうした声がきこえて来ました。

(ひかりというものは、ひとつのエネルギーだよ。お菓子や三角標も、みんないろいろに組みあげられたエネルギーが、またいろいろに組みあげられてできている。だから規則さえそうならば、ひかりがお菓子になることもあるのだ。ただおまえは、いままでそんな規則のとこに居なかっただけだ。ここらはまるで約束がちがうからな。)

ジョバンニは、わかったような、わからないような、おかしな気がして、だまってそこらを見ていました。

するとこんどは、前からでもうしろからでもどこからでもないふしぎな声が、銀河ステーション、銀河ステーションときこえました。そしていよいよおかしいことは、その語《ことば》が、少しもジョバンニの知らない語《ご》なのに、その意味《いみ》はちゃんとわかるのでした。

(そうだ。やっぱりあれは、ほんとうの三角標だ。頂上には、白鳥の形を描いた測量旗だってひらひらしている。)ジョバンニが、そう思ったときでした。いきなり眼の前が、ぱっと明るくなって、まるで億万の蛍烏賊《ほたるいか》の火を一ぺんに化石させて、そら中に沈めたという工合《ぐあい》、またダイアモンド会社で、ねだんがやすくならないために、わざと穫《と》れないふりをして、かくして置いた金剛石を、誰かがいきなりひっくりかえして、ばら撒《ま》いたという風に、眼の前がさあっと明るくなって、ジョバンニは、思わず何べんも眼《め》を擦《こす》ってしまいました。実にその光は、広い一本の帯になって、ところどころ枝を出したり、二つに岐《わか》れたりしながら、空の野原を北から南へ、しらしらと流れるのでした。

（あの光る砂利の上には、水が流れているようだ。）

ジョバンニは、ちょっとそう思いました。するとすぐ、あのセロのような声が答えたのです。

（水が流れている？　水かね、ほんとうに。）

ジョバンニは、一生けん命延びあがって、その天の川の水を、見きわめようとしましたが、どうしてもそれが、はっきりしませんでした。

（どうもぼくには水だかなんだかよくわからない。けれどもたしかにながれている。そしてまるで風と区別されないようにも見える。あんまりすきとおって、それに軽そうだから。）ジョバンニはひとりで呟《つぶや》きました。

するとどこかずうっと遠くで、なにかが大へんよろこんで、手を拍《う》ったというような気がしました。見ると、いまはもう、そのきれいな水は、ガラスよりも水素よりもすきとおって、ときどき眼の加減か、ちらちら紫いろのこまかな波をたてたり、虹のようにぎらっと光ったりしながら、声もなくどんどん流れて行き、野原にはあっちにもこっちにも、燐光《りんこう》の三角標が、うつくしく立っていたのです。遠いものは小さく、近いものは大きく、遠いものは橙《だいだい》や黄いろではっきりし、近いものは青白く少しかすんで、或《あるい》いは三角形、或いは四辺形、あるいは電《いなずま》や鎖の形、さまざまにならんで、野原いっぱい光っているのでした。ジョバンニは、まるでどきどきして、頭をやけに振りました。するとほんとうに、そのきれいな野原中の青や橙や、いろいろかがやく三角標も、てんでに息をつくように、ちらちらゆれたり顫《ふる》えたりしました。

「ぼくはもう、すっかり天の野原に来た。」ジョバンニは呟きました。「けれども僕は、ずうっと前から、ここでねむっていたのではなかったろうか。ぼくは決して、こんな野原を歩いて来たのではない。途中のことを考え出そうとしても、なんにもないんだから。」ところが、ふと気がついてみると、さっきから、ごとごとごとごと、ジョバンニの乗っている小さな列車が走りつづけていたのでした。ほんとうにジョバンニは、夜の軽便《けいべん》鉄道の、小さな黄いろの電燈のならんだ車室に、窓から外を見ながら座っていたのです。車室の中は、青い天蚕絨《びろうど》を張った腰掛《こしかけ》が、まるでがら明きで、ほんの六七人の、アラビヤ風のゆるい着物を着た人たちが、眼鏡《めがね》を直したり、何か本を読んだりしているだけ、向こうの鼠《ねずみ》いろのワニスを塗った壁には、真鍮《しんちゅう》の大きなぼたんが二つ光っているのでした。

ところが、ジョバンニは、眼をじぶんの近くに戻して、ふとじぶんのすぐ前の席に、ぬれたようにまっ黒な上着を着た、せいの高い子供が、窓から頭を出して外を見ているのに気が付きました。そしてそのこどもの肩のあたりが、どうも見たことのあるような気がして、そう思うと、もうどうしても誰《たれ》だかわかりたくて、たまらなくなりました。いきなりこっちも窓から顔を出そうとしたとき、俄《にわ》かにその子供が頭を引っ込めて、こっちを見ました。

それは級長のカムパネルラだったのです。

（ああ、そうだ。カムパネルラだ。ぼくはカムパネルラといっしょに旅をしていたのだ。）ジョバンニが思ったとき、カムパネルラが云《い》いました。

「ザネリはね、ずいぶん走ったけれども、乗り遅れたよ。銀河ステーションの時計はよほど進んでいるねえ。」

ジョバンニは、（そうだ、ぼくたちはいま、いっしょにさそって出掛けたのだ。）とおもいながら、

「次の停車場で下りて、ザネリの来るのを待っていようか。」と云《い》いました。

「ザネリ、もう帰ったよ。お父さんが迎いにきたんだ。」

カムパネルラは、なぜかそう云いながら、少し顔いろが青ざめて、どこか苦しいというふうでした。するとジョバンニも、なんだかどこかに、何か忘れたか済まないことがしてあるというような、おかしな気持ちがしてだまってしまいました。

ところがカムパネルラは、窓から外をのぞきながら、もうすっかり元気が直って、勢いよく云いました。

「ああしまった。ぼく、水筒を忘れてきた。スケッチ帳も忘れてきた。けれど構《かま》わない。もうじき白鳥の停車場だから。ぼく、白鳥を見るなら、ほんとうにすきだ。川の遠くを飛んでいたって、ぼくきっと見える。」そして、カムパネルラは、円《まる》い板のようになった地図を、しきりにぐるぐるまわして見ていました。まったくその中に、白くあらわされた天の川の左の岸に沿って一条の鉄道線路が、南へ南へとたどって行くのでした。そしてその地図の立派なことは、夜のようにまっ黒な盤の上に、一一《いちいち》の停車場や三角標、泉水や森が、青や橙《だいだい》や緑や、うつくしい光でちりばめられてありました。ジョバンニはなんだかその地図をどこかで見たようにおもいました。

「この地図はどこで買ったの。黒曜石でできてるねえ。」

ジョバンニが云いました。

「銀河ステーションで、もらったんだ。君もらわなかったの。」

「ああ、ぼく銀河ステーションを通ったろうか。いまぼくたちの居るとこ、ここだろう。」

ジョバンニは、白鳥と書いてある停車場のしるしの、すぐ北を指しました。

「そうだ。おや、あの河原は月夜だろうか。」

そっちを見ますと、青白く光る銀河の岸に、銀いろの空のすすきが、もうまるでいちめん、風にさらさらさらさら、ゆられてうごいて、波を立てているのでした。

「月夜でないよ。銀河だから光るんだよ。」ジョバンニは云いながら、まるではね上りたいくらい愉快になって、足をこつこつ鳴らし、窓から顔を出して、高く高く星めぐりの口笛を吹きました。

「ぼくたち、どこまで行くんだったろう。」ジョバンニはふと天の川のこっちに、大きな一つのからな小屋が建ち、そこから滑車や綱が、たくさんぶらさがっているのを見ながら、カムパネルラにききました。

「どこまでも行くんだろう。」カムパネルラがぼんやり答えました。

「この汽車石炭をたいていないねえ。」ジョバンニが左手をつき出して窓から前の方を見ながら云いました。

「石炭たいていない？　電気だろう。」

そのとき、あのなつかしいセロの、しずかな声がしました。

「ここの汽車は、スティームや電気でうごいていない。ただうごくようにきまっているからうごいているのだ。」

「あの声、ぼくなんべんもどこかできいた。」

「ぼくだって、林の中や川で、何べんも聞いた。」

ごとごとごとごと、その小さなきれいな汽車は、そらのすすきの風にひるがえる中を、天の川の水や、三角点の青じろい微光の中を、どこまでもどこまでもと、走って行くのでした。

向こうの席で、灰いろのひだの、長く垂れたきものを着たひとが、ちょっと立ちあがって、そのえりを直しただけ、ほんとうにそこらはしずかなのでした。

「ああ、りんどうの花が咲いている。もうすっかり秋だねえ。」カムパネルラが、窓の外を指さして云《い》いました。

線路のへりになったみじかい芝草の中に、月長石《げっちょうせき》ででも刻まれたような、すばらしい紫のりんどうの花が咲いていました。

「ぼく、飛び下りて、あいつをとって、また飛び乗ってみせようか。」ジョバンニは胸を躍《おど》らせて云いました。

「もうだめだ。あんなにうしろへ行ってしまったから。」

カムパネルラが、そう云ってしまうかしまわないうち、次のりんどうの花が、いっぱいに光って過ぎて行きました。

と思ったら、もう次から次から、たくさんのきいろな底をもったりんどうの花のコップが、湧《わ》くように、雨のように、眼《め》の前を通り、三角標の列は、けむるように燃えるように、いよいよ光って立ったのです。

北十字とプリオシン海岸

「おっかさんは、ぼくをゆるして下さるだろうか。」

いきなり、カムパネルラが、思い切ったというように、少しどもりながら、急《せ》きこんで云いました。

ジョバンニは、

（ああ、そうだ、ぼくのおっかさんは、あの遠い一つのちりのように見える橙《だいだい》いろの三角標のあたりにいらっしゃって、いまぼくのことを考えているんだった。）と思いながら、ぼんやりしてだまっていました。

「ぼくはおっかさんが、ほんとうに幸《さいわい》になるなら、どんなことでもする。けれども、いったいどんなことが、おっかさんのいちばんの幸なんだろう。」カムパネルラは、なんだか、泣きだしたいのを、一生けん命こらえているようでした。

「きみのおっかさんは、なんにもひどいことないじゃないの。」ジョバンニはびっくりして叫びました。

「ぼくわからない。けれども、誰《たれ》だって、ほんとうにいいことをしたら、いちばん幸なんだねえ。だから、おっかさんは、ぼくをゆるして下さると思う。」カムパネルラは、なにかほんとうに決心しているように見えました。

俄《にわ》かに、車のなかが、ぱっと白く明るくなりました。見ると、もうじつに、金剛石や草の露やあらゆる立派さをあつめたような、きらびやかな銀河の河床《かわどこ》の上を水は声もなくかたちもなく流れ、その流れのまん中に、ぼうっと青白く後光《ごこう》の射《さ》した一つの島が見えるのでした。その島の平らないただきに、立派な眼もさめるような、白い十字架がたって、それはもう凍《こお》った北極の雲で鋳《い》たといったらいいか、すきっとした金いろの円光をいただいて、しずかに永久に立っているのでした。

「ハルレヤ、ハルレヤ。」前からもうしろからも声が起りました。ふりかえって見ると、車室の中の旅人たちは、みなまっすぐにきもののひだを垂れ、黒いバイブルを胸にあてたり、水晶の珠数《じゅず》をかけたり、どの人もつつましく指を組み合わせて、そっちに祈っているのでした。思わず二人もまっすぐに立ちあがりました。カムパネルラの頬《ほお》は、まるで熟した苹果《りんご》のあかしのようにうつくしくかがやいて見えました。

そして島と十字架とは、だんだんうしろの方へうつって行きました。

向こう岸も、青じろくぼうっと光ってけむり、時々、やっぱりすすきが風にひるがえるらしく、さっとその銀いろがけむって、息でもかけたように見え、また、たくさんのりんどうの花が、草をかくれたり出たりするのは、やさしい狐火《きつねび》のように思われました。

それもほんのちょっとの間、川と汽車との間は、すすきの列でさえぎられ、白鳥の島は、二度ばかり、うしろの方に見えましたが、じきもうずうっと遠く小さく絵のようになってしまい、またすすきがざわざわ鳴って、とうとうすっかり見えなくなってしまいました。ジョバンニのうしろには、いつから乗っていたのか、せいの高い、黒いかつぎをしたカトリック風の尼さんが、まん円《まる》な緑の瞳《ひとみ》を、じっとまっすぐに落として、まだ何かことばか声かが、そっちから伝わって来るのを、虔《つつし》んで聞いているというように見えました。旅人たちはしずかに席に戻り、二人も胸いっぱいのかなしみに似た新らしい気持ちを、何気なくちがった語《ことば》で、そっと談《はな》し合ったのです。

「もうじき白鳥の停車場だねえ。」

「ああ、十一時かっきりには着くんだよ。」

早くも、シグナルの緑の燈《あかり》と、ぼんやり白い柱とが、ちらっと窓のそとを過ぎ、それから硫黄《いおう》のほのおのようなくらいぼんやりした転てつ機の前のあかりが窓の下を通り、汽車はだんだんゆるやかになって、間もなくプラットホームの一列の電燈が、うつくしく規則正しくあらわれ、それがだんだん大きくなってひろがって、二人は丁度《ちょうど》白鳥停車場の、大きな時計の前に来てとまりました。

さわやかな秋の時計の盤面《ダイアル》には、青く灼《や》かれたはがねの二本の針が、くっきり十一時を指しました。みんなは、一ぺんに下りて、車室の中はがらんとなってしまいました。

〔二十分停車〕と時計の下に書いてありました。

「ぼくたちも降りて見ようか。」ジョバンニが云《い》いました。

「降りよう。」

二人は一度にはねあがってドアを飛び出して改札口へかけて行きました。ところが改札口には、明るい紫がかった電燈が、一つ点《つ》いているばかり、誰も居ませんでした。そこら中を見ても、駅長や赤帽らしい人の、影もなかったのです。

二人は、停車場の前の、水晶細工のように見える銀杏《いちょう》の木に囲まれた、小さな広場に出ました。そこから幅の広いみちが、まっすぐに銀河の青光の中へ通っていました。

さきに降りた人たちは、もうどこへ行ったか一人も見えませんでした。二人がその白い道を、肩をならべて行きますと、二人の影は、ちょうど四方に窓のある室《へや》の中の、二本の柱の影のように、また二つの車輪の輻《や》のように幾本も幾本も四方へ出るのでした。そして間もなく、あの汽車から見えたきれいな河原に来ました。

カムパネルラは、そのきれいな砂を一つまみ、掌《てのひら》にひろげ、指できしきしさせながら、夢のように云っているのでした。

「この砂はみんな水晶だ。中で小さな火が燃えている。」

「そうだ。」どこでぼくは、そんなこと習ったろうと思いながら、ジョバンニもぼんやり答えていました。

河原の礫《こいし》は、みんなすきとおって、たしかに水晶や黄玉や、またくしゃくしゃの皺曲《しゅうきょく》をあらわしたのや、また稜《かど》から霧のような青白い光を出す鋼玉やらでした。ジョバンニは、走ってその渚《なぎさ》に行って、水に手をひたしました。けれどもあやしいその銀河の水は、水素よりももっとすきとおっていたのです。それでもたしかに流れていたことは、二人の手首の、水にひたったとこが、少し水銀いろに浮いたように見え、その手首にぶっつかってできた波は、うつくしい燐光《りんこう》をあげて、ちらちらと燃えるように見えたのでもわかりました。

川上の方を見ると、すすきのいっぱいに生えている崖《がけ》の下に、白い岩が、まるで運動場のように平らに川に沿って出ているのでした。そこに小さな五六人の人かげが、何か掘り出すか埋めるかしているらしく、立ったり屈《かが》んだり、時々なにかの道具が、ピカッと光ったりしました。

「行ってみよう。」二人は、まるで一度に叫んで、そっちの方へ走りました。その白い岩になった処《ところ》の入口に、

〔プリオシン海岸〕という、瀬戸物のつるつるした標札が立って、向こうの渚《なぎさ》には、ところどころ、細い鉄の欄干も植えられ、木製のきれいなベンチも置いてありました。

「おや、変なものがあるよ。」カムパネルラが、不思議そうに立ちどまって、岩から黒い細長いさきの尖《とが》ったくるみの実のようなものをひろいました。

「くるみの実だよ。そら、沢山ある。流れて来たんじゃない。岩の中に入ってるんだ。」

「大きいね、このくるみ、倍あるね。こいつはすこしもいたんでない。」

「早くあすこへ行って見よう。きっと何か掘ってるから。」

二人は、ぎざぎざの黒いくるみの実を持ちながら、またさっきの方へ近よって行きました。左手の渚

には、波がやさしい稲妻のように燃えて寄せ、右手の崖には、いちめん銀や貝殻でこさえたようなすすきの穂がゆれたのです。

だんだん近付いて見ると、一人のせいの高い、ひどい近眼鏡をかけ、長靴《ながぐつ》をはいた学者らしい人が、手帳に何かせわしそうに書きつけながら、鶴嘴《つるはし》をふりあげたり、スコープをつかったりしている、三人の助手らしい人たちに夢中でいろいろ指図をしていました。

「そこのその突起を壊さないように。スコープを使いたまえ、スコープを。おっと、も少し遠くから掘って。いけない、いけない。なぜそんな乱暴をするんだ。」

見ると、その白い柔らかな岩の中から、大きな大きな青じろい獣《けもの》の骨が、横に倒れて潰《つぶ》れたという風になって、半分以上掘り出されていました。そして気をつけて見ると、そこらには、蹄《ひづめ》の二つある足跡《あしあと》のついた岩が、四角に十ばかり、きれいに切り取られて番号がつけられてありました。

「君たちは参観かね。」その大学士らしい人が、眼鏡《めがね》をきらっとさせて、こっちを見て話しかけました。「くるみが沢山あったろう。それはまあ、ざっと百二十万年ぐらい前のくるみだよ。ごく新らしい方さ。ここは百二十万年前、第三紀のあとのころは海岸でね、この下からは貝がらも出る。いま川の流れているところに、そっくり塩水が寄せたり引いたりもしていたのだ。このけものかね、これはボスといってね、おいおい、そこつるはしはよしたまえ。ていねいに鑿《のみ》でやってくれたまえ。ボスといってね、いまの牛の先祖で、昔はたくさん居たさ。」

「標本にするんですか。」

「いや、証明するに要《い》るんだ。ぼくらからみると、ここは厚い立派な地層で、百二十万年ぐらい前にできたという証拠もいろいろあがるけれども、ぼくらとちがったやつからみてもやっぱりこんな地層に見えるかどうか、あるいは風か水やがらんとした空かに見えやしないかということなのだ。わかったかい。けれども、おいおい。そこもスコープではいけない。そのすぐ下に肋骨《ろっこつ》が埋もれてる筈《はず》じゃないか。」大学士はあわてて走って行きました。

「もう時間だよ。行こう。」カムパネルラが地図と腕時計とをくらべながら云《い》いました。

「ああ、ではわたくしどもは失礼いたします。」ジョバンニは、ていねいに大学士におじぎしました。

「そうですか。いや、さよなら。」大学士は、また忙がしそうに、あちこち歩きまわって監督をはじめました。

二人は、その白い岩の上を、一生けん命汽車におくれないように走りました。そしてほんとうに、風のように走れたのです。息も切れず膝《ひざ》もあつくなりませんでした。

こんなにしてかけるなら、もう世界中だってかけれると、ジョバンニは思いました。

そして二人は、前のあの河原を通り、改札口の電燈がだんだん大きくなって、間もなく二人は、もとの車室の席に座って、いま行って来た方を、窓から見ていました。

鳥を捕る人

「ここへかけてもようございますか。」

がさがさした、けれども親切そうな、大人の声が、二人のうしろで聞こえました。

それは、茶いろの少しぼろぼろの外套《がいとう》を着て、白い巾《きれ》でつつんだ荷物を、二つに分けて肩に掛けた、赤髯《あかひげ》のせなかのかがんだ人でした。

「ええ、いいんです。」ジョバンニは、少し肩をすぼめて挨拶《あいさつ》しました。その人は、ひげの中でかすかに微笑《わら》いながら、荷物をゆっくり網棚《あみだな》にのせました。ジョバンニは、なにか大へんさびしいようなかなしいような気がして、だまって正面の時計を見ていましたら、ずうっと前の方で、硝子《ガラス》の笛のようなものが鳴りました。汽車はもう、しずかにうごいていたのです。カムパネルラは、車室の天井を、あちこち見ていました。その一つのあかりに黒い甲虫《かぶとむし》がとまってその影が大きく天井にうつっていたのです。赤ひげの人は、なにかなつかしそうにわらいながら、ジョバンニやカムパネルラのようすを見ていました。汽車はもうだんだん早くなって、すすきと川と、かわるがわる窓の外から光りました。

　赤ひげの人が、少しおずおずしながら、二人に訊《き》きました。

「あなた方は、どちらへいらっしゃるんですか。」

「どこまでも行くんです。」ジョバンニは、少しきまり悪そうに答えました。

「それはいいね。この汽車は、じっさい、どこまででも行きますぜ。」

「あなたはどこへ行くんです。」カムパネルラが、いきなり、喧嘩《けんか》のようにたずねましたので、ジョバンニは、思わずわらいました。すると、向こうの席に居た、尖《とが》った帽子をかぶり、大きな鍵《かぎ》を腰に下げた人も、ちらっとこっちを見てわらいましたので、カムパネルラも、つい顔を赤くして笑いだしてしまいました。ところがその人は別に怒ったでもなく、頬《ほお》をぴくぴくしながら返事しました。

「わっしはすぐそこで降ります。わっしは、鳥をつかまえる商売でね。」

「何鳥ですか。」

「鶴《つる》や雁《がん》です。さぎも白鳥もです。」

「鶴はたくさんいますか。」

「居ますとも、さっきから鳴いてまさあ。聞かなかったのですか。」

「いいえ。」

「いまでも聞こえるじゃありませんか。そら、耳をすまして聴《き》いてごらんなさい。」

二人は眼を挙げ、耳をすましました。ごとごと鳴る汽車のひびきと、すすきの風との間から、ころんころんと水の湧くような音が聞こえて来るのでした。

「鶴、どうしてとるんですか。」

「鶴ですか、それとも鷺《さぎ》ですか。」

「鷺です。」ジョバンニは、どっちでもいいと思いながら答えました。

「そいつはな、雑作《ぞうさ》ない。さぎというものは、みんな天の川の砂が凝《こご》って、ぼおっとできるもんですからね、そして始終川へ帰りますからね、川原で待っていて、鷺がみんな、脚《あし》をこういう風にして下りてくるとこを、そいつが地べたへつくかつかないうちに、ぴたっと押さえちまうんです。するともう鷺は、かたまって安心して死んじまいます。あとはもう、わかり切ってまさあ。押し葉にするだけです。」

「鷺を押し葉にするんですか。標本ですか。」

「標本じゃありません。みんなたべるじゃありませんか。」

「おかしいねえ。」カムパネルラが首をかしげました。

「おかしいも不審もありませんや。そら。」その男は立って、網棚《あみだな》から包みをおろして、手ばやくくるくると解きました。

「さあ、ごらんなさい。いまとって来たばかりです。」

「ほんとうに鷺だねえ。」二人は思わず叫びました。まっ白な、あのさっきの北の十字架のように光る鷺のからだが、十ばかり、少しひらべったくなって、黒い脚をちぢめて、浮彫《うきぼり》のようにならんでいたのです。

「眼をつぶってるね。」カムパネルラは、指でそっと、鷺の三日月がたの白い瞑《つぶ》った眼にさわりました。頭の上の槍《やり》のような白い毛もちゃんとついていました。

「ね、そうでしょう。」鳥捕りは風呂敷《ふろしき》を重ねて、またくるくると包んで紐《ひも》でくくりました。誰《たれ》がいったいここらで鷺なんぞ喰《た》べるだろうとジョバンニは思いながら訊《き》きました。

「鷺はおいしいんですか。」

「ええ、毎日注文があります。しかし雁《がん》の方が、もっと売れます。雁の方がずっと柄《がら》がいいし、第一手数がありませんからな。そら。」鳥捕りは、また別の方の包みを解きました。すると黄と青じろとまだらになって、なにかのあかりのようにひかる雁が、ちょうどさっきの鷺のように、くちばしを揃《そろ》えて、少し扁《ひら》べったくなって、ならんでいました。

「こっちはすぐ喰べられます。どうです、少しおあがりなさい。」鳥捕りは、黄いろな雁の足を、軽くひっぱりました。するとそれは、チョコレートででもできているように、すっときれいにはなれました。

「どうです。すこしたべてごらんなさい。」鳥捕りは、それを二つにちぎってわたしました。ジョバンニは、ちょっと喰べてみて、(なんだ、やっぱりこいつはお菓子だ。チョコレートよりも、もっとおいしいけれども、こんな雁が飛んでいるもんか。この男は、どこかそこらの野原の菓子屋だ。けれどもぼくは、このひとをばかにしながら、この人のお菓子をたべているのは、大へん気の毒だ。)とおもいながら、やっぱりぽくぽくそれをたべていました。

「も少しおあがりなさい。」鳥捕りがまた包みを出しました。ジョバンニは、もっとたべたかったのですけれども、出しました。

「ええ、ありがとう。」と云《い》って遠慮しましたら、鳥捕りは、こんどは向こうの席の、鍵《かぎ》をもった人に
「いや、商売ものを貰《もら》っちゃすみませんな。」その人は、帽子をとりました。

「いいえ、どういたしまして。どうです、今年の渡り鳥の景気は。」

「いや、すてきなもんですよ。一昨日《おととい》の第二限ころなんか、なぜ燈台の灯を、規則以外に間〔一字分空白〕させるかって、あっちからもこっちからも、電話で故障が来ましたが、なあに、こっちがやるんじゃなくて、渡り鳥どもが、まっ黒にかたまって、あかしの前を通るのですから仕方ありませんや。わたしぁ、べらぼうめ、そんな苦情は、おれのとこへ持って来たって仕方がねえや、ばさばさのマントを着て脚と口との途方もなく細い大将へやれって、斯《こ》う云《い》ってやりましたがね、はっは。」

すすきがなくなったために、向こうの野原から、ぱっとあかりが射して来ました。

「鷺《さぎ》の方はなぜ手数なんですか。」カムパネルラは、さっきから、訊《き》こうと思っていたのです。

「それはね、鷺を喰《た》べるには、」鳥捕りは、こっちに向き直りました。「天の川の水あかりに、十日もつるして置くかね、そうでなきゃ、砂に三四日うずめなきゃいけないんだ。そうすると、水銀がみんな蒸発して、喰べられるようになるよ。」

「こいつは鳥じゃない。ただのお菓子でしょう。」やっぱりおなじことを考えていたとみえて、カムパネルラが、思い切ったというように、尋《たず》ねました、鳥捕りは、何か大へんあわてた風で、

「そうそう、ここで降りなきゃ。」と云《い》いながら、立って荷物をとったと思うと、もう見えなくなっていました。

「どこへ行ったんだろう。」

二人は顔を見合わせましたら、燈台守は、にやにや笑って、少し伸びあがるようにしながら、二人の横の窓の外をのぞきました。二人もそっちを見ましたら、たったいまの鳥捕りが、黄いろと青じろの、うつくしい燐光《りんこう》を出す、いちめんのかわらははこぐさの上に立って、まじめな顔をして両手をひろげて、じっとそらを見ていたのです。

「あすこへ行ってる。ずいぶん奇体《きたい》だねえ。きっとまた鳥をつかまえるとこだねえ。汽車が走って行かないうちに、早く鳥がおりるといいな。」と云った途端、がらんとした桔梗《ききょう》いろの空から、さっき見たような鷺が、まるで雪の降るように、ぎゃあぎゃあ叫びながら、いっぱいに舞いおりて来ました。するとあの鳥捕りは、すっかり注文通りだというようにほくほくして、両足をかっきり六十度に開いて立って、鷺のちぢめて降りて来る黒い脚を両手で片っ端から押えて、布の袋の中に入れるのでした。すると鷺は、蛍《ほたる》のように、袋の中でしばらく、青くぺかぺか光ったり消えたりしていましたが、おしまいとうとう、みんなぼんやり白くなって、眼をつぶるのでした。ところが、つかまえられる鳥よりは、つかまえられないで無事に天の川の砂の上に降りるものの方が多かったのです。それは見ていると、足が砂へつくや否や、まるで雪の融《と》けるように、縮まって扁《ひら》べったくなって、間もなく熔鉱炉から出た銅の汁のように、砂や砂利の上にひろがり、しばらくは鳥の形が、砂についているのでしたが、それも二三度明るくなったり暗くなったりしているうちに、もうすっかりまわりと同じいろになってしまうのでした。

鳥捕りは二十疋《ぴき》ばかり、袋に入れてしまうと、急に両手をあげて、兵隊が鉄砲弾《てっぽうだま》にあたって、死ぬときのような形をしました。と思ったら、もうそこに鳥捕りの形はなくなって、却《かえ》って、

「ああせいせいした。どうもからだに恰度合《ちょうどあ》うほど稼《かせ》いでいるくらい、いいことはありませんな。」というききおぼえのある声が、ジョバンニの隣りにしました。見ると鳥捕りは、もうそこでとって来た鷺

を、きちんとそろえて、一つずつ重ね直しているのでした。

「どうしてあすこから、いっぺんにここへ来たんですか。」ジョバンニが、なんだかあたりまえのような、あたりまえでないような、おかしな気がして問いました。

「どうしてって、来ようとしたから来たんです。ぜんたいあなた方は、どちらからおいでですか。」

ジョバンニは、すぐ返事しようと思いましたけれども、さあ、ぜんたいどこから来たのか、もうどうしても考えつきませんでした。カムパネルラも、顔をまっ赤にして何か思い出そうとしているのでした。

「ああ、遠くからですね。」鳥捕りは、わかったというように雑作《ぞうさ》なくうなずきました。

ジョバンニの切符

「もうここらは白鳥区のおしまいです。ごらんなさい。あれが名高いアルビレオの観測所です。」

窓の外の、まるで花火でいっぱいのような、あまの川のまん中に、黒い大きな建物が四棟《むね》ばかり立って、その一つの平屋根の上に、眼《め》もさめるような、青宝玉《サファイア》と黄玉《トパース》の大きな二つのすきとおった球が、輪になってしずかにくるくるとまわっていました。黄いろのがだんだん向こうへまわって行って、青い小さいのがこっちへ進んで来、間もなく二つのはじは、重なり合って、きれいな緑いろの両面凸《とつ》レンズのかたちをつくり、それもだんだん、まん中がふくらみ出して、とうとう青いのは、すっかりトパースの正面に来ましたので、緑の中心と黄いろな明るい環《わ》とができました。それがまただんだん横へ外《そ》れて、前のレンズの形を逆に繰り返し、とうとうすっとはなれて、サファイアは向こうへめぐり、黄いろのはこっちへ進み、また丁度《ちょうど》さっきのような風になりました。銀河の、かたちもなく音もない水にかこまれて、ほんとうにその黒い測候所が、睡《ねむ》っているように、しずかによこたわったのです。

「あれは、水の速さをはかる器械です。水も……。」鳥捕りが云《い》いかけたとき、

「切符を拝見いたします。」三人の席の横に、赤い帽子をかぶったせいの高い車掌が、いつかまっすぐに立っていて云いました。鳥捕りは、だまってかくしから、小さな紙きれを出しました。車掌はちょっと見て、すぐ眼をそらして、（あなた方のは？）というように、指をうごかしながら、手をジョバンニたちの方へ出しました。

「さあ、」ジョバンニは困って、もじもじしていましたら、カムパネルラは、わけもないという風で、小さな鼠《ねずみ》いろの切符を出しました。ジョバンニは、すっかりあわててしまって、もしか上着のポケットにでも、入っていたかとおもいながら、手を入れて見ましたら、何か大きな畳んだ紙きれにあたりました。こんなもの入っていたろうかと思って、急いで出してみましたら、それは四つに折ったはがきぐらいの大きさの緑いろの紙でした。車掌が手を出しているもんですから何でも構《かま》わない、やっちまえと思って渡しましたら、車掌はまっすぐに立ち直って叮寧《ていねい》にそれを開いて見ていました。そして読みながら上着のぼたんやなんかしきりに直したりしていましたし燈台看守も下からそれを熱心にのぞいていましたから、ジョバンニはたしかにあれは証明書か何かだったと考えて少し胸が熱くなるような気がしました。

「これは三次空間の方からお持ちになったのですか。」車掌がたずねました。

「何だかわかりません。」もう大丈夫だと安心しながらジョバンニはそっちを見あげてくつくつ笑いました。

「よろしうございます。南十字《サウザンクロス》へ着きますのは、次の第三時ころになります。」車掌は紙をジョバンニに渡して向こうへ行きました。

カムパネルラは、その紙切れが何だったか待ち兼ねたというように急いでのぞきこみました。ジョバンニも全く早く見たかったのです。ところがそれはいちめん黒い唐草《からくさ》のような模様の中に、おかしな十ばかりの字を印刷したものでだまって見ていると何だかその中へ吸い込まれてしまうような気がするのでした。すると鳥捕りが横からちらっとそれを見てあわてたように云いました。

「おや、こいつは大したもんですぜ。こいつはもう、ほんとうの天上へさえ行ける切符だ。天上どこじゃない、どこでも勝手にあるける通行券です。こいつをお持ちになりゃ、なるほど、こんな不完全な幻想第四次の銀河鉄道なんか、どこまででも行ける筈《はず》でさあ、あなた方大したもんですね。」

「何だかわかりません。」ジョバンニが赤くなって答えながらそれを又畳んでかくしに入れました。そしてきまりが悪いのでカムパネルラと二人、また窓の外をながめていましたが、その鳥捕りの時々大したもんだというようにちらちらこっちを見ているのがぼんやりわかりました。

「もうじき鷲《わし》の停車場だよ。」カムパネルラが向こう岸の、三つならんだ小さな青じろい三角標と地図とを見較《みくら》べて云《い》いました。

ジョバンニはなんだかわけもわからずににわかにとなりの鳥捕りが気の毒でたまらなくなりました。鷺《さぎ》をつかまえてせいせいしたとよろこんだり、白いきれでそれをくるくる包んだり、ひとの切符をびっくりしたように横目で見てあわててほめだしたり、そんなことを一一《いちいち》考えていると、もうその見ず知らずの鳥捕りのために、ジョバンニの持っているものでも食べるものでもなんでもやってしまいたい、もうこの人のほんとうの幸《さいわい》になるなら自分があの光る天の川の河原に立って百年つづけて立って鳥をとってやってもいいというような気がして、どうしてももう黙っていられなくなりました。ほんとうにあなたのほしいものは一体何ですか、と訊《き》こうとして、それではあんまり出し抜けだから、どうしようかと考えて振り返って見ましたら、そこにはもうあの鳥捕りが居ませんでした。網棚《あみだな》の上には白い荷物も見えなかったのです。また窓の外で足をふんばってそらを見上げて鷺を捕る支度《したく》をしているのかと思って、急いでそっちを見ましたが、外はいちめんのうつくしい砂子と白いすすきの波ばかり、あの鳥捕りの広いせなかも尖《とが》った帽子も見えませんでした。

「あの人どこへ行ったろう。」カムパネルラもぼんやりそう云っていました。

「どこへ行ったろう。一体どこでまたあうのだろう。僕はどうしても少しあの人に物を言わなかったろう。」

「ああ、僕もそう思っているよ。」

「僕はあの人が邪魔なような気がしたんだ。だから僕は大へんつらい。」ジョバンニはこんな変てこな気もちは、ほんとうにはじめてだし、こんなこと今まで云ったこともないと思いました。

「何だか苹果《りんご》の匂《にお》いがする。僕いま苹果のこと考えたためだろうか。」カムパネルラが不思議そうにあたりを見まわしました。

「ほんとうに苹果の匂いだよ。それから野茨《のいばら》の匂いもする。」ジョバンニもそこらを見ましたがやっぱりそれは窓からでも入って来るらしいのでした。いま秋だから野茨の花の匂いのする筈《はず》はないとジョバンニは思いました。

そしたら俄《にわ》かにそこに、つやつやした黒い髪の六つばかりの男の子が赤いジャケツのぼたんもかけずひどくびっくりしたような顔をしてがたがたふるえてはだしで立っていました。隣りには黒い洋服をきちんと着たせいの高い青年が一ぱいに風に吹かれているけやきの木のような姿勢で、男の子の手をしっかりひいて立っていました。

「あら、ここどこでしょう。まあ、きれいだわ。」青年のうしろにもひとり十二ばかりの眼の茶いろな可愛《かあい》らしい女の子が黒い外套《がいとう》を着て青年の腕にすがって不思議そうに窓の外を見ているのでした。

「ああ、ここはランカシャイヤだ。いや、コンネクテカット州だ。いや、ああ、ぼくたちはそらへ来たのだ。わたしたちは天へ行くのです。ごらんなさい。あのしるしは天上のしるしです。もうなんにもこわいことありません。わたくしたちは神さまに召されているのです。」黒服の青年はよろこびにかがやいてその女の子に云《い》いました。けれどもなぜかまた額に深く皺《しわ》を刻んで、それに大へんつかれているらしく、無理に笑いながら男の子をジョバンニのとなりに座らせました。

それから女の子にやさしくカムパネルラのとなりの席を指さしました。女の子はすなおにそこへ座って、きちんと両手を組み合わせました。

「ぼくおおねえさんのとこへ行くんだよう。」腰掛けたばかりの男の子は顔を変にして燈台看守の向こうの席に座ったばかりの青年に云いました。青年は何とも云えず悲しそうな顔をして、じっとその子の、ちぢれてぬれた頭を見ました。女の子は、いきなり両手を顔にあててしくしく泣いてしまいました。

「お父さんやきくよねえさんはまだいろいろお仕事があるのです。けれどももうすぐあとからいらっしゃいます。それよりも、おっかさんはどんなに永く待っていらっしゃったでしょう。わたしの大事なタダシはいまどんな歌をうたっているだろう、雪の降る朝にみんなと手をつないでぐるぐるにわとこのやぶをまわってあそんでいるだろうかと考えたりほんとうに待って心配していらっしゃるんですから、早く行っておっかさんにお目にかかりましょうね。」

「うん、だけど僕、船に乗らなきゃよかったなあ。」

「ええ、けれど、ごらんなさい、そら、どうです、あの立派な川、ね、あすこはあの夏中、ツインクル、

ツインクル、リトル、スターをうたってやすむとき、いつも窓からぼんやり白く見えていたでしょう。あすこですよ。ね、きれいでしょう、あんなに光っています。」

泣いていた姉もハンケチで眼をふいて外を見ました。青年は教えるようにそっと姉弟にまた云いました。

「わたしたちはもうなんにもかなしいことないのです。わたしたちはこんないいとこを旅して、じき神さまのとこへ行きます。そこならもうほんとうに明るくて匂《にお》いがよくて立派な人たちでいっぱいです。そしてわたしたちの代わりにボートへ乗れた人たちは、きっとみんな助けられて、心配して待っているめいめいのお父さんやお母さんや自分のお家《うち》へやら行くのです。さあ、もうじきですから元気を出しておもしろくうたって行きましょう。」青年は男の子のぬれたような黒い髪をなで、みんなを慰めながら、自分もだんだん顔いろがかがやいて来ました。

「あなた方はどちらからいらっしゃったのですか。どうなすったのですか。」さっきの燈台看守がやっと少しわかったように青年にたずねました。青年はかすかにわらいました。

「いえ、氷山にぶっつかって船が沈みましてね、わたしたちはこちらのお父さんが急な用で二ヶ月前一足さきに本国へお帰りになったのであとから発《た》ったのです。私は大学へはいっていて、家庭教師にやとわれていたのです。ところがちょうど十二日目、今日か昨日のあたりです、船が氷山にぶっつかって一ぺんに傾きもう沈みかけました。月のあかりはどこかぼんやりありましたが、霧が非常に深かったのです。ところがボートは左舷《さげん》の方半分はもうだめになっていましたから、とてもみんなは乗り切らないのです。もうそのうちにも船は沈みますし、私は必死となって、どうか小さな人たちを乗せて下さいと叫びました。近くの人たちはすぐみちを開いてそして子供たちのために祈って呉《く》れました。けれどもそこからボートまでのところにはまだまだ小さな子どもたちや親たちやなんか居て、とても押しのける勇気がなかったのです。それでもわたくしはどうしてもこの方たちをお助けするのが私の義務だと思いましたから前にいる子供らを押しのけようとしました。けれどもまたそんなにして助けてあげるよりはこのまま神のお前にみんなで行く方がほんとうにこの方たちの幸福だとも思いました。それからまたその神にそむく罪はわたくしひとりでしょってぜひとも助けてあげようと思いました。けれどもどうして見ているとそれができないのでした。子どもらばかりボートの中へはなしてやってお母さんが狂気のようにキスを送りお父さんがかなしいのをじっとこらえてまっすぐに立っているなどとてももう腸《はらわた》もちぎれるようでした。そのうち船はもうずんずん沈みますから、私はもうすっかり覚悟してこの人たち二人を抱いて、浮かべるだけは浮かぼうとかたまって船の沈むのを待っていました。誰《たれ》が投げたかライフブイが一つ飛んで来ましたけれども滑《すべ》ってずうっと向こうへ行ってしまいました。私は一生けん命で甲板《かんぱん》の格《こう》子《し》になったとこをはなして、三人それにしっかりとりつきました。どこからともなく〔約二字分空白〕番の声があがりました。たちまちみんなはいろいろな国語で一ぺんにそれをうたいました。そのとき俄《にわ》かに大きな音がして私たちは水に落ちました。もう渦《うず》に入ったと思いながらしっかりこの人たちをだいてそれからぼうっとしたと思ったらもうここへ来ていたのです。この方たちのお母さんは一昨年没《な》くなられました。ええボートはきっと助かったにちがいありません　何せよほど熟練な水夫たちが漕《こ》いですばやく船からはなれていましたから。」

そこらから小さな嘆息やいのりの声が聞えジョバンニもカムパネルラもいままで忘れていたいろいろのことをぼんやり思い出して眼《め》が熱くなりました。

（ああ、その大きな海はパシフィックというのではなかったろうか。その氷山の流れる北のはての海で、小さな船に乗って、風や凍りつく潮水や、烈《はげ》しい寒さとたたかって、たれかが一生けんめいはたらいている。ぼくはそのひとにほんとうに気の毒でそしてすまないような気がする。ぼくはそのひとのさいわいのためにいったいどうしたらいいのだろう。）ジョバンニは首を垂れて、すっかりふさぎ込んでしまいました。

「なにがしあわせかわからないです。ほんとうにどんなつらいことでもそれがただしいみちを進む中でのできごとなら峠の上りも下りもみんなほんとうの幸福に近づく一あしずつですから。」

燈台守がなぐさめていました。

「ああそうです。ただいちばんのさいわいに至るためにいろいろのかなしみもみんなおぼしめしです。」

青年が祈るようにそう答えました。

そしてあの姉弟はもうつかれてめいめいぐったり席によりかかって睡《ねむ》っていました。さっきのあのはだしだった足にはいつか白い柔らかな靴《くつ》をはいていたのです。

ごとごとごとごと汽車はきらびやかな燐光《りんこう》の川の岸を進みました。向こうの方の窓を見ると、野原はまるで幻燈《げんとう》のようでした。百も千もの大小さまざまの三角標、その大きなものの上には赤い点点をうった測量旗も見え、野原のはてはそれらがいちめん、たくさんたくさん集まってぼおっと青白い霧のよう、そこからかまたはもっと向こうからかときどきさまざまの形のぼんやりした狼煙《のろし》のようなものが、かわるがわるきれいな桔梗《ききょう》いろのそらにうちあげられるのでした。じつにそのすきとおった奇麗な風は、ばらの匂《にお》いでいっぱいでした。

「いかがですか。こういう苹果《りんご》はおはじめてでしょう。」向こうの席の燈台看守がいつか黄金《きん》と紅でうつくしくいろどられた大きな苹果を落とさないように両手で膝《ひざ》の上にかかえていました。

「おや、どっから来たのですか。立派ですねえ。ここらではこんな苹果ができるのですか。」青年はほんとうにびっくりしたらしく燈台看守の両手にかかえられた一もりの苹果を眼を細くしたり首をまげたりしながらわれを忘れてながめていました。

「いや、まあおとり下さい。どうか、まあおとり下さい。」

青年は一つとってジョバンニたちの方をちょっと見ました。

「さあ、向こうの坊《ぼっ》ちゃんがた。いかがですか。おとり下さい。」

ジョバンニは坊ちゃんといわれたのですこししゃくにさわってだまっていましたがカムパネルラは

「ありがとう、」と云《い》いました。すると青年は自分でとって一つずつ二人に送ってよこしましたのでジョバンニも立ってありがとうと云いました。

燈台看守はやっと両腕があいたのでこんどは自分で一つずつ睡《ねむ》っている姉弟の膝にそっと置きました。

「どうもありがとう。どこでできるのですか。こんな立派な苹果《りんご》は。」

青年はつくづく見ながら云いました。

「この辺ではもちろん農業はいたしますけれども大ていひとりでにいいものができるような約束になって居《お》ります。農業だってそんなに骨は折れはしません。たいてい自分の望む種子《たね》さえ播《ま》けばひとりでにどんどんできます。米だってパシフィック辺のように殻もないし十倍も大きくて匂《にお》いもいいのです。けれどもあなたがたのいらっしゃる方なら農業はもうありません。苹果だってお菓子だってかすが少しもありませんからみんなそのひとそのひとによってちがったわずかのいいかおりになって毛あなからちらけてしまうのです。」

にわかに男の子がぱっちり眼をあいて云いました。

「ああぼくいまお母さんの夢をみていたよ。お母さんがね立派な戸棚や本のあるとこに居てね、ぼくの方を見て手をだしてにこにこにこにこわらったよ。ぼくおっかさん。りんごをひろってきてあげましょうか云ったら眼《め》がさめちゃった。ああここさっきの汽車のなかだねえ。」

「その苹果がそこにあります。このおじさんにいただいたのですよ。」青年が云いました。

「ありがとうおじさん。おや、かおるねえさんまだねてるねえ、ぼくおこしてやろう。ねえさん。ごらん、りんごをもらったよ。おきてごらん。」

姉はわらって眼をさましまぶしそうに両手を眼にあててそれから苹果を見ました。男の子はまるでパイを喰《た》べるようにもうそれを喰べていました、また折角《せっかく》剝いたそのきれいな皮も、くるくるコルク抜きのような形になって床へ落ちるまでの間にはすうっと、灰いろに光って蒸発してしまうのでした。

二人はりんごを大切にポケットにしまいました。

川下の向こう岸に青く茂った大きな林が見え、その枝には熟してまっ赤に光る円い実がいっぱい、その林のまん中に高い高い三角標が立って、森の中からはオーケストラベルやジロフォンにまじって何とも云えずきれいな音《ね》いろが、とけるように浸《し》みるように風につれて流れて来るのでした。

青年はぞくっとしてからだをふるうようにしました。

だまってその譜を聞いていると、そこらにいちめん黄いろやうすい緑の明るい野原か敷物かがひろがり、またまっ白な蠟《ろう》のような露が太陽の面を擦《かす》めて行くように思われました。

「まあ、あの烏《からす》。」カムパネルラのとなりのかおると呼ばれた女の子が叫びました。

「からすでない。みんなかささぎだ。」カムパネルラがまた何気なく叱《しか》るように叫びましたので、ジョバンニはまた思わず笑い、女の子はきまり悪そうにしました。まったく河原の青じろいあかりの上に、黒い鳥がたくさんたくさんいっぱいに列になってとまってじっと川の微光を受けているのでした。「かささぎですねえ、頭のうしろのとこに毛がぴんと延びてますから。」青年はとりなすように云いました。

向こうの青い森の中の三角標はすっかり汽車の正面に来ました。そのとき汽車のずうっとうしろの方からあの聞きなれた〔約二字分空白〕番の讃美歌のふしが聞えてきました。よほどの人数で合唱しているらしいのでした。青年はさっと顔いろが青ざめ、たって一ぺんそっちへ行きそうにしましたが思いかえしてまた座りました。かおる子はハンケチを顔にあててしまいました。ジョバンニまで何だか鼻が変になりました。けれどもいつともなく誰《たれ》ともなくその歌は歌い出されだんだんはっきり強くなりました。思わずジョバンニもカムパネルラも一緒にうたい出したのです。

そして青い橄欖《かんらん》の森が見えない天の川の向こうにさめざめと光りながらだんだんうしろの方へ行ってしまいそこから流れて来るあやしい楽器の音ももう汽車のひびきや風の音にすり耗《へ》らされてずうっとかすかになりました。

「あ孔雀《くじやく》が居るよ。」

「ええたくさん居たわ。」女の子がこたえました。

ジョバンニはその小さく小さくなっていまはもう一つの緑いろの貝ぼたんのように見える森の上にさっさっと青じろく時々光ってその孔雀がはねをひろげたりとじたりする光の反射を見ました。

「そうだ、孔雀の声だってさっき聞こえた。」カムパネルラがかおる子に云《い》いました。

「ええ、三十疋《ぴき》ぐらいはたしかに居たわ。ハープのように聞えたのはみんな孔雀よ。」女の子が答えました。ジョバンニは俄《にわ》かに何とも云えずかなしい気がして思わず「カムパネルラ、ここからはねおりて遊んで行こうよ。」とこわい顔をして云おうとしたくらいでした。

川は二つにわかれました。そのまっくらな島のまん中に高い高いやぐらが一つ組まれてその上に一人の寛《ゆる》い服を着て赤い帽子をかぶった男が立っていました。そして両手に赤と青の旗をもってそらを見上げて信号しているのでした。ジョバンニが見ている間その人はしきりに赤い旗をふっていましたが俄かに赤旗をおろしてうしろにかくすようにし青い旗を高く高くあげてまるでオーケストラの指揮者のように烈《はげ》しく振りました。すると空中にざあっと雨のような音がして何かまっくらなものがいくかたまりもいくかたまりも鉄砲丸《てっぽうだま》のように川の向こうの方へ飛んで行くのでした。ジョバンニは思わず窓からからだを半分出してそっちを見あげました。美しい美しい桔梗《ききょう》いろのがらんとした空の下を実に何万という小さな鳥どもが幾組も幾組もめいめいせわしくせわしく鳴いて通って行くのでした。

「鳥が飛んで行くな。」ジョバンニが窓の外で云いました。

「どら、」カムパネルラもそらを見ました。そのときあのやぐらの上のゆるい服の男は俄かに赤い旗をあげて狂気のようにふりうごかしました。するとぴたっと鳥の群は通らなくなりそれと同時にぴしゃぁんという潰《つぶ》れたような音が川下の方で起ってそれからしばらくしいんとしました。と思ったらあの赤帽の信号手がまた青い旗をふって叫んでいたのです。

「いまこそわたれわたり鳥、いまこそわたれわたり鳥。」その声もはっきり聞こえました。それといっしょにまた幾万という鳥の群がそらをまっすぐにかけたのです。二人の顔を出しているまん中の窓からあの女の子が顔を出して美しい頬《ほお》をかがやかせながらそらを仰ぎました。

「まあ、この鳥、たくさんですわねえ、あらまあそらのきれいなこと。」女の子はジョバンニにはなしかけましたけれどもジョバンニは生意気《なまいき》ないやだいと思いながらだまって口をむすんでそらを見あげていました。女の子は小さくほっと息をしてだまって席へ戻りました。カムパネルラが気の毒そうに窓から顔を引っ込めて地図を見ていました。

「あの人鳥へ教えてるんでしょうか。」女の子がそっとカムパネルラにたずねました。

「わたり鳥へ信号してるんです。きっとどこからかのろしがあがるためでしょう。」カムパネルラが少しおぼつかなそうに答えました。そして車の中はしぃんとなりました。ジョバンニはもう頭を引っ込めたかったのですけれども明るいとこへ顔を出すのがつらかったのでだまってこらえてそのまま立って口笛を吹いていました。

（どうして僕はこんなにかなしいのだろう。僕はもっとこころもちをきれいに大きくもたなければいけない。あすこの岸のずうっと向こうにまるでけむりのような小さな青い火が見える。あれはほんとうにしずかでつめたい。僕はあれをよく見てこころもちをしずめるんだ。）ジョバンニは熱《ほて》って痛いあたまを両手で押さえるようにしてそっちの方を見ました。（ああほんとうにどこまでもどこまでも僕といっしょに行くひとはないだろうか。カムパネルラだってあんな女の子とおもしろそうに談《はな》しているし僕はほんとうにつらいなあ。）ジョバンニの眼はまた泪《なみだ》でいっぱいになり天の川もまるで遠くへ行ったようにぼんやり白く見えるだけでした。

そのとき汽車はだんだん川からはなれて崖《がけ》の上を通るようになりました。向こう岸もまた黒いいろの崖が川の岸を下流に下るにしたがってだんだん高くなって行くのでした。そしてちらっと大きなとうもろこしの木を見ました。その葉はぐるぐるに縮れ、葉の下にはもう美しい緑いろの大きな苞《ほう》が赤い毛を吐いて真珠のような実もちらっと見えたのでした。それはだんだん数を増して来てもういまは列のように崖と線路との間にならび思わずジョバンニが窓から顔を引っ込めて向こう側の窓を見ましたときは美しいそらの野原の地平線のはてまでその大きなとうもろこしの木がほとんどいちめんに植えられてさやさや風にゆらぎその立派なちぢれた葉のさきからはまるでひるの間にいっぱい日光を吸った金剛石のように露がいっぱいについて赤や緑やきらきら燃えて光っているのでした。カムパネルラが「あれとうもろこしだねえ」とジョバンニに云《い》いましたけれどもジョバンニはどうしても気持がなおりませんでしたからただぶっきり棒に野原を見たまま「そうだろう。」と答えました。そのとき汽車はだんだんしずかになっていくつかのシグナルとてんてつ器の灯を過ぎ小さな停車場にとまりました。

その正面の青じろい時計はかっきり第二時を示しその振子《ふりこ》は風もなくなり汽車もうごかずしずかなしずかな野原のなかにカチッカチッと正しく時を刻んで行くのでした。

そしてまったくその振子の音のたえまを遠くの遠くの野原のはてから、かすかなかすかな旋律が糸のように流れて来るのでした。

「新世界交響楽だわ。」姉がひとりごとのようにこっちを見ながらそっと云いました。全くもう車の中ではあの黒服の丈《たけ》高い青年も誰《たれ》もみんなやさしい夢を見ているのでした。

(こんなしずかないいとこで僕はどうしてもっと愉快になれないだろう。どうしてこんなにひとりさびしいのだろう。けれどもカムパネルラなんかあんまりひどい、僕といっしょに汽車に乗っていながらまるであんな女の子とばかり談《はな》しているんだもの。僕はほんとうにつらい。)ジョバンニはまた両手で顔を半分かくすようにして向こうの窓のそとを見つめていました。すきとおった硝子《ガラス》のような笛が鳴って汽車はしずかに動き出しカムパネルラもさびしそうに星めぐりの口笛を吹きました。

「ええ、ええ、もうこの辺はひどい高原ですから。」うしろの方で誰かとしよりらしい人のいま眼《め》がさめたという風ではきはき談していている声がしました。

「とうもろこしだって棒で二尺も孔《あな》をあけておいてそこへ播《ま》かないと生えないんです。」

「そうですか。川まではよほどありましょうかねえ、」

「えええ河までは二千尺から六千尺あります。もうまるでひどい峡谷になっているんです。」

そうそうここはコロラドの高原じゃなかったろうか、ジョバンニは思わずそう思いました。カムパネルラはまださびしそうにひとり口笛を吹き、女の子はまるで絹で包んだ苹果《りんご》のような顔いろをしてジョバンニの見る方を見ているのでした。突然とうもろこしがなくなって巨《おお》きな黒い野原がいっぱいにひらけました。新世界交響楽はいよいよはっきり地平線のはてから湧《わ》きそのまっ黒な野原のなかを一人のインデアンが白い鳥の羽根を頭につけたくさんの石を腕と胸にかざり小さな弓に矢を番《つが》えて一目散に汽車を追って来るのでした。

「あら、インデアンですよ。インデアンですよ。おねえさまごらんなさい。」

黒服の青年も眼をさましました。ジョバンニもカムパネルラも立ちあがりました。

「走って来るわ、あら、走って来るわ。追いかけているんでしょう。」

「いいえ、汽車を追ってるんじゃないんですよ。猟をするか踊るかしてるんですよ。」青年はいまどこに居るか忘れたといふ風にポケットに手を入れて立ちながら云《い》いました。

まったくインデアンは半分は踊っているようでした。第一かけるにしても足のふみようがもっと経済もとれ本気にもなれそうでした。にわかにくっきり白いその羽根は前の方へ倒れるようになりインデアンはぴたっと立ちどまってすばやく弓を空にひきました。そこから一羽の鶴《つる》がふらふらと落ちて来てまた走り出したインデアンの大きくひろげた両手に落ちこみました。インデアンはうれしそうに立ってわらいました。そしてその鶴をもってこっちを見ている影ももうどんどん小さく遠くなり電しんばしらの碍子《がいし》がきらっきらっと続いて二つばかり光ってまたとうもろこしの林になってしまいました。こっち側の窓を見ますと汽車はほんとうに高い高い崖の上を走っていてその谷の底には川がやっぱり幅ひろく明るく流れていたのです。

「ええ、もうこの辺から下りです。何せこんどは一ぺんにあの水面までおりて行くんですから容易じゃありません。この傾斜があるもんですから汽車は決して向うからこっちへは来ないんです。そらもうだんだん早くなったでしょう。」さっきの老人らしい声が云いました。

どんどんどんどん汽車は降りて行きました。崖のはじに鉄道がかかるときは川が明るく下にのぞけたのです。ジョバンニはだんだんこころもちが明るくなって来ました。汽車が小さな小屋の前を通ってその前にしょんぼりひとりの子供が立ってこっちを見ているときなどは思わずほうと叫びました。

どんどんどんどん汽車は走って行きました。室中《へや》のひとたちは半分うしろの方へ倒れるようになりながら腰掛《こしかけ》にしっかりしがみついていました。ジョバンニは思わずカムパネルラとわらいました。もうそして天の川は汽車のすぐ横手をいままでよほど激しく流れて来たらしくときどきちらちら光ってながれているのでした。うすあかい河原なでしこの花があちこち咲いていました。汽車はようやく落ち着いたようにゆっくりと走っていました。

向こうとこっちの岸に星のかたちとつるはしを書いた旗がたっていました。

「あれ何の旗だろうね。」ジョバンニがやっとものを云いました。

「さあ、わからないねえ、地図にもないんだもの。鉄の舟がおいてあるねえ。」

「ああ。」

「橋を架《か》けるとこじゃないんでしょうか。」女の子が云いました。

「あああれ工兵の旗だねえ。架橋演習をしてるんだ。けれど兵隊のかたちが見えないねえ。」

その時向こう岸ちかくの少し下流の方で見えない天の川の水がぎらっと光って柱のように高くはねあがりどぉと烈《はげ》しい音がしました。

「発破《はっぱ》だよ、発破だよ。」カムパネルラはこおどりしました。

その柱のようになった水は見えなくなり大きな鮭《さけ》や鱒《ます》がきらっきらっと白く腹を光らせて空中に抛《ほう》り出されて円《まる》い輪を描いてまた水に落ちました。ジョバンニはもうはねあがりたいくらい気持が軽くなって云《い》いました。

「空の工兵大隊だ。どうだ、鱒《ます》やなんかがまるでこんなになってはねあげられたねえ。僕こんな愉快な旅はしたことない。いいねえ。」

「あの鱒なら近くで見たらこれくらいあるねえ、たくさんさかな居るんだな、この水の中に。」

「小さなお魚もいるんでしょうか。」女の子が談《はなし》につり込まれて云《い》いました。

「居るんでしょう。大きなのが居るんだから小さいのもいるんでしょう。けれど遠くだからいま小さいの見えなかったねえ。」ジョバンニはもうすっかり機嫌《きげん》が直って面白そうにわらって女の子に答えました。

「あれきっと双子《ふたご》のお星さまのお宮だよ。」男の子がいきなり窓の外をさして叫びました。

右手の低い丘の上に小さな水晶ででもこさえたような二つのお宮がならんで立っていました。

「双子のお星さまのお宮って何だい。」

「あたし前になんべんもお母さんから聴《つか》いたわ。ちゃんと小さな水晶のお宮で二つならんでいるからきっとそうだわ。」

「はなしてごらん。双子のお星さまが何したっての。」

「ぼくも知ってらい。双子のお星さまが野原へ遊びにでてからすと喧嘩《けんか》したんだろう。」

「そうじゃないわよ。あのね、天の川の岸にね、おっかさんお話しなすったわ、………」

「それから彗星《ほうきぼし》がギーギーフーギーギーフーて云って来たねえ。」

「いやだわたあちゃんそうじゃないわよ。それはべつの方だわ。」

「するとあすこにいま笛を吹いて居るんだろうか。」

「いま海へ行ってらあ。」

「いけないわよ。もう海からあがっていらっしゃったのよ。」

「そうそう。ぼく知ってらあ、ぼくおはなししよう。」


川の向こう岸が俄《にわ》かに赤くなりました。楊《やなぎ》の木や何かもまっ黒にすかし出され見えない天の川の波もときどきちらちら針のように赤く光りました。まったく向こう岸の野原に大きなまっ赤な火が燃されその黒いけむりは高く桔梗《ききょう》いろのつめたそうな天をも焦《こ》がしそうでした。ルビーよりも赤くすきとおりリチウムよりもうつくしく酔ったようになってその火は燃えているのでした。

「あれは何の火だろう。あんな赤く光る火は何を燃やせばできるんだろう。」ジョバンニが云いました。

「蝎《さそり》の火だな。」カムパネルラが又地図と首っ引きして答えました。

「あら、蝎の火のことならあたし知ってるわ。」

「蝎の火って何だい。」ジョバンニがききました。

「蝎がやけて死んだのよ。その火がいまでも燃えてるってあたし何べんもお父さんから聴いたわ。」

「蝎って、虫だろう。」

「ええ、蝎は虫よ。だけどいい虫だわ。」

「蝎いい虫じゃないよ。僕博物館でアルコールにつけてあるの見た。尾にこんなかぎがあってそれで螫《さ》されると死ぬって先生が云ったよ。」

「そうよ。だけどいい虫だわ、お父さん斯《こ》う云ったのよ。むかしのバルドラの野原に一ぴきの蝎がいて小さな虫やなんか殺してたべて生きていたんですって。するとある日いたちに見附《みつ》かって食べられそうになったんですって。さそりは一生けん命遁《に》げて遁げたけどとうとういたちに押えられそうになったわ、そのときいきなり前に井戸があってその中に落ちてしまったわ、もうどうしてもあがられないでさそりは溺《おぼ》れはじめたのよ。そのときさそりは斯《こ》う云《い》ってお祈りしたというの、
ああ、わたしはいままでいくつのものの命をとったかわからない、そしてその私がこんどいたちにとられようとしたときはあんなに一生けん命にげた。それでもとうとうこんなになってしまった。ああなんにもあてにならない。どうしてわたしはわたしのからだをだまっていたちに呉《く》れてやらなかったろう。そしたらいたちも一日生きのびたろうに。どうか神さま。私の心をごらん下さい。こんなにむなしく命をすてずどうかこの次にはまことのみんなの幸《さいわい》のために私のからだをおつかい下さい。って云ったというの。そしたらいつか蝎《さそり》はじぶんのからだがまっ赤なうつくしい火になって燃えてよるのやみを照らしているのを見たって。いまでも燃えてるってお父さん仰《おっしゃ》ったわ。ほんとうにあの火それだわ。」

「そうだ。見たまえ。そこらの三角標はちょうどさそりの形にならんでいるよ。」

ジョバンニはまったくその大きな火の向こうに三つの三角標がちょうどさそりの腕のように、こっちに五つの三角標がさそりの尾やかぎのようにならんでいるのを見ました。そしてほんとうにそのまっ赤

なうつくしいさそりの火は音なくあかるくあかるく燃えたのです。

その火がだんだんうしろの方になるにつれてみんなは何とも云えずにぎやかなさまざまの楽の音や草花の匂《にお》いのようなもの口笛や人々のざわざわ云う声やらを聞きました。それはもうじきちかくに町か何かがあってそこにお祭でもあるというような気がするのでした。

「ケンタウル露をふらせ。」いきなりいままで睡《ねむ》っていたジョバンニのとなりの男の子が向こうの窓を見ながら叫んでいました。

ああそこにはクリスマストリイのようにまっ青な唐檜《とうひ》かもみの木がたってその中にはたくさんのたくさんの豆電燈がまるで千の蛍《ほたる》でも集まったようについていました。

「ああ、そうだ、今夜ケンタウル祭だねえ。」

「ああ、ここはケンタウルの村だよ。」カムパネルラがすぐ云いました。〔以下原稿一枚?なし〕

「ボール投げなら僕決してはずさない。」

男の子が大威張《おおいば》りで云いました。

「もうじきサウザンクロスです。おりる支度《したく》をして下さい。」青年がみんなに云いました。

「僕も少し汽車へ乗ってるんだよ。」男の子が云いました。カムパネルラのとなりの女の子はそわそわ立って支度をはじめましたけれどもやっぱりジョバンニたちとわかれたくないようなようすでした。

「ここでおりなきゃいけないのです。」青年はきちっと口を結んで男の子を見おろしながら云いました。

「厭《いや》だい。僕もう少し汽車へ乗ってから行くんだい。」

ジョバンニがこらえ兼ねて云いました。

「僕たちと一緒に乗って行こう。僕たちどこまでだって行ける切符持ってるんだ。」

「だけどあたしたちもうここで降りなきゃいけないのよ。ここ天上へ行くとこなんだから。」女の子がさびしそうに云いました。

「天上へなんか行かなくたっていいじゃないか。ぼくたちここで天上よりももっといいとこをこさえなきゃいけないって僕の先生が云ったよ。」

「だっておっ母《か》さんも行ってらっしゃるしそれに神さまが仰《お》っしゃるんだわ。」

「そんな神さまうその神さまだい。」

「あなたの神さまうその神さまよ。」

「そうじゃないよ。」

「あなたの神さまってどんな神さまですか。」青年は笑いながら云《い》いました。

「ぼくほんとうはよく知りません、けれどもそんなんでなしにほんとうのたった一人の神さまです。」

「ほんとうの神さまはもちろんたった一人です。」

「ああ、そんなんでなしにたったひとりのほんとうのほんとうの神さまです。」

「だからそうじゃありませんか。わたくしはあなた方がいまにそのほんとうの神さまの前にわたくしたちとお会いになることを祈ります。」青年はつつましく両手を組みました。女の子もちょうどその通りにしました。みんなほんとうに別れが惜しそうでその顔いろも少し青ざめて見えました。ジョバンニはあぶなく声をあげて泣き出そうとしました。

「さあもう仕度《したく》はいいんですか。じきサウザンクロスですから。」

ああそのときでした。見えない天の川のずうっと川下に青や橙《だいだい》やもうあらゆる光でちりばめられた十字架がまるで一本の木という風に川の中から立ってかがやきその上には青じろい雲がまるい環《わ》になって後光《ごこう》のようにかかっているのでした。汽車の中がまるでざわざわしました。みんなあの北の十字のときのようにまっすぐに立ってお祈りをはじめました。あっちにもこっちにも子供が瓜《うり》に飛びついたときのようなよろこびの声や何とも云いようない深いつつましいためいきの音ばかりきこえました。そしてだんだん十字架は窓の正面になりあの苹果《りんご》の肉のような青じろい環の雲もゆるやかにゆるやかに繞《めぐ》っているのが見えました。

「ハルレヤハルレヤ。」明るくたのしくみんなの声はひびきみんなはそのそらの遠くからつめたいそらの遠くからすきとおった何とも云えずさわやかなラッパの声をききました。そしてたくさんのシグナルや電燈の灯のなかを汽車はだんだんゆるやかになりとうとう十字架のちょうどま向かいに行ってすっかりとまりました。

「さあ、下りるんですよ。」青年は男の子の手をひきだんだん向こうの出口の方へ歩き出しました。

「じゃさよなら。」女の子がふりかえって二人に云いました。

「さよなら。」ジョバンニはまるで泣き出したいのをこらえて怒ったようにぶっきり棒に云いました。女の子はいかにもつらそうに眼を大きくしても一度こっちをふりかえってそれからあとはもうだまって出て行ってしまいました。汽車の中はもう半分以上も空いてしまい俄《にわ》かにがらんとしてさびしくなり風がいっぱいに吹き込みました。

そして見ているとみんなはつつましく列を組んであの十字架の前の天の川のなぎさにひざまずいていました。そしてその見えない天の川の水をわたってひとりの神々《こうごう》しい白いきものの人が手をのばしてこっちへ来るのを二人は見ました。けれどもそのときはもう硝子《ガラス》の呼子《よびこ》は鳴らされ汽車はうごき出しと思ううちに銀いろの霧が川下の方からすうっと流れて来てもうそっちは何も見えなくなりました。ただたくさんのくるみの木が葉をさんさんと光らしてその霧の中に立ち黄金《きん》の円光をもった電気栗鼠《りす》が可愛い顔をその中からちらちらのぞいているだけでした。

そのときすうっと霧がはれかかりました。どこかへ行く街道らしく小さな電燈の一列についた通りがありました。それはしばらく線路に沿って進んでいました。そして二人がそのあかしの前を通って行くときはその小さな豆いろの火はちょうど挨拶《あいさつ》でもするようにぽかっと消え二人が過ぎて行くときまた点《つ》くのでした。

ふりかえって見るとさっきの十字架はすっかり小さくなってしまいほんとうにもうそのまま胸にも吊《つる》されそうになりさっきの女の子や青年たちがその前の白い渚《なぎさ》にまだひざまずいているのかそれともどこか方角もわからないその天上へ行ったのかぼんやりして見分けられませんでした。

ジョバンニはああと深く息しました。

「カムパネルラ、また僕たち二人きりになったねえ、どこまでもどこまでも一緒に行こう。僕はもうあのさそりのようにほんとうにみんなの幸《さいわい》のためならば僕のからだなんか百ぺん灼《や》いてもかまわない。」

「うん。僕だってそうだ。」カムパネルラの眼にはきれいな涙がうかんでいました。

「けれどもほんとうのさいわいは一体何だろう。」ジョバンニが云《い》いました。

「僕わからない。」カムパネルラがぼんやり云いました。

「僕たちしっかりやろうねえ。」ジョバンニが胸いっぱい新らしい力が湧《わ》くようにふうと息をしながら云いました。

「あ、あすこ石炭袋《せきたんぶくろ》だよ。そらの孔《あな》だよ。」カムパネルラが少しそっちを避けるようにしながら天の川のひととこを指さしました。ジョバンニはそっちを見てまるでぎくっとしてしまいました。天の川の一とこに大きなまっくらな孔がどおんとあいているのです。その底がどれほど深いかその奥に何があるかいくら眼をこすってのぞいてもなんにも見えず、ただ眼がしんしんと痛むのでした。ジョバンニが云いました。

「僕もうあんな大きな暗《やみ》の中だってこわくない。きっとみんなのほんとうのさいわいをさがしに行く。どこまでもどこまでも僕たち一緒に進んで行こう。」

「ああきっと行くよ。ああ、あすこの野原はなんてきれいだろう。みんな集まってるねえ。あすこがほんとうの天上なんだ。あっあすこにいるのぼくのお母《つか》さんだよ。」カムパネルラは俄《にわ》かに窓の遠くに見えるきれいな野原を指して叫びました。

ジョバンニもそっちを見ましたけれどもそこはぼんやり白くけむっているばかり、どうしてもカムパネルラが云ったように思われませんでした。何とも云えずさびしい気がしてぼんやりそっちを見ていましたら向こうの河岸に二本の電信ばしらが丁度《ちょうど》両方から腕を組んだように赤い腕木をつらねて立っていました。

「カムパネルラ、僕たち一緒に行こうねえ。」ジョバンニが斯《こ》う云いながらふりかえって見ましたらそのいままでカムパネルラの座っていた席にもうカムパネルラの形は見えずジョバンニはまるで鉄砲丸《てっぽうだま》のように立ちあがりました。そして誰《たれ》にも聞こえないように窓の外へからだを乗り出して力いっぱいはげしく胸をうって叫びそれからもう咽喉《のど》いっぱい泣きだしました。もうそこらが一ぺんにまっくらになったように思いました。

「おまえはいったい何を泣いているの。ちょっとこっちをごらん。」いままでたびたび聞こえたあのやさしいセロのような声がジョバンニのうしろから聞えました。

ジョバンニははっと思って涙をはらってそっちをふり向きました。さっきまでカムパネルラの座っていた席に黒い大きな帽子をかぶった青白い顔の瘠《や》せた大人がやさしくわらって大きな一冊の本をもっていました。

「おまえのともだちがどこかへ行ったのだろう。あのひとはね、ほんとうにこんや遠くへ行ったのだ。おまえはもうカムパネルラをさがしてもむだだ。」

「ああ、どうしてなんですか。ぼくはカムパネルラといっしょにまっすぐに行こうと云《い》ったんです。」

「ああ、そうだ。みんながそう考える。けれどもいっしょに行けない。そしてみんながカムパネルラだ。おまえがあうどんなひとでもみんな何べんもおまえといっしょに苹果《りんご》をたべたり汽車に乗ったりしたのだ。だからやっぱりおまえはさっき考えたようにあらゆるひとのいちばんの幸福をさがしみんなと一しょに早くそこに行くがいい、そこでばかりおまえはほんとうにカムパネルラといつまでもいっしょに行けるのだ。」

「ああぼくはきっとそうします。ぼくはどうしてそれをもとめたらいいでしょう。」

「ああわたくしもそれをもとめている。おまえはおまえの切符をしっかりもっておいで。そして一しんに勉強しなきゃいけない。おまえは化学をならったろう。水は酸素と水素からできているということを知っている。いまはたれだってそれを疑《うたが》やしない。実験して見るとほんとうにそうなんだから。けれども昔はそれを水銀と塩でできていると云ったり、水銀と硫黄《いおう》でできていると云ったりいろいろ議論したのだ。みんながめいめいじぶんの神さまがほんとうの神さまだというだろう、けれどもお互いほかの神さまを信ずる人たちのしたことでも涙がこぼれるだろう。それからぼくたちの心がいいとかわるいとか議論するだろう。そして勝負がつかないだろう。けれどももしおまえがほんとうに勉強して実験でちゃんとほんとうの考えとうその考えとを分けてしまえば、その実験の方法さえきまればもう信仰も化学と同じようになる。けれども、ね、ちょっとこの本をごらん、いいかい、これは地理と歴史の辞典だよ。この本のこの頁《ページ》はね、紀元前二千二百年の地理と歴史が書いてある。よくごらん紀元前二千二百年のことでないよ、紀元前二千二百年のころにみんなが考えていた地理と歴史というものが書いてある。だからこの頁一つが一冊の地歴の本にあたるんだ。いいかい、そしてこの中に書いてあることは紀元前二千二百年ころにはたいてい本統だ。さがすと証拠もぞくぞく出ている。けれどもそれが少しどうかなと斯《こ》う考えだしてごらん、そら、それは次の頁だよ。紀元前一千年　だいぶ、地理も歴史も変ってるだろう。このときには斯うなのだ。変な顔をしてはいけない。ぼくたちはぼくたちのからだだって考えだって天の川だって汽車だって歴史だってただそう感じているのなんだから、そらごらん、ぼくといっしょにすこしこころもちをしずかにしてごらん。いいか。」

　そのひとは指を一本あげてしずかにそれをおろしました。するといきなりジョバンニは自分というものがじぶんの考えというものが、汽車やその学者や天の川やみんないっしょにぽかっと光ってしいんとなくなってぽかっとともってまたなくなってそしてその一つがぽかっとともるとあらゆる広い世界ががらんとひらけあらゆる歴史がそなわりすっと消えるともうがらんとしたただもうそれっきりになってしまうのを見ました。だんだんそれが早くなってまもなくすっかりもとのとおりになりました。

「さあいいか。だからおまえの実験はこのきれぎれの考えのはじめから終りすべてにわたるようでなければいけない。それがむずかしいことなのだ。けれどももちろんそのときだけのでもいいのだ。ああごらん、あすこにプレシオスが見える。おまえはあのプレシオスの鎖を解かなければならない。」

そのときまっくらな地平線の向こうから青じろいのろしがまるでひるまのようにうちあげられ汽車の中はすっかり明るくなりました。そしてのろしは高くそらにかかって光りつづけました。「ああマジェランの星雲だ。さあもうきっと僕は僕のために、僕のお母《つか》さんのために、カムパネルラのためにみんなのためにほんとうのほんとうの幸福をさがすぞ。」ジョバンニは唇《くちびる》を噛《か》んでそのマジェランの星雲をのぞんで立ちました。そのいちばん幸福なそのひとのために！

「さあ、切符をしっかり持っておいで。お前はもう夢の鉄道の中でなしに本統の世界の火やはげしい波の中を大股《おおまた》にまっすぐに歩いて行かなければいけない。天の川のなかでたった一つのほんとうのその切符を決しておまえはなくしていけない。」あのセロのような声がしたと思うとジョバンニはあの天の川がもうまるで遠く遠くなって風が吹き自分はまっすぐに草の丘に立っているのを見また遠くからあのブルカニロ博士の足おとのしずかに近づいて来るのをききました。

「ありがとう。私は大へんいい実験をした。私はこんなしずかな場所で遠くから私の考えを人に伝える実験をしたいとさっき考えていた。お前の云《い》った語《ことば》はみんな私の手帳にとってある。さあ帰っておやすみ。お前は夢の中で決心したとおりまっすぐに進んで行くがいい。そしてこれから何でもいつでも私のとこへ相談においでなさい。」

「僕きっとまっすぐに進みます。きっとほんとうの幸福を求めます。」ジョバンニは力強く云いました。

「ああではさよなら。これはさっきの切符です。」博士は小さく折った緑いろの紙をジョバンニのポケットに入れました。そしてもうそのかたちは天気輪の柱の向こうに見えなくなっていました。ジョバンニはまっすぐに走って丘をおりました。そしてポケットが大へん重くカチカチ鳴るのに気がつきました。林の中でとまってそれをしらべて見ましたらあの緑いろのさっき夢の中で見たあやしい天の切符の中に大きな二枚の金貨が包んでありました。

「博士ありがとう、おっかさん。すぐ乳《ちち》をもって行きますよ。」

ジョバンニは叫んでまた走りはじめました。何かいろいろのものが一ぺんにジョバンニの胸に集まって何とも云えずかなしいような新らしいような気がするのでした。

琴の星がずうっと西の方へ移ってそしてまた蕈《きのこ》のように足をのばしていました。

農民芸術概論

農民芸術概論

のうみんげいじゅつがいろん

序　論

……われらはいっしょにこれから何を論ずるか……

農民芸術の興隆

……何故われらの芸術がいま起らねばならないか……

農民芸術の本質

……何がわれらの芸術の心臓をなすものであるか……

農民芸術の分野

……どんな工合《ぐあい》にそれが分類され得るか……

農民芸術の諸主義

……それらのなかにどんな主張が可能であるか……

農民芸術の製作
……いかに着手しいかに進んで行ったらいいか……
農民芸術の産者
……われらのなかで芸術家とはどういうことを意味するか……
農民芸術の批評
……正しい評価や鑑賞はまずいかにしてなされるか……
農民芸術の綜合
……おお朋《とも》だちよ　いっしょに正しい力を併《あわ》せ　われらのすべての田園とわれらのすべての生活を一つの巨《おお》きな第四次元の芸術に創《つく》りあげようでないか……
結　論
◎われらに要るものは銀河を包む透明な意志　巨きな力と熱である

農民芸術概論綱要

——のうみんげいじゅつがいろんこうよう——

序　論

……われらはいっしょにこれから何を論ずるか……

おれたちはみな農民である　ずいぶん忙がしく仕事もつらい
もっと明るく生き生きと生活をする道を見付けたい
われらの古い師父たちの中にはそういう人も応々《おうおう》あった
近代科学の実証と求道者たちの実験とわれらの直観の一致に於《お》いて論じたい
世界がぜんたい幸福にならないうちは個人の幸福はあり得ない
自我の意識は個人から集団社会宇宙と次第に進化する
この方向は古い聖者の踏みまた教えた道ではないか
新たな時代は世界が一の意識になり生物となる方向にある
正しく強く生きるとは銀河系を自らの中に意識してこれに応じて行くことである

われらは世界のまことの幸福を索《たず》ねよう　求道すでに道である

農民芸術の興隆

……何故われらの芸術がいま起こらねばならないか……

曾《か》つてわれらの師父たちは乏しいながら可成《かなり》楽しく生きていた
そこには芸術も宗教もあった
いまわれらにはただ労働が　生存があるばかりである
宗教は疲れて近代科学に置換され然《しか》も科学は冷たく暗い
芸術はいまわれらを離れ然もわびしく堕落した
いま宗教家芸術家とは真善若《も》しくは美を独占し販《う》るものである
われらに購《あがな》うべき力もなく　又さるものを必要とせぬ
いまやわれらは新たに正しき道を行き　われらの美をば創《つく》らねばならぬ
芸術をもてあの灰色の労働を燃せ
ここにはわれら不断の潔く楽しい創造がある
都人よ　来《きた》ってわれらに交じれ　世界よ　他意なきわれらを容《い》れよ

農民芸術の本質

……何がわれらの芸術の心臓をなすものであるか……

もとより農民芸術も美を本質とするであろう
われらは新たな美を創る　美学は絶えず移動する
「美」の語さえ滅するまでに　それは果《は》てなく拡《ひろ》がるであろう
岐路と邪路とをわれらは警《いまし》めねばならぬ
農民芸術とは宇宙感情の　地人　個性と通ずる具体的なる表現である
そは直観と情緒との内経験を素材としたる無意識或《ある》いは有意の創造である
そは常に実生活を肯定しこれを一層深化し高くせんとする
そは人生と自然とを不断の芸術写真とし尽くることなき詩歌とし
巨大な演劇舞踊として観照享受することを教える
そは人々の精神を交通せしめ　その感情を社会化し遂《つい》に一切を究竟地《くきょうち》にまで導かんとする
かくてわれらの芸術は新興文化の基礎である

農民芸術の分野

……どんな工合にそれが分類され得るか……

声に曲調節奏あれば声楽をなし　音が然れば器楽をなす
語まことの表現あれば散文をなし　節奏あれば詩歌となる
行動まことの表情あれば演劇をなし　節奏あれば舞踊となる
光象写機に表現すれば静と動との　芸術写真をつくる
光象手描を成《じよう》ずれば絵画を作り　塑材によれば彫刻となる
複合により劇と歌劇と　有声活動写真をつくる
準志は多く香味と触を伴えり
声語準志に基けば　演説　論文　教説をなす
光象生活準志によりて　建築及衣服をなす
光象各異の準志によりて　諸多の工芸美術をつくる
光象生産準志に合し　園芸営林土地設計を産む
香味光触生活準志に表現あれば　料理と生産とを生ず
行動準志と結合すれば　労働競技体操となる

農民芸術の（諸）主義

……それらのなかにどんな主張が可能であるか……

芸術のための芸術は少年期に現われ青年期後に潜在する

人生のための芸術は青年期にあり　成年以後に潜在する
芸術としての人生は老年期中に完成する
その遷移《せんい》にはその深さと個性が関係する
リアリズムとロマンティシズムは個性に関して併存する
形式主義は正態により標題主義は続感度による
四次感覚は静芸術に流動を容《い》る
神秘主義は絶えず新たに起こるであろう
表現法のいかなる主張も個性の限り可能である

農民芸術の製作

……いかに着手しいかに進んで行ったらいいか……

世界に対する大なる希願をまず起こせ
強く正しく生活せよ　苦難を避けず直進せよ
感受の後に模倣理想化冷たく鋭き解析と熱あり力ある綜合と
諸作無意識中に潜入するほど美的の深と創造力は加わる
機により興会《こうかい》し胚胎《はいたい》すれば製作心象中にあり
練意了《おわ》って表現し　定案成れば完成せらる

無意識部から溢《あふ》れるものでなければ多く無力か詐偽《さぎ》である
髪を長くしコーヒーを呑《の》み空虚に待てる顔つきを見よ
なべての悩みをたきぎと燃やし　なべての心を心とせよ
風とゆききし　雲からエネルギーをとれ

農民芸術の産者

……われらのなかで芸術家とはどういうことを意味するか……

職業芸術家は一度亡《ほろ》びねばならぬ
誰人《たれ》もみな芸術家たる感受をなせ
個性の優れる方面に於《お》いて各々止むなき表現をなせ
然《しか》もめいめいそのときどきの芸術家である
創作自ら湧き起り止むなきときは行為は自ずと集中される
そのとき恐らく人々はその生活を保証するだろう
創作止めば彼はふたたび土に起《た》つ
ここには多くの解放された天才がある
個性の異る幾億の天才も併《なら》び立つべく斯《か》くて地面も天となる

農民芸術の批評

……正しい評価や鑑賞はまずいかにしてなされるか……

批評は当然社会意識以上に於いてなさねばならぬ
誤まれる批評は自らの内芸術で他の外芸術を律するに因る
産者は不断に内的批評を有《も》たねばならぬ
批評の立場に破壊的創造的及観照的の三がある
破壊的批評は産者を奮い起《た》たしめる
創造的批評は産者を暗示し指導する
創造的批評家には産者に均しい資格が要る
観照的批評は完成された芸術に対して行われる
批評に対する産者は同じく社会意識以上を以て応えねばならぬ
斯《か》くても生ずる争論ならばそは新たなる建設に至る

農民芸術の綜合

……おお朋《とも》だちよ　いっしょに正しい力を併《あわ》せ　われらのすべての田園とわれらのすべての生活を一つの巨《おお》きな第四次元の芸術に創《つく》りあげようでないか……

まずもろともにかがやく宇宙の微塵《みじん》となりて無方の空にちらばろう
しかもわれらは各々感じ　各別各異に生きている
ここは銀河の空間の太陽日本　陸中国の野原である
青い松並　萱《かや》の花　古いみちのくの断片を保て
『つめくさ灯ともす宵のひろば　たがいのラルゴをうたいかわし
雲をもどよもし夜風にわすれて　とりいれまぢかに歳《とし》よ熟れぬ』
詞は詩であり　動作は舞踊　音は天楽　四方はかがやく風景画
われらに理解ある観衆があり　われらにひとりの恋人がある
巨《おお》きな人生劇場は時間の軸を移動して不滅の四次の芸術をなす
おお朋《とも》だちよ　君は行くべく　やがてはすべて行くであろう

結　論

……われらに要るものは銀河を包む透明な意志　巨きな力と熱である……

われらの前途は輝きながら嶮峻《けんしゅん》である
嶮峻のその度ごとに四次芸術は巨大と深さとを加える
詩人は苦痛をも享楽する

永久の未完成これ完成である

理解を了《お》えばわれらは斯《か》かる論をも棄《す》つる

畢竟《ひっきょう》ここには宮沢賢治一九二六年のその考えがあるのみである

農民芸術の興隆

──のうみんげいじゅつのこうりゅう──

……何故われらの芸術がいま起こらねばならないか……
曾《か》ってわれらの師父たちは乏しいながら可成《かなり》楽しく生きていた　そこには芸術も宗教もあった

Büchner　明治維新以前　家屋　衣服　食物　労働　宗教　音楽　舞踊　芝居　遊楽　創造
経済の変動に伴う所有衝動の発達
科学による急激な技術の進歩による機械的の設計　田植踊　節句　祈願　植物医師の例
労働は古に遡るに従って漸《ようや》く非労働となる　如何《いか》にして労働が発展し来れるや　解し難きものあり
蓋《けだ》し原始人の労働はその形式及内容に於いて全然遊戯と異ならず　アフリカ土人
いまわれらにはただ労働が　生存があるばかりである
四月よりは毎日十二時間　二十五日のサセ取り　諸君は尚《なお》可なり

Daniel Defoe　食物と労働との循環
Oscar Wilde　生活とは稀有《けう》なることである　多くはただ生存があるばかりである
Wim. Morris　労働はそれ自身に於《お》いて善なりとの信条　苦楽　苦行外道　狐　トルストイ
然《しか》も尚ここに埋もれ知らるることなく行く人あらばわれらはこれに合掌せん

宗教は疲れて科学によって置換され　然も科学は冷たく暗い

宗教中の天地創造論　須弥山《しゅみせん》説　神道は拝天の余俗である歴史的誤謬《ごびゅう》
見えざる影に嚇《おど》された宗教家　真宗
科学は如何《いかん》　短かき過去の記録によって悠久の未来を外部から証明し得ぬ
科学の証拠もわれらがただ而《しか》く感ずるばかりである
そして明日に関して何等の希望を与えぬ　いま宗教は気休めと宣伝　地獄

芸術はいまわれらを離れ多くはわびしく堕落した

Tolstoi　ブル　内的衝動　遊戯　人口の一割がそれを買い鑑賞し享楽し九割は世々に労《つか》れて
死する
シペングラア　都会の脳髄　人の遊戯　生活　名誉　智的労働　霊的所産にあらず
ここに芸術は無力と虚偽である　ワグナア以後の音楽　マネイ　セザンヌ以後の絵画
エマーソン　近代の創意と美の源は涸《か》れ　才気　避難所
ロマンローラン　非生産的享楽

いま宗教家芸術家とは真善若《も》しくは美を独占し販《う》るものである
（科学もとより販売される）
室伏　人間の自然征服戦――人物　商品機械　人　霊魂　大地　自然　自由が失われて
……これらの表現があるか　即ち文化があるか　芸術があるか　それは失われた文化の
模倣である　家の意義
よくその人の声を聞け　偽の語をかぎつけよ　大谷光瑞《おおたにこうずい》云う　自ら称して思想家なりという
人たれか思想を有せざるものあらんや
われらに購《あがな》うべき暇もなくまたさるものを必要とせぬ
いまやわれらは新たに正しき道を行き　われらの美をば創らねばならぬ

♀カーペンター　少年機械工の例
♀当地方大工の例
多くの経典まことの詩歌（第一作）♀ $\frac{3000}{5500}$万
民話民謡農民芸術はそ

農民よ奮い立てそしてわれらの――の表
現を持て
われらは今日まで睡《ねむ》っていた
日本の芸術はその土を踏んで通って来た
尚それを侮辱し罵倒して当然とする
その芸術は何であるか

芸術をもてあの灰いろの労働を燃せ

○→芸術の回復は労働に於《お》ける悦《よろこ》びの回復でなければならぬ　Morris "Art is man's expression of his joy in labour."

労働は本能である　労働は常に苦痛ではない　労働は常に創造である

創造は常に享楽である　人間を犠牲にして生産に仕《つか》うるとき苦痛となる

トロツキー

……………………………………

Morris　◎

明かに有用な目的

休息自らの創造

生産／

時間の交易物は自ら造れ

変化

能力の発展

環境の楽しいこと

好める伴侶あること

ここにはわれら不断の浄《きよ》い創造がある

彼の音楽は市井の雑音　ここに求めんとするものは自ら鳴る天の楽
⚲エマーソン　斯《かく》ノ如キ人ハ
都人よ来ってわれらに交《まじわ》れ　世界よ他意なきわれらを容《い》れよ

凡例

本コレクションは、『新校本　宮沢賢治全集』（筑摩書房）を底本とし、『新修宮沢賢治全集』、新潮文庫『新編　風の又三郎』『新編　銀河鉄道の夜』『注文の多い料理店』『ポラーノの広場』等を参考にして校訂し、本文を決定しました。

本文は、短歌・文語詩以外は、現代仮名づかいに改めました。また、本文中に使用されている旧字・正字について、常用漢字字体のあるものはそれに改めました。

また、読みやすさを考え、句読点を補い、改行を施した箇所があります。

さらに、常用漢字以外の漢字、宛字、作者独自の用法をしている漢字を中心として、読みにくいと思われる漢字には振り仮名をつけ、送りがなを補いました。「一諸」「大体」などのように作者が常用しており、当時の用法として必ずしも誤りとは言えない用字や表記についても、現代通行の標準的字・表記に改めたものがあります。

今日の人権意識に照らして不当・不適切と思われる、人種・身分・職業・身体障害・精神障害に関する語句や表現については、時代的背景と作品の価値にかんがみ、そのままとしました。

本文について

杉浦　静

本巻には、作者が晩年に至るまで繰り返し推敲・改稿を重ねた少年小説及び童話を収め、「銀河鉄道の夜」の、大幅な削除と新稿追加による最終形態（第四次稿）以前の段階を示す「銀河鉄道の夜　初期形第三次稿」を付載した。

また、作者唯一の理論的著述である「農民芸術概論」を、各論及びメモである「農民芸術概論綱要」「農民芸術の興隆」とあわせ収めた。

〈少年小説〉とは、作者晩年の題名列挙メモ中の呼称である。作者は、「ポラーノの広場」「風の又三郎」「銀河鉄道の夜」「グスコーブドリの伝記」の四篇（の逐次形）を〈少年小説〉、あるいは〈長編〉という名称で括っている。また、この四篇は、いずれも晩年の同一時期に同一筆記具を用いて大規模な推敲、改編がほどこされている。そこで、この四篇を〈少年小説〉として他の童話と区別して収録した。

少年小説・童話の配列は、生前未発表の少年小説・童話、生前発表作品（発表年月順）の順である。

ポラーノの広場

先駆形「〔ポランの広場〕」は、宮沢賢治が花巻農学校勤務中の一九二四（大正十三）年四、五月頃に成立した。現存草稿は、川村俊雄による筆写稿。冒頭部、中間部、末尾部にそれぞれ欠落があるが、ポランの広場探求、ファゼロと山猫博士の決闘と遁走、語り手のイーハトブ海岸地方への出張旅行等の「ポラーノの広場」に引き継がれるモチーフの部分は現存する。欠落部が川村筆写時に存在したか否かは不明。ポランの広場の設定に見られるようにイーハトーブの自然の中で展開するファンタジーとして構想されていた。なお、このうち「三　ポランの広場」は、劇「ファンタジー　ポランの広場　第二幕」に脚色され、一九二四（大正十三）年夏に花巻農学校で上演された。その後、「〔ポランの広場〕」草稿への手入れを経て、あらたに稿を起こし、童話「毒蛾」を転用しつつ「ポラーノの広場」の初期形態が成立した。さらに、「六、風と草穂」の章を中心に、黒インクを用いた大幅な手入れと、草稿の差替えが行われ、最終形態が成立した。成立時期については、初期形態は、詩「産業組合青年会」、「農民芸術概論綱要」との関連、作中の召喚状の日付等から一九二七（昭和二）年頃、最終形態は、黒インク手入れが行われた一九三一、三二（昭和六、七）年頃と推定される。

なお、作中の固有名詞は不統一で同一人物・地名等に複数の表記の混用があるが、「デストゥパーゴ」・「ロザーロ」・「センダード」に統一した。「レオーノ・キュースト」については、警察からの召喚状等に異なった表記が用いられているが、作者の意図的改変の可能性を考慮してそのままにしている。また、冒頭部をはじめとして、草稿の状態を点検して読点を補ったところがある。

銀河鉄道の夜

「銀河鉄道の夜」は、一九二四（大正十三）年頃に書き始められ（初期形第一次稿）、大規模な改編を経て（第二次稿）、一九三一（昭和六）年頃までには一応のまとまりを見せる「〔銀河鉄道の夜　初期形第三次稿〕」が成立したと推定される。この第三次稿にさらに大規模な改編を加えて成立した最終形態が本巻本文の「銀河鉄道の夜」である。これは、「第四次稿」「後期形」と呼ばれることもある。第三次稿からの主な改編は、「一、午后の授業」「二、印刷所」「三、家」の冒頭三章の付加、全体にわたる黒インクによる手入れ、末尾のブルカニロ博士の登場場面の、カムパネルラ捜索場面への差替え、などである。特に、ブルカニロ博士登場場面の差替えは、銀河鉄道の旅（ジョバンニの夢体験）の基本的性格を変更するものであったので、末尾以外の箇所にも影響を及ぼした。第三次稿における、ブルカニロ博士によるジョバンニの夢の旅への導入の場面や、列車中での「セロのような声」による教示などの削除が必要になったのである。なお、原文には「セロのような声」の消し忘れがあるのでこれは校訂した。

本文は、新校本全集本文に拠ったが、北の海で難破した汽船から乗り移ってきた一行の構成については、第二次稿に対する手入れの結果やメモにもとづいて「青年、姉、弟」の三人とし、少女三人の設定で書かれている箇所についても校訂し整えた。

風の又三郎

一九二四（大正十三）年二月以降のある時期に、「風野又三郎」（「風の又三郎」先駆形）を原稿用紙の行間を用いて筆写した「行間稿」が作成された。これは、作者自筆によるもの（「九月一日」）と、当時花巻農学校生徒であった松田浩一によって筆写されたもの（「九月二日」以降）とからなっていた。ここから「風野又三郎」の改編は開始された。その後、「風野又三郎梗概」等の数種のメモが作られて、童話「種山ヶ原」や「さいかち淵」が組み込まれるなどして改編は進んでいった。一九三一（昭和六）年八月には、沢里武治宛書簡で雑誌「児童文学」への寄稿予定を記している。この後に現在の「風の又三郎」の骨格は成立したと推定される。しかし、同年九月に作者自身が病に倒れ、さらに「児童文学」の刊行中絶があって、送稿には至らなかった。その後、黒インクを利用した全体の推敲、整理が行われたが、不十分なまま、さらに、一九三三（昭和八）年二月頃には「九月二日」の章が書かれた。この「九月二日」の章が、差替え稿なのか、新稿追補なのかは不明であるが、この章は、他の章で「一郎」だった六年生は「孝一」となり、また語り手は一貫して高田三郎を「又三郎」と呼ぶなど、他章と大きな差異がある。この章は新たな改稿への着手であったとも見られるのだ。

　このような、成立事情のため、本稿の最終形態には、さまざまな不統一や未整理の箇所が残されている。本文は、新校本全集本文を底本としたが、必要最小限の校訂をした。主なもののみを示せば、150頁7行目「生徒は一年から六年までみんなありました。」は、底本では「生徒は三年生がないだけで一年から六年までみんなありました。」とあった。ところが、以下の部分では「三年生は十二人」をはじめとして、何度も三年生が登場するので、「三年生がないだけで」を削除した。また、先述の通り「九月二日」の章では、六年生の名前が「孝一」となっているが、他章では学校の唯一の六年生の名前はすべて「一郎」なので、「九月二日」も「一郎」に変更した。

　なお、子どもたちの会話に使われている方言のうち、表記と発音が大きく異なるものについては、振りがなの形で近似の発音を示した。

ひのきとひなげし

　一九一六（大正五）年六月作成の短歌「風は樹を／ゆすりて云ひぬ／「波羅羯諦《はらぎやあてい》」／あかきはみだれしけしのひとむら」から発展した童話「ひのきとひなげし」（初期形）は一九二一（大正十）年から二

二年前半頃に成立した。初期形では、ひなげしたちは美しくなりたいとの思いのあまり、悪魔の詐術によって変容されようとするが、ひのきの「はらぎゃあてい」との叫びによって救われる。その後、ひのきはひなげしたちへ説教をする。説教は黄薔薇と青蓮華の話、美しい花のあわれな物語、の後、「ああ、すべてのうつくしいということは善逝《スガタ》に至り善逝からだけ来ます。」と結ばれている。

こののち、大規模な推敲・改編により一九三三（昭和八）年夏に「ひのきとひなげし」最終形態が成立した。初期形の冒頭部では、語り手がひなげしを「帆船」に、夕日を「あかがねのいきもの」に見立てているが、次の段階では、ひなげしが、自分自身を「帆船」に、夕日を「あかがねのいきもの」に見立てているように手入れされ、最終形態では、若いひのきがひなげしたちに、「帆船」や「銅づくりのいきもの」との見立てを語るが、ひなげしたちは「せだけ高くてばかあなひのき」と否定反発するというように大幅に変わっている。また、初期形最終部のひのきの仏教的説教は最終の手入れ段階ですべて、「スターになりたいと云っているおまえたちがそのままそっくりスター」で「おまけにオールスターキャスト」だという内容に変更され、また初期形では謙虚にうなずいていたひなげしたちが、あいかわらずひのきを軽んじ反発して、怒っているというように変更されている。

セロ弾きのゴーシュ

「セロ弾きのゴーシュ」は、草稿用紙裏面に書かれた書簡下書や、既使用原稿用紙裏の転用状況により、一九三一（昭和六）年から三二（昭和七）年頃に成立したと推定される。

ゴーシュは、様々な合奏上の欠点を楽長に指摘されるが、夜毎に訪れる小動物の依頼に応える音楽体験の中で、それらの欠点は克服され、やがてゴーシュもその音楽も変わって行く。単純な構成の物語であるが、使用用紙や筆記用具の状況からは、少なくとも五段階の複雑な推敲過程を経て成立していることが明らかである。自筆の構成メモ中の題名に従って、現存するエピソードの成立順を示せば、第一段階では「野鼠の療治」が書かれ、次いで「猫のアベマリア」、「かくこうのドレミファ」の順に書かれている。その後、全体の構成を再考するメモが作成され、それに従って最後の段階で、「活動写真館」「たぬきの子棒二本をもちてたたく」「セロ弾き喜び泣く」が書かれて、現行のエピソード順に全体が手入れされていった。なお、第二段階では「セロ弾きのはなし」という題名であり、主人公は「セロ弾き」と呼ばれるのみで名前はなかった。ゴーシュという名前を持つのは第四段階で冒頭部が書かれた時である。この段階の冒頭部は最終形態では使用されなかったが、この時点でセロ弾きにゴーシュという名前が与えられることで、最終段階で題名が「セロ弾きのゴーシュ」に決定したのであった。

自筆メモには、「栗鼠の感謝」「鷺のバレー」というエピソードのアイデアも書かれている。

北守将軍と三人兄弟の医者

本篇は、雑誌「児童文学」第一冊（一九三一（昭和六）年七月）に発表。本篇には棟方寅雄の挿絵二点が付されていた。本巻本文は、雑誌発表形を底本とした新校本全集に拠るが、総ルビはパラルビに改めた。247頁12行目の「プー先生」は、発表誌では「バーユー将軍」であるが、〔初期形〕への自筆手入れにもとづいて校訂した。

一九二二（大正十一）年頃に成立した「三人兄弟の医者と北守将軍」〔散文形〕が、行分け詩のスタイルに変更されて「〔三人兄弟の医者と北守将軍〕」（冒頭部の草稿が破棄されているため題名は不明）に改作された。その後、大幅な手入れによって再び散文化されて「北守将軍と三人兄弟の医者」〔初期形〕が成立した。この〔初期形〕にさらに手を入れて、軍歌を短く口語調にし、三人兄弟の医者の処遇を追加するなどして、雑誌発表形は成立している。

グスコーブドリの伝記

本篇は、雑誌「児童文学」第二冊（一九三二（昭和七）年三月）に発表。本篇に付された棟方志功の挿絵中に書かれた日付から、本篇の成立が「昭和六年九月」前後であることが判明する。本巻本文は、雑誌本文を底本にした新校本全集に拠るが、総ルビはパラルビに改めた。

一九二二（大正十一）年頃成立の、ばけもの世界を舞台にした、ネネムの立身と転落の物語「ペンネンネンネンネン・ネネムの伝記」は、構想メモ「ペンネンノルデはいまは居ないよ、太陽にできた黒い棘をとりに行ったよ」（ノルデメモ）を経て、「グスコンブドリの伝記」へと改作された。冷害・飢饉と主人公の学問による立身は共通するが、フクジロの借金取りからの解放のエピソードは削除され、ブドリの野原での農作業従事が重要なエピソードとして登場する。最終部で、ブドリは冷害の克服のために火山を爆発させ空の微塵になる。「グスコンブドリの伝記」の最終部の執筆と相前後して雑誌「児童文学」への送稿のための清書が開始されたと推測されている。清書に際して、題名は「グスコーブドリの伝記」へと変えられ、末尾のブドリの死後の描き方をはじめとして、重要な改編が行われた。

銀河鉄道の夜　初期形第三次稿

「銀河鉄道の夜」は、現存草稿の用紙及び筆記用具の使用状況から四次にわたって生成したと推定されている。初期形第一次稿は一九二四（大正十三）年頃に書き始められ翌年春には一応の形をなしていたと推定される。現在はその末尾部十五葉が現存する。次いで、第一次稿を推敲したものをあらためて冒頭部から清書し、末尾は第一次稿に手入れしたものを転用した初期形第二次稿が成立（時期は不明）。第一次稿と重なる部分にはほとんど異なりはないが、銀河鉄道の旅を終えた最終部で、ジョバンニがブルカニロ博士から貰ったのは「大きな二枚の金貨」のみであったのが、第二次稿では、金貨と緑いろの切符へと変更されている。次いで、第二次稿の冒頭から途中までをブルーブラックインクで再清書し、残りは第二次稿を転用、さらに転用部に数葉を追加挿入して初期形第三次稿が成立した。この改編の最大の変化は、セロのような声及びブルカニロ博士の登場と、それらによる導きと教説によってジョバンニが「ほんとうのほんとうの幸福をさがすぞ」との決意に至る過程の付加である。初期形第三次稿の成立時期は不明であるが、挿画の指定や題名列挙メモの存在、他の童話草稿用紙の転用状況などを勘案すると、一九三一（昭和六）年夏までには成立していたと推定される。

第二次稿から登場する北の海で難破した汽船から乗り移ってきた一行の構成については、第二次稿では、青年、姉妹三人、弟、の五人の設定であったが、第三次稿への手入れの際に、自筆メモにもとづいて「青年、姉、弟」の三人としている。しかし、整理が不徹底のため、混乱や矛盾が生じている箇所がある。新校本全集では、原文通りで校訂せずそのままにしているが、ここでは新修宮沢賢治全集・ちくま文庫・新潮文庫所収本文を参考にして校訂した。

農民芸術概論

「農民芸術概論」「農民芸術概論綱要」「農民芸術の興隆」の三篇の草稿は、一九四五（昭和二十）年八月の花巻の戦災により焼失し現存しない。本文は、焼失以前に掲載された十字屋書店版以来の全集本文をもとに、宮沢清六によるトレース、伊藤清一による講義筆記ノート等により校訂した新校本全集所載本文にもとづいて作成した。

本篇は、花巻農学校内に開設された岩手国民高等学校における「農民芸術」の講義（一九二六（大正十五）年一月〜三月）のためのノートやメモ（現存しない）にもとづいて整理執筆されたと推定される。同年六月頃の成立と思われるが、詳細は不明である。

「農民芸術の興隆」は、「農民芸術概論」の各論である「農民芸術概論綱要」を、さらに細分化して論ずるためのノート（講義草稿）というべきものである。

なお、「興隆」以外の項目についてはノート（講義草稿）が現存しない。しかし、当時岩手国民高等学校に在学した伊藤清一の筆記ノート『講演筆記帖』（新校本全集第十六巻（上）所収）には、実際の講義の概要が記録されている。筆記ノート中の「興隆」と賢治自筆の「興隆」はほぼ内容が重なるので、筆記ノートに記録のある「序論」「本質」「分野」「主義」「制作」「批評」についても、賢治の講義概要を推測することが可能である。

エッセイ・賢治を愉しむために

アイスクリームの謎

長野まゆみ

体操は苦手だが健脚であったという賢治さんの足跡（作品群）を、ぜんぶたどろうと思ったら、それはもうたいへんなことになる。いっぽうで、登山にさまざまなルートがあるように初心者や熟練者それぞれの、あるいは植物採集や野鳥観察をするだけの山登りもゆるされる。きょうのところは、アイスクリームの謎をたのしんでみようと思う。

おまへがたべるこのふたわんのゆきに
わたくしはいまこころからいのる
どうかこれが天上のアイスクリームになつて
おまへとみんなとに聖い資糧をもたらすやうに
わたくしのすべてのさいはひをかけてねがふ
（詩「永訣の朝」）

これは妹のトシさんが亡くなる日の日付で書かれた詩なのだが、賢治さんの場合はその日付が詩をつくった日であるとはかぎらない。もちろん、その日につくったと思ってもよい。登山口で早くもルートがわかれる、というだけのことだ。

右の引用部分で気になるのは「ふたわんのゆき」のところ。〈あめゆじゆとてちてけんじや〉と願う「いもうと」のために「わたくし」は鉄砲玉のようにそとへ飛びだしてゆく。

ふつうならひとつのお椀に、ひと盛りの雪をもってくればよいはずのところを、なぜ〈ふたわん〉なのだ、と疑いをもったとたん、なんだかもう途方もない深い雪のなかへ踏みこんでしまうことになる。

わたくしをいつしやうあかるくするために
こんなにさつぱりした雪のひとわんを
おまへはわたくしにたのんだのだ

（詩「永訣の朝」）

このように、「いもうと」は〈雪のひとわん〉をたのんだのだ。ところが「わたくし」のほうは最初から〈青い蓴菜《じゆんさい》のもやうのついた／これらふたつのかけた陶椀《たうわん》〉を手にそとへ飛びだして、天上のアイスクリームをとってくる。

ああ、おいしそうだなと思いながら、つぎの詩にすすんでもよい。そのほうが健全かもしれない。賢治さんはつぎに「松の針」をならべる。その冒頭、

さつきのみぞれをとつてきた

あのきれいな松のえだだよ
おお　おまへはまるでとびつくやうに
そのみどりの葉にあつい頰をあてる

（詩「松の針」）

〈さつきのみぞれ〉を、「永訣の朝」の〈ふたわんのゆき〉や〈天上のアイスクリーム〉とおなじだと解釈してもよいように、詩は編まれている。〈ふたわん〉であることの謎は残ったままだが、ここではアイスクリームについての詩をもうひとつ追ってみたい。

それは雪の日のアイスクリームとおなし
（もつともそれなら暖炉《だんろ》もまつ赤《か》だらうし
muscovite も少しそつぽに灼《や》けるだらうし
おれたちには見られないぜい沢《たく》だ）

（詩「小岩井農場パート四」）

右の引用部に先がけて〈五月の黒いオーヴアコート〉や〈あんまりひばりが啼きすぎる〉という詩句があるので、この詩が書かれた季節は北国における春らしいと推測できる。東北地方では五月といってもまだ残雪があるし暖炉が要るくらい寒いのだなあ、と読めばなんの不思議もない。
ところが、この詩にはつぎのような異稿がある。

一体さうだ。あの白秋が
雪の日のアイスクリームをほめるのも同じだ。
もっともあれはぜいたくだが。

（詩「小岩井農場　先駆形A」）

白秋とは北原白秋さんのことだ。賢治さんの意識にあるのはつぎの詩だと思われる。

花火があがる
銀《ぎん》と緑の孔雀玉《くじやくだま》……パッとしだれてちりかかる。
紺青《こんじやう》の夜に、大河に、
夏の帽子にちりかかる。
アイスクリームひえびえとふくむ手つきにちりかかる。
わかいこころの孔雀玉《くじやくだま》、
ええなんとせう、消えかかる。

（北原白秋『雪と花火』所収「花火」）

こちらは「明治四十四年六月」と白秋さんが記している。東京隅田川の光景である。旧暦と思われるので、現在の隅田川花火大会とおなじく七月末のことだろう。これはもともと『東京景物詩及其他』という題であった詩集に作者自身が雪のシリーズをくわえて再編集したのち『雪と花火』と改題して大正五年（一九一六）に刊行された詩集だ。新刊を購入できる富裕層の息子であった賢治さんはこちらの新装版を読んでいるはず。

では、白秋さんが夏の情景としてとりあげたアイスクリームを、賢治さんはどうして「あの白秋が／雪の日のアイスクリームをほめるのも同じだ。」（傍点引用者）と書いたのだろう。

詩集のタイトル『雪と花火』を意識したゆえに夏のアイスクリームを雪の日のアイスクリームと混同したのか、賢治さんお得意の作為的なモンタージュなのかはたぶん永遠にわからない。ここで注目したいのは詩集収録形では白秋さんの名前が消えたかわりに muscovite や暖炉などのアイテムが盛りこまれることだ。

muscovite は白雲母である。アラジン社のストーブなどを思い浮かべれば、これは燃焼具合を確認する窓のことだとわかる。だが、アラジン社のＨＰによると窓のある石油ストーブの一号機が製造されたのは一九三〇年代である。そのころ日本の北国ではまだ石炭ストーブが主流で、暖炉ならば薪をつかう。「小岩井農場」は大正十三年（一九二四）に初版がでる『春と修羅』にふくまれるので、この時代の賢治さんがイメージしたのは窓のあるストーブではなさそうだ。すると muscovite はどこにつかわれていたのだろう。

東京ガスの「がす資料館」のＨＰに暖炉内に据えてつかう明治時代のガスストーブの画像があった。前面にカバーのようなガラス窓がついている。このガラスがおそらく耐熱性の muscovite なのかもしれない。これなら大正時代の富裕層の家にはあっただろう。

白秋さんの名前が暖炉に置換されたわけは、童謡としてなじみ深い「ペチカ」（大正十四年白秋作詞）のイメージを重ねたからにちがいない。

つまり賢治さんのあたまのなかでは花火が暖炉の火の粉となり、白秋が白雲母（muscovite）になって雪の日にアイスクリームを食べている情景が生まれた。それを「ぜい沢」だと云っているのだ。

こんな調子でアイスクリームひとつだけでもけっこうな山登りとなる。〈ふたわん〉の謎を解くには紙幅が足りない。むろん、そんな悩みを抱えることなく素直に読むのもよい。どんな登山も愉しいところが、賢治さんの作品なのだ。

宮沢賢治《みやざわけんじ》コレクション 1
銀河《ぎんが》鉄道《てつどう》の夜《よる》――童話《どうわ》Ｉ・少年小説《しょうねんしょうせつ》ほか

二〇一六年十二月二十五日　初版第一刷発行
二〇二五年　三　月二十五日　初版第四刷発行

著　者　宮沢賢治《みやざわけんじ》
発行者　増田健史
発行所　株式会社 筑摩書房
東京都台東区蔵前二―五―三　郵便番号一一一―八七五五
電話番号　〇三―五六八七―二六〇一（代表）
印　刷　信毎書籍印刷 株式会社
製　本　牧製本印刷 株式会社

ISBN978-4-480-70621-8 C0393